*...utler, het dorp dat mij inspireerde
voor deze roman*

Voor G

SERINGEN IN DE LENTE

RUTH AXTELL MORREN

Vertaling Dorienke de Vries

Mozaïek, Zoetermeer

Dit boek op een leeskring bespreken?
Kijk voor discussievragen op uitgeverijmozaiek.nl

Ontwerp en illustratie omslag Bas Mazur

Vertaling Dorienke de Vries-Sytsma
Oorspronkelijk verschenen bij Steeple Hill Books, New York, USA
onder de titel *Lilac Spring*

ISBN 978 90 239 9211 0
NUR 342/343

Meer informatie over deze roman en andere uitgaven van Mozaïek vindt u op
uitgeverijmozaiek.nl

Proloog

Haven's End
Maine, 1861

'Ben jij de nieuwe gezel?' vroeg Cherish nieuwsgierig aan de jongen die over papa's tekentafel gebogen stond.

Hij draaide zich met een ruk om en op zijn magere gezicht was schrik te lezen, alsof ze hem had betrapt bij iets wat niet mocht. Cherish stapte de drempel van de werkplaats over en liep naar de tafel toe. Haar lappenpop Annie bungelde in haar ene hand. De jongen veegde vlug langs zijn ogen en zei niets.

'Ben je het nou, of niet?'

Hij staarde haar aan. Zijn ogen hadden een bijzondere grijze kleur. Eindelijk gaf hij antwoord op haar vraag: 'Ja.'

'Waarom huil je?'

'Ik huil niet!'

'Welles. Ik zie het heus wel. Je ogen zijn helemaal rood.' Het drong plotseling tot haar door dat hij het misschien niet wilde toegeven, omdat hij een jongen was. Zelf vond ze huilen niet erg; ze voelde zich daarna altijd veel beter. Het enige probleem was het pak voor haar broek dat er meestal aan voorafging.

'Wat doe je?' vroeg ze nu, en gluurde langs hem heen naar de tekentafel.

'Niks. Ik kijk alleen.'

'Dat is papa's model.' Op haar tenen bij de tafelrand tuurde ze naar de houten romphelft, die als een brood in de lengte in plakken was gesneden. Omdat ze het zo niet goed kon zien, sleepte ze er een stoel bij en klom erop. 'Ik heb gewacht tot papa naar de werf was, voordat ik kwam. Dat duurde lang! En toen was ik bang dat ik van mama niet hierheen mocht.' Ze lachte hem toe. 'Maar ze denkt dat ik buiten met mijn jonge poesje aan het spelen ben.'

De jongen zei niets. Cherish ging zitten.

'Ik heb gisteren nog gehuild,' vertelde ze en liet Annie op haar schoot zitten. 'Mama had me naar mijn kamer gestuurd.'

Hij bleef kijken alsof hij probeerde vast te stellen wat ze was: vriend of vijand. Hij had aardige ogen, vond ze. Grijs, met een groene glans, als een roerige zee. 'Wat had je dan gedaan?' vroeg hij.

'Ik had de poes aan haar staart getrokken. Ik probeerde haar aan de poppenwagen vast te binden, maar ze wilde niet doen wat ik zei.'

Er trok iets bij zijn mondhoeken en dat aarzelende begin van een glimlach maakte haar blij.

'De poes heeft me gekrabd, kijk maar.' Ze stroopte haar mouw op en liet hem de helderrode striem op haar onderarm zien.

'Papa stuurt me nooit naar mijn kamer en hij slaat me ook nooit. Mama zegt dat ik een verwend nest word, als niemand me ooit een pak voor mijn billen geeft. Maar papa zegt dat niemand dat mag doen, omdat ik zijn kleine dametje ben.'

Ze zaten even zwijgend bij elkaar. De blik van de jongen was weer teruggedwaald naar de bewerkte stukken hout op de tafel. 'Kom je van ver?' vroeg ze en verschoof een beetje op de harde stoel.

'Heel ver,' mompelde hij.

'Waar vandaan dan?' vroeg ze. Het was moeilijk om je een

voorstelling te maken van iets buiten Haven's End.

'Swan's Island.'

'Swan's Island,' herhaalde ze, diep onder de indruk. Haar moeder had haar de vorige avond net een verhaal over een zwaan voorgelezen en nu stelde ze zich een prachtig eiland voor, waar het wemelde van die sneeuwwitte vogels.

'Heb je wel een vader en moeder?' vroeg ze weer, toen hij er verder het zwijgen toe deed.

'Alleen een moeder. Mijn vader is verdronken op zee,' voegde hij er bijna fel aan toe, alsof hij er trots op was.

'Dat is erg.'

Hij snoof en veegde met de rug van zijn hand langs zijn neus. Daarna boog hij zich weer over de gladde stukjes hout die precies in elkaar pasten.

'Ben jij nu je moeders kleine man, omdat je vader naar de hemel is gegaan?'

Hij keek minachtend. 'Ik ben al veel te groot om een kleine man te zijn.'

'Word jij ook een echte heer als je later groot bent?' Papa had gezegd dat zij met een echte heer zou trouwen als ze groot was.

'Nee joh! Ik word botenbouwer.'

Ze lachte. 'Ik ook!'

Hij draaide zijn gezicht naar haar toe en keek haar aan alsof hij haar voor het eerst zag. In plaats van in lachen uit te barsten, zoals papa altijd deed wanneer ze dit tegen hem zei, gaf hij plotseling blijk van echte belangstelling. 'Vind je boten leuk?'

'Ik ben er dol op!'

'Je vader gaat me leren hoe je boten moet bouwen.'

Ze knikte. Ze had papa al horen praten over de nieuwe gezel.

Hij richtte zijn aandacht weer op het model en liet zijn wijsvinger over de ronding van het dolboord glijden. 'Op een dag ga ik ze ook zelf ontwerpen,' zei hij zacht, bijna eerbiedig. Het leek alsof hij alleen maar tegen zichzelf praatte, niet tegen haar.

'Ik ook,' reageerde ze onmiddellijk, om zijn aandacht weer te trekken. Wat 'ontwerpen' betekende, wist ze niet precies, maar dat gaf niks. Als de nieuwe jongen het kon, kon zij het ook.

'Hoe heet je?' vroeg ze. Ondanks zijn weinig toeschietelijke houding begon ze hem aardig te vinden. Hij was heel anders dan die grote plaaggeesten op school.

'Sietze.'

'Ik heet Cherish.'

'Cherish.' Weer rustten zijn grijze ogen op haar. 'Dat is een grappige naam.'

'Nietes!'

Hij grijnsde. Zijn gebit was regelmatig en stak wit af tegen de honingkleurige huid van zijn gezicht. 'Noemen de mensen je ook wel Cherry?'

'Nee! Ik heet Cherish Elizabeth Winslow.'

'Cherish Elizabeth Winslow,' herhaalde hij. 'Die naam klinkt veel te volwassen voor jou. Hoe oud ben je, Cherry?'

'Cherish!' verbeterde ze hem en stak toen haar vingers op. 'Ik ben vijfeneenhalf. En hoe oud ben jij?'

Hij stak zijn borst vooruit. 'Twaalf.'

Ze dacht weer aan zijn roodomrande ogen. Op dat moment had hij bepaald niet volwassen geleken. Ze keek naar haar pop. 'Hier,' zei ze plotseling. 'Je mag Annie wel hebben. Je kunt heel goed je tranen met haar afvegen, kijk maar.' Ze pakte de pop bij een van de slappe, stoffen armpjes en veegde daarmee over haar oogleden om de denkbeeldige tranen af te wissen. 'Ik gebruik haar heel vaak.'

Hij fronste, maar ze had hem de pop zo uitnodigend toegestoken dat hij die wel aan moest pakken. Voordat hij echter de kans had er iets mee te doen, werd hun samenzijn onderbroken door de stem van Cherish' vader.

'Sietze! Wat voer jij daar uit?'

De jongen sprong haastig van de stoel waarop hij schrijlings had gezeten. 'Niets, meneer.'

'Je bent hier niet om te lanterfanten, maar om een vak te leren. Vooruit, breng je spullen naar boven en meld je dan op de werf.'

'Hallo, papa.' Cherish kwam ook van haar stoel, maar met minder haast. 'Ik zat net met Sietze te praten.'

Haar vader gaf haar een zacht kneepje in de wang. 'Cherish, lieverd, hoe vaak heb ik je nou al niet gezegd dat je niet in de werkplaats mag komen? Dit is een plaats voor mannen.'

Ze negeerde het standje. 'Ik ga ook boten werpen,' zei ze tegen hem.

Hij grinnikte, pakte haar bij de hand en bracht haar naar de deur. 'Jij gaat leren hoe je een echte dame wordt en dan trouwen met een knappe jongeheer. En nu op een holletje naar mama. Papa ziet je straks weer bij het avondeten.'

Hand in hand met papa besefte ze plotseling dat haar andere hand leeg was; dat was waar ook, ze had Annie weggegeven. Ze wierp nog een laatste, verlangende blik achterom, maar haar pop was nergens meer te bekennen. Bij de gedachte aan Sietzes gebogen rug en rode ogen schudde ze het gevoel van verlies van zich af. Hij had Annie op dit moment harder nodig dan zij.

Mei 1875

Op de drempel van de werkplaats bleef Cherish even staan. De geur van cederhout deed haar neusvleugels trillen. Diep ademde ze de kruidige citroengeur in en glimlachte. Thuis.

De stralen van de late namiddagzon priemden tussen de toppen van de dennenbomen door, aan de overkant van de inham. Ze vielen door de ramen naar binnen, deden elk afzonderlijk stofje oplichten en legden een gouden glans over de houten bootrompen, maar haar blik bleef daar niet rusten. Er zou later nog tijd genoeg zijn om de voortgang van het werk in ogenschouw te nemen. Nu had ze alleen belangstelling voor de enige persoon die in de werkplaats aanwezig was.

Sietze stond bij de werkbank en ging helemaal op in zijn taak. Hij leunde met zijn volle gewicht tegen een schaaf en duwde die over een houten plank. Uit het gereedschap kringelde een krul van cederhout naar de vloer, die al bezaaid lag met honderden andere krullen.

'Hallo, Sietze,' zei ze zachtjes.

Hij keek op en zijn grijze ogen – met de wilde, groene tint van een woelige zee – hadden alleen nog aandacht voor haar.

'Cherish!' Er brak een lach door op zijn gezicht, en de frons van intense concentratie maakte plaats voor jongensachtige blijdschap. Cherish voelde de spanning, die tijdens de reis naar Haven's End met iedere mijl verder was toegenomen, een beetje wegebben. Na al die dagen op de Atlantische Oceaan en de nachtelijke tocht over land vanaf Boston, was ze eindelijk in haar thuishaven gearriveerd.

Nog even bleef ze roerloos staan. Ze wilde graag dat hij haar eens goed bekeek, zoals ze daar stond in het gouden middaglicht. Ze wist dat de grijsblauwe kleur van haar jurk goed stond bij haar teint en haar ogen en was blij dat ze deze japon nog net voor haar vertrek in Parijs had laten maken.

Haar verschijning was tot in de puntjes verzorgd. Vlak voor de ontscheping had ze haar haren geborsteld en opnieuw opgestoken. Ze wist hoe ze de bewondering in de ogen van de mannen kon onderkennen; dat had ze wel geleerd in de talloze Europese hoofdsteden die ze het afgelopen jaar had bezocht. Nu wilde ze die bewondering zien opflakkeren in het enige paar ogen waar ze iets om gaf.

Hij legde de schaaf neer en deed een stap naar haar toe. 'We hadden je pas morgen verwacht. Ik had je wel willen komen afhalen, maar ik wist dat je vader je helemaal voor zichzelf zou willen hebben.'

'Oh, het is prima zo. Ik vind het veel fijner om je hier gedag te komen zeggen.' Eigenlijk wilde ze niets liever dan haar jeugdkameraad om de hals vliegen, maar ze voelde zich bevangen door een plotselinge verlegenheid. Ze was niet langer een meisje met vlechtjes, maar een jongedame, die hij al meer dan twee jaar niet had gezien, en ze hoopte vurig dat het hem zou opvallen hoe wezenlijk ze veranderd was. En dus liep Cherish met afgemeten passen naar Sietze toe; de jaren waarin ze dit op de academie voor jonge meisjes had moeten oefenen met een lijvig boek op haar hoofd wierpen nu eindelijk hun vruchten af. Haar rok, met de opgenaaide ruches en de geplooide zoom, ruiste en in haar ene hand zwaaide ze een kleine parasol losjes heen en weer. Toen ze eindelijk vlak tegenover elkaar stonden, stak ze hem haar handen toe, nog steeds speurend naar een waarderende blik in zijn ogen. Ze vond die ook... of toch niet?

'Hoe ben je hier gekomen?' vroeg hij met een glimlach, terwijl hij haar handen stevig vastpakte. 'Je vader zei dat jullie morgen pas binnen zouden varen. Weet hij eigenlijk wel dat je er al bent?'

Ze schudde langzaam haar hoofd en de glimlach week niet van haar gezicht. Zag hij nu wel dat ze een echte dame was geworden sinds de vorige keer dat ze elkaar hadden gezien? Zou hij wel oog hebben voor haar opgestoken kapsel onder het modieuze hoedje, en voor de pijpenkrullen die over haar rug golfden?

'Ik heb in Boston de stoomboot van een dag eerder genomen en kon vanuit Eastport met kapitein Stanley meevaren op de schoener *Emerald*. Ik ben net aangekomen. Mijn koffers staan nog op de werf,' voegde ze eraantoe en kon de lach die in haar opborrelde niet langer bedwingen.

Zijn grijze ogen glansden van plezier. Wat had ze die blik gemist! 'Je vader heeft voor morgen een groot welkomstfeest georganiseerd.'

'Dat weet ik, en dat is ook precies de reden waarom ik een dag eerder naar huis ben gekomen. Ik wilde eerst even tot mezelf komen. Morgen zal ik de brave dochter uithangen, maar vandaag...' Haar blik gleed door de overvolle werkplaats. 'Vandaag wil ik gewoon genieten van het weer thuis zijn.'

Hij knikte en ze wist dat hij haar begreep. 'Ben je blij om me weer te zien?' vroeg ze en opnieuw keek ze hem vorsend aan.

'Natuurlijk ben ik blij. Het is hier heel anders als Cherry je niet voor de voeten loopt. Maar je hebt vast een geweldige tijd gehad – een rondreis over het continent nog wel. Ik ben verbaasd dat je nog terug wilde.'

Ze fronste haar wenkbrauwen. 'Natuurlijk wilde ik weer terug. Dit is mijn thuis.' *En jij bent hier.*

'En je bent een hele dame geworden.'

Wat had ze van dit moment gedroomd, waarop hij haar eindelijk zou zien als een volwassen vrouw.

'De laatste keer dat ik je zag was je nog een echte wildebras, die zich voortdurend met de hamer op de vingers sloeg en Henry aan zijn hoofd zeurde of hij je alles over ontwerptekenen wilde leren.'

'Zie ik er nu uit als een wildebras?' Ze liet zijn handen los en draaide traag in het rond, zoals ze de mannequins in het modehuis aan de Rue de la Paix had zien doen.

'Je ziet er zo volwassen uit, dat ik je bijna niet herkend had.' Zijn toon riep even teleurstelling bij Cherish op. Er klonk bewondering in zijn stem, zeker, maar meer was het ook niet.

Nou ja, dacht ze, er was tijd genoeg. Ze was deze keer voorgoed naar huis gekomen.

'Je vader krijgt vast een rolberoerte als hij hoort dat je zonder begeleiding uit Eastport bent gereisd.' Hij fronste. 'Ben je soms in je eentje helemaal uit Boston gekomen?'

Ze legde een vinger op de lippen. 'Ssst. Er was een kennis van ons aan boord, dus ik had een chaperonne, zoals het hoort. Hoe dan ook, ik ben thuis en daar gaat het om. Ik wilde jou als eerste begroeten, op deze plaats, net als de eerste keer dat we elkaar ontmoetten.'

Hij grijnsde. 'Jij kwam hier om het hoekje gluren en betrapte de nieuwe gezel, terwijl hij stond te snotteren van heimwee en toch zijn uiterste best deed om zich als een volwassene te gedragen.'

'Je had alle recht om heimwee te hebben. Je was nog maar een jongen.' Ze bekeek hem op haar gemak, alert op elke verandering die hij in de twee jaar van haar afwezigheid had ondergaan. Hij was nog steeds mager en klein van stuk, maar zijn tengere gestalte was bedrieglijk. Haar ogen gleden naar zijn blote bovenarmen. Ze herinnerde zich weer hoe zijn spierballen opzwollen wanneer ze in de haven aan het roeien waren.

De mouwen van zijn overhemd waren opgerold en zijn kraag stond open; eroverheen droeg hij een vest. Zijn donkerblonde haar, dat dik en steil was, was achterover gestreken en zijn gezicht was diepgebruind door de vele uren die hij buiten op de werf doorbracht. Hij was altijd al een serieuze jongen geweest, maar aan zijn ogen kon ze zien dat hij volwassen was geworden.

'Kan ik ermee door, Cherry?'

Ze rolde met haar ogen. 'Ben ik nou nog niet te oud voor die belachelijke bijnaam?'

Hij lachte ondeugend. 'Wat geeft dat nou? Doet-ie je te veel denken aan het vervelende krengetje dat je vroeger was?' Maar voordat ze zich beledigd kon tonen, voegde hij eraantoe: 'Europa heeft je goed gedaan, zo te zien.'

Dat werd eens tijd. 'Het was ook geweldig. Ben je blij dat ik terug ben?'

'Natuurlijk, al verwacht ik eigenlijk dat je nu te deftig bent om in de werkplaats te komen.'

'Helemaal niet.' Ze legde haar parasol op tafel en vocht tegen de teleurstelling die haar bekroop. Er ontbrak iets aan deze begroeting. Ze bedwong een zucht en richtte haar aandacht op de bootskeletten in de werkplaats. 'Waar ben je op dit moment mee bezig?'

'O, ik was net deze vletten aan het afmaken. Ze zijn voor een schoener. En nu het weer zo is opgeknapt hebben we op de werf de kiel van een schoener kunnen leggen.'

Ze streelde over het hout dat hij aan het schuren was geweest. 'Ik ben echt van plan om regelmatig naar de werkplaats te komen, hoor.'

Hij keek haar van opzij aan. 'Weet je vader daarvan?'

'Nog niet; al heb ik nooit een geheim van mijn ambities gemaakt.'

Sietze haalde een krukje voor haar en pakte er zelf ook een. 'Waarom vertel je je ouwe vriend Sietze niet eens het hele verhaal?'

Nu voelde ze zich zekerder. Sietze was de enige die echt begrip had voor haar verlangen om daadwerkelijk bij het werk in haar vaders bedrijf betrokken te zijn.

'Ik heb je hulp nodig, Sietze.'

Zijn ene mondhoek ging omhoog. 'Nu al?'

Ze beantwoordde zijn glimlach niet. 'Ik ben niet naar Haven's End teruggekomen om me het hof te laten maken door de een of andere deftige heer uit Hatsfield en vervolgens met hem te trouwen.' Ze begon te blozen onder zijn vaste blik en de aandacht waarmee hij naar haar luisterde. 'Ik weet dat papa dat van mij verwacht. Maar als ik dat had gewild, had ik net zo goed bij mijn nicht Penelope in Boston kunnen blijven. Of in Europa.' Ze dacht aan de huwelijksaanzoeken die ze had afgewezen.

'Je vader zou je niet graag aan Boston of aan het continent hebben afgestaan. Sinds de dood van je moeder ben je altijd zijn oogappel geweest.'

Ze knikte. Die vreselijke periode van haar moeders ziekte stond haar nog helder voor de geest. 'Papa had zich helemaal geen zorgen hoeven maken dat hij me kwijt zou raken,' zei ze, levendiger nu. 'Ik ben altijd van plan geweest terug te komen, omdat ik hier wil werken. Hier in het bedrijf. Ik wil boten bouwen, Sietze, net als jij. Heeft papa al actie ondernomen om Henry te vervangen?' Henry was haar neef, die door haar vader was ingehuurd vlak voordat zij zelf naar kostschool zou gaan.

Sietze schudde zijn hoofd.

'Geeft papa je tegenwoordig andersoortig werk, nu Henry weg is?' Zodra Henry volwassen was geworden, had hij een baan aangenomen op een grotere werf in Boston.

'Mijn werk is nog precies hetzelfde als altijd.'

Ze fronste haar wenkbrauwen. 'Papa hoeft Henry helemaal

niet te vervangen. Hij heeft jou toch? Jij hebt veel meer talent dan Henry ooit zal bezitten. Ik weet zeker dat papa daarom geen plaatsvervanger voor hem gezocht heeft.'

Toen hij er het zwijgen toe bleef doen, vervolgde ze: 'De tijd op de academie voor jonge meisjes in Massachusetts was geen totaal verloren tijd, hoor.' Ze lachte hem samenzweerderig toe. 'Bijna al het kleedgeld dat papa me stuurde, is opgegaan aan cursussen. Ik heb alle lessen scheepsbouwkunde gevolgd die ik kon betalen.'

Ze boog zich gretig voorover en legde een hand op zijn bovenarm. 'Ik zal je alles leren wat ik weet. Maar ik heb jouw hulp ook nodig, Sietze. Papa zal zich in dit opzicht hevig tegen mij verzetten. Denk jij dat ik hier met jou zou kunnen werken?'

Hij bleef zwijgen en ze hield haar adem in. Zou hij haar uitlachen om haar ambities, net zoals haar vader altijd deed?

'Ik geloof niet dat je vader zich veel aan mijn mening gelegen zal laten liggen, maar ook al heb je er misschien niet veel aan, ik sta aan jouw kant.'

'Maar zul jij me geen sta-in-de-weg vinden? Of denk je dat ik mijn loon waard kan zijn?'

'Na alle uren die je met Henry hebt doorgebracht, weet ik dat je even goed een mal kunt ontwerpen als hij.'

'Dank je wel, Sietze.' Ze liet langzaam zijn arm los en stak hem haar hand toe. Hij nam die in de zijne en ze schudden elkaar de hand alsof ze zojuist een zakelijke overeenkomst hadden gesloten.

Sietze schraapte met het scheermes over zijn kin. Hij zou honderd keer liever op de werf zijn gebleven om verder te werken aan de schoener in het dok, maar hij wist dat Cherish gekwetst zou zijn als hij op haar welkomstfeest verstek liet gaan. Ze had hem laten beloven dat hij zou komen.

Hij boog zich over de waskom en spoelde de scheerzeep van zijn gezicht, waardoor zijn pony drijfnat werd. Hij depte zijn gezicht droog, pakte een kam en probeerde voor de spiegel uit alle macht de vochtige haarlok te pletten. Zijn blonde haar was donkerder nu en lag glad achterover, maar zodra hij de deur uit was zou het alweer over zijn voorhoofd vallen. Hij keerde de spiegel de rug toe en pakte een schoon, wit overhemd uit de la. Mevrouw Sullivan, de tante van Cherish, stond erop zijn was te doen, inclusief strijken en verstellen – 'hem in de kleren houden' noemde ze dat, en ze had het gedaan vanaf het moment waarop hij als jongen bij de Winslows was komen wonen. Ze zei dat ze hem als familie beschouwde en dat ze voor hem niet minder wilde doen dan voor haar eigen zoon Henry.

Terwijl hij het gesteven overhemd losknoopte en aantrok, bedacht hij met stille verbazing hoe volwassen Cherish was geworden in de tijd dat ze weg geweest was. Ze was al eerder van huis geweest – op kostschool, maar toen kwam ze nog elke vakantie naar Haven's End terug. Bij thuiskomst liep ze dan altijd onmiddellijk door naar de werkplaats. Maar de afgelopen twee jaar had hij haar niet een keer gezien. Eerst had ze een jaar doorgebracht op een exclusieve meisjesschool vlak bij Boston en daarna was ze meteen naar het continent gereisd, waar ze een jaar lang als gezelschapsdame had gefungeerd voor een rijke achternicht.

Sietze had niet verwacht dat ze ook nu weer regelrecht naar de werkplaats zou gaan. Het bewees toch wel hoe groot haar hartstocht voor de scheepsbouw was, dat die zelfs na een jaar in Europa niet was verflauwd.

Hij trok zijn grijze broek aan, de enige nette die hij had, en strikte zijn stropdas. Ten slotte schoot hij in zijn donkerblauwe colbert, dat al een paar zomers lang meeging. Na nog een laatste blik in de spiegel en de zoveelste vergeefse poging om zijn haar achterover te strijken, ging hij naar buiten.

Het was maar een klein eindje lopen naar het huis van de Winslows, een grote Victoriaanse villa die hoog op een vooruitstekende landtong was gebouwd. Langs de voorkant liep een veranda met een torentje aan beide uiteinden. Het huis keek uit over de baai en vanaf deze hoogte kon je zelfs een glimp opvangen van het dorpje dat verderop langs de weg lag, aan de mond van de haven.

Bij het huis gekomen negeerde Sietze de voordeur, ook al stond die nog zo uitnodigend wijdopen. In plaats daarvan liep hij naar de keukendeur, waardoor hij al sinds zijn jongensjaren naar binnen ging. Hij stapte uit het zonlicht, over de drempel, de schemerige keuken in en liet de hordeur met een klap achter zich dichtvallen. Celia, de keukenmeid, begroette hem en stuurde hem meteen door naar het voorhuis, met de mededeling dat Cherish al naar hem had gevraagd.

Hij liep de gang door en bij iedere stap nam het gezellige geroezemoes verder toe. In de grote voorkamer die uitzag op de veranda was het feest in volle gang. Te midden van het lawaai kon hij duidelijk de stem van Cherish onderscheiden.

Hij bleef staan en keek naar haar. Opnieuw kon hij alleen maar verbaasd staan over de verandering die zich in haar had voltrokken. Ook vroeger was ze al een leuk meisje om te zien, maar nu zag ze er echt als een dame uit. Ze droeg – hij zocht naar de juiste term. Een *jurk* was geen goede omschrijving voor de combinatie die ze aanhad. Het geheel leek in niets op de eenvoudige jurkjes met schortjes waarin hij haar vroeger altijd had zien lopen. Deze japon was wit met helderblauwe stippen. De rok was van achteren opgenomen en viel in golvende plooien omlaag. Aan een kant hing een brede, blauwe sjerp af en de rest van de rok leek uit een en al stroken en plisséplooien te bestaan. Het lijfje van de japon was totaal anders van stijl, met een strakke vormgeving die haar wespentaille en de contouren van haar figuur goed deed uitkomen.

Zodra ze hem zag, stevende Cherish doelbewust op hem af.

'Sietze! Fijn dat je er bent!' Ze stak hem haar beide handen toe en glimlachte breed en hartelijk. Ook haar kastanjebruine kapsel vertoonde geen spoor meer van de vlechtjes en de pony die ze vroeger het liefste had. Haar haar was naar achteren getrokken, waardoor haar brede, blanke voorhoofd zichtbaar werd, en langs haar rug vielen dikke pijpenkrullen omlaag. De oorhangertjes, die bij iedere hoofdbeweging heen en weer zwaaiden, trokken zijn blik onweerstaanbaar naar haar zachte, parelvormige oorlelletjes.

Ze keek naar hem op met een lach in de wazige, blauwe diepten van haar ogen.

'Waar bleef je zo lang?'

Hij haalde zijn schouders op. 'Ik dacht dat er al meer dan genoeg mensen zouden zijn om je welkom te heten, en dat je het daar de hele avond wel druk mee zou hebben.'

Ze keek geamuseerd om zich heen. 'Daar kon je wel eens gelijk in hebben. Het is heerlijk om weer thuis te zijn. Kom, laten we naar buiten gaan. Je kent wel zo'n beetje iedereen, maar papa verwacht nog een paar kennissen uit Hatsfield met wie hij me wil laten kennismaken.'

Ze haakte haar arm in de zijne en trok hem mee naar de veranda. Om de haverklap werden ze staande gehouden door gasten die even met Cherish wilden praten. Iedereen wilde haar verhalen horen over de rondreis in Europa. Stiekem bewonderde Sietze de handigheid waarmee ze telkens op een ander onderwerp overging, door te informeren naar alles wat zich hier in de tijd van haar afwezigheid had afgespeeld.

Eindelijk waren ze op de veranda.

'Cherish!' Vanaf de oprijlaan klonk de stem van Tom Winslow, een knappe, donkerharige man. Hij was in het gezelschap van een lange jongeman en een meisje. Voordat Sietze zich uit de voeten kon maken, trok Cherish hem aan zijn arm mee de verandatrap af, het trio tegemoet.

'Ik wil je graag voorstellen aan de heer Warren Townsend uit

Hatsfield,' zei haar vader. 'En dit is zijn zuster, Annalise. Ze zijn speciaal hierheen gereden om jou te begroeten.'

'Het is me een groot genoegen,' zei Cherish en wendde zich tot de jongeman. Hij stak minstens een half hoofd boven Sietze en haar vader uit en was gekleed in een tweedkostuum van goede snit. 'Welkom in ons huis, meneer Townsend.'

'Uw vader heeft Annalise en mij zoveel over u verteld, dat we reikhalzend naar een wederzijdse kennismaking hebben uitgezien.'

Cherish glimlachte naar haar vader. 'Papa heeft waarschijnlijk de helft van de details schromelijk overdreven, maar ik ben blij dat ik nu de kans krijg me persoonlijk aan jullie voor te stellen, zodat jullie de fantasie aan de feiten kunnen toetsen.'

Ze keerde zich naar Sietze om hem in het gesprek te betrekken. 'Dit is Sietze de Vries, papa's meest getalenteerde scheepsbouwer.' Iedereen schudde elkaar de hand en daarna liet Sietze het verder aan Cherish over om het gesprek op gang te houden.

Bewonderend constateerde hij hoe het vormingsjaar op de academie haar inderdaad had gevormd; en haar verblijf op het continent had haar uitstraling onmiskenbaar verder versterkt. Niets herinnerde nog aan het meisje van vroeger. Hij betwijfelde of ze nog steeds dezelfde Cherish was, die het geen punt vond om in de werkplaats haar handen vuil te maken.

'Nou, ik laat jullie jongelui maar rustig verder met elkaar kennismaken,' grinnikte meneer Winslow en ging ervandoor.

'Bent u net terug van het continent?' vroeg meneer Townsend aan Cherish.

'Inderdaad. Een jaartje buitenland,' bevestigde ze lachend, op een toon alsof dat een kleinigheidje was.

'Ik ben er zelf een paar jaar geleden ook geweest.'

Cherish sperde haar ogen wijdopen van plezier. 'Echt? Waar bent u allemaal geweest?'

'Londen, Parijs, Wenen – alle hoofdsteden. Maar we hebben ook een prachtige reis gemaakt door het Zwarte Woud, de Zwitserse Alpen en langs de Italiaanse kust.'

'Is het daar niet schitterend? Ik vond het landschap betoverend. Ik herinner me nog een boottocht die we op een middag maakten op het meer van Genève. Ik moet de schetsen die ik toen heb gemaakt eens uitwerken met olieverf.'

'Ja, daar ben ik ook geweest. Bij Château de Chillon.'

'Was het niet precies zoals de dichter Byron het heeft beschreven?'

Terwijl zij beiden doorbabbelden over hun gemeenschappelijke belevenissen in Europa, keek Sietze eens naar Annalise Townsend, die het gesprek aandachtig volgde, maar zelf geen mond opendeed. Hij schatte dat ze ongeveer even oud als Cherish moest zijn – negentien dus.

'Bent u ook wel eens op het continent geweest, juffrouw Townsend?' vroeg hij, terwijl hij zich in stilte afvroeg of ze zich even slecht op haar gemak voelde als hijzelf. Haar japon met sleep was net zo modieus als de outfit van Cherish, maar veel minder vrolijk.

Ze schudde zwijgend het hoofd. Na een korte stilte, alsof het even duurde voor ze besefte dat het haar beurt was om een bijdrage aan de conversatie te leveren, vroeg ze: 'En u?'

Sietze moest zich naar haar toe buigen om haar zachte stem goed te kunnen horen. 'Nee, ik ook niet.' Hij grijnsde. 'Kan ik misschien iets lekkers voor u halen? Er staat binnen een hele voorraad verrukkelijke hapjes.'

Ze keek aarzelend naar haar broer, maar Cherish, die de vraag had gehoord, zei meteen: 'Waarom gaan we niet met ons allen iets eten? De heren kunnen ons allebei een bord brengen. Wat dachten jullie ervan?' En voordat iemand een tegenwerping kon maken, nam ze Annalise bij de arm en troonde haar mee naar de veranda.

Ongeveer een uur later stond Cherish tegen het hek van de

veranda geleund en keek naar de gasten op het gazon. Verscheidene paren hadden zich verzameld om de croquetpoortjes die daar in de grond waren geprikt.

Nadat hij samen met haar en de beide Townsends in de zitkamer iets had gegeten, had Sietze zich verontschuldigd en was weggelopen. Nu zag ze hem op het grasveld staan, in gesprek met een aantal andere mannen.

Het speet haar maar half. Als hij nog langer was blijven zitten, zou hij juffrouw Townsend dan beter hebben leren kennen dan nu? Hij had er duidelijk slag van om het verlegen meisje een beetje los te krijgen; ze had zo nu en dan zelfs even geglimlacht.

Cherish verbeet een geeuw en keek opzij. Meneer Townsend stond er nog steeds, alsof hij wachtte op wat ze zou gaan doen. Hij deed haar nogal denken aan de tientallen jongemannen die ze in Europa had leren kennen – zo keurig en welopgevoed. 'Ja, juffrouw Winslow.' 'Nee, juffrouw Winslow.' 'Kom, laat mij dat even voor u pakken, juffrouw Winslow.' Soms had ze het gevoel te verdrinken in een zee van beleefdheden.

Ze herinnerde zich haar plichten als gastvrouw en lachte naar hem. 'Waarom spelen wij ook niet een spelletje croquet? Zouden u en uw zuster dat leuk vinden?'

Hij stemde gretig toe en zij ging hen beiden voor de tuin in, naar Sietze, om hem te vragen mee te doen. Als hij echt dacht dat hij deze hele middag kon praten met een stel mannen die hij bijna elke dag zag, terwijl zij het meer dan twee jaar zonder zijn gezelschap had moeten stellen, dan zat hij er flink naast. Ze zou er wel even voor zorgen dat hij haar spelpartner werd! Meneer Townsend kon dan wel met zijn zus samenspelen.

Zij en Sietze hadden heel wat in te halen.

*D*e volgende ochtend liep Cherish haar vaders kantoor binnen en constateerde met een zucht van opluchting dat hij alleen was.

'Goedemorgen, papa. Het spijt me dat u me niet aan het ontbijt hebt getroffen. Ik heb lekker uitgeslapen.'

'Hallo, Cherish! Dat was je geraden ook, op je tweede dag thuis. Wat kom je hier eigenlijk doen? Heeft je tante iets nodig?'

'Nee, niets. Ze wil alleen maar dat ik binnen blijf om haar te helpen met koken en schoonmaken, maar ik ben ontsnapt.'

Hij grinnikte. 'Ik vind het anders geen gek idee, hoor, dat ze jou een aantal dingen bijbrengt. Ik weet dat ze daar al een hele tijd op zit te azen, en sinds je moeder stierf heb ik je veel te veel verwend.'

Cherish klopte hem op de hand. Hoewel het al vier jaar geleden was dat haar moeder aan de griep was bezweken, voelden ze allebei nog steeds de leegte die ze had achtergelaten. En hoewel zijn zus de zorg voor de huishouding op zich had genomen, zouden de dingen nooit meer hetzelfde zijn.

Haar vader zuchtte. 'Nou ja, wat geeft het. Ik zie graag dat je van deze zomer geniet. Er is daarna nog tijd genoeg om aan andere dingen te denken.'

Cherish schoof een stoel bij en ging tegenover haar vader aan tafel zitten. Opgelucht keek ze naar de bouwtekening die hij had zitten bestuderen.

'Een nieuwe boot?'

'Klopt. Een pink van dertien meter lang.' Hij tikte met zijn potlood tegen het papier. 'In opdracht van Charles Whitcomb. Hij wil hem gebruiken als kustvaarder voor de haringhandel en de kabeljauwvisserij. Als boot stelt het niet veel voor, maar ik ben allang blij met het werk.' Hij zuchtte. 'Er zit de laatste tijd niet veel schot in de zaak. Het is niet meer zoals vroeger.'

Cherish bekeek de drie profielen van de romp: zijaanzicht, onderaanzicht en vooraanzicht. 'Wanneer gaat u de kiel leggen?'

'Over een paar weken. Ik moet het hout nog bestellen en het bouwplan uitwerken.' Hij leunde achterover en er verschenen lachrimpels in zijn gezicht. Ondanks zijn tweeënvijftig jaar was haar vader nog steeds het aanzien waard. Zijn donkerbruine haar was dik en vertoonde slechts hier en daar een spoortje grijs. 'Ik had gedacht om eens te gaan kijken wat Townsend in zijn houtschuur heeft liggen. Zijn zoon heb je gisteren ontmoet. Wat vond je trouwens van hem?'

'O, hij was wel aardig, geloof ik.'

'Je klinkt niet bijster enthousiast.'

Cherish vlocht haar vingers in elkaar en strekte haar armen voor zich. 'Eerlijk gezegd was hij een volmaakte kopie van de meeste jongemannen die ik ontmoet heb in de tijd dat ik weg was.'

'Wat is er mis met de jongemannen van tegenwoordig?' vroeg haar vader geamuseerd.

Ze trok een gezicht. 'Ze zijn zo liefjes; op het verwijfde af.'

'Ach, hou toch op,' mopperde haar vader. 'Ik zou de jonge Townsend bepaald niet verwijfd willen noemen. Het lijkt mij een aardige, innemende vent met een goed stel hersens – en een veelbelovende toekomst, zou ik eraantoe willen voegen.

Ik zou trots zijn op een dergelijke schoonzoon.'

'O, papa! Ik ben pas negentien en net weer thuis. Wilt u me nu al uithuwelijken?'

'Natuurlijk niet. Je hebt gelijk. Je hebt nog tijd genoeg voor hofmakerij.' Hij keek nog eens naar de tekening en maakte een notitie in de bijbehorende tabel. Toen boorden zijn donkere ogen zich in de hare.

'Toen we trouwden was je moeder even oud als jij. Maar ja, in die tijd trouwden de mensen nu eenmaal jonger. De meisjes van tegenwoordig zijn veel te modern. Ze dragen broeken en ze willen dezelfde opleiding als de mannen...'

'En dat recht zouden we moeten krijgen,' wierp ze tegen.

'O, ik was niet van plan daar nu met je over te discussiëren. Het is een veel te mooie dag en ik ben bovendien veel te blij dat je weer thuis bent.' Hij kuchte. 'Je hoeft me alleen maar te beloven dat je die jonge Townsend niet meteen afschrijft. Je kent hem nog veel te kort om je al een mening over hem te kunnen vormen.'

'Dat is waar,' gaf ze toe. 'Ik beloof u dat ik mijn oordeel over de "jonge Warren Townsend de Derde" zal opschorten tot we nader hebben kennisgemaakt.'

Hij negeerde haar plagerige toon en zei: 'Brave meid. Meer kan ik niet van je verlangen. Zeg, waarom vaar je morgen niet met me mee naar Hatsfield? Dan kun je de Townsends opnieuw ontmoeten. Hun dochter is van dezelfde leeftijd als jij, geloof ik?'

Bij de gedachte aan het kleurloze meisje dat nog geen twee woorden kon zeggen zonder te gaan blozen of stotteren wilde Cherish opnieuw een gezicht trekken, maar ze hield zich in. 'Inderdaad.'

'Het is een heel leuk gezin. Ze hebben de houtzaagmolen van McKinley gekocht en bezitten landinwaarts veel bos voor de houtkap. Townsend heeft plannen om een paar schoeners te kopen, waarmee hij het timmerhout naar Boston en verder langs de kust wil vervoeren.'

Cherish' belangstelling was gewekt. 'Misschien wil hij ons wel contracteren om ze te bouwen. Alhoewel, in Hatsfield zijn ook werven waar hij naartoe kan.'

'Precies.' Haar vader leek in zijn nopjes met haar scherpzinnigheid. 'Tot nu toe groeten we elkaar op straat, maar daar houdt het mee op. Dat moet veranderen, nu jij weer hier bent.'

'Hoe bedoelt u?'

'Nou, de kinderen van Townsend zijn leeftijdgenoten van jou. Misschien kun je vriendschap met hen sluiten door met dit mooie zomerweer een paar feestjes en uitjes te organiseren en hen ervoor uit te nodigen.'

'Natuurlijk, papa; als u denkt dat dat helpt.' Cherish klemde haar handen ineen en legde ze voor zich op tafel. 'Papa?'

'Ja, lieverd?' Hij keek haar liefdevol aan.

'Ik zou graag in de werkplaats mee willen helpen.'

'Nou, dat doe je toch al. Als jij voor mij de gastvrouw wilt spelen, zul je eens zien wat voor voordelen dat oplevert.'

'Dat zou ik geweldig vinden, papa, maar ik bedoel eigenlijk dat ik hier wil werken, net als vroeger; alleen zou ik graag zien dat u me, nu ik mijn opleiding heb afgemaakt, beschouwt als een permanente assistent – net zoals Henry was.'

Haar vaders gezicht betrok. 'Ik wil geen woord meer horen over die ondankbare jongen! Na alles wat ik hem heb geleerd, laat hij me in de steek. Denkt zeker dat het gras in Boston groener is. Nou, daar komt hij nog wel achter.'

'U kunt hem niet kwalijk nemen dat hij op een grotere werf wil werken, waar ze ook stoomboten bouwen. Daar ziet hij toekomst in, en misschien heeft hij wel gelijk.'

'Op de lange afstanden moeten die vrachtstoomschepen het afleggen tegen onze driemasters. Ze hebben de helft van de laadruimte nodig voor hun eigen kolen. Moet je je indenken wat dat kost. En als ze door de kolen heen zijn, kunnen ze alleen nog maar dobberen.'

'Dat weet ik, papa. Volgens mij zal er altijd vraag naar zeilschepen blijven, maar u kunt Henry zijn ambitie niet verwijten.'

Haar vader staarde somber langs haar heen. 'Ik heb hem opgeleid om de scheepswerf over te nemen en wat moet ik nu? Ik word er ook niet jonger op. Hij leek als enige van de familie een belofte in te houden voor de zaak.'

'U hebt Sietze toch.'

'Wat krijgen we nou?' Hij keek haar geschrokken aan.

'Ik zei: u hebt Sietze toch. Hij kan alles wat Henry kon. U weet dat hij zelfs meer in zich heeft dan Henry. Hij kan veel meer worden dan een scheepsbouwer. U weet dat hij zijn eigen schepen zou kunnen ontwerpen als hij maar even de kans kreeg. Waarschijnlijk loopt hij al met een half dozijn ontwerpen in zijn hoofd.'

'Hoho, Cherish, niet zo hard van stapel lopen, alsjeblieft. Sietze is arbeider op de werf. Hij is een prima werkkracht, met een goed inzicht in het vak, maar je kunt niet van me verwachten dat ik de werf aan hem overdraag.' Hij richtte zijn aandacht weer op de bouwtekening.

Cherish bedwong de neiging om verder te discussiëren en zei in plaats daarvan: 'Hoe dan ook, we hadden het over mij en over mijn wens om hier te werken.'

Haar vader leunde opnieuw achterover en vouwde zijn handen op zijn bureau. 'Wat jou betreft, lieverd, ik weet dat boten altijd een onweerstaanbare aantrekkingskracht op je hebben uitgeoefend en ik heb je daarvoor op allerlei manieren de ruimte gegeven, maar je bent niet langer een klein meisje. Je bent een dame geworden. Ik heb je de beste en de duurst mogelijke opleiding gegeven, zodat je je in de hogere kringen kunt bewegen zonder je te hoeven schamen, in de wetenschap dat je niet onderdoet voor de meeste dames hier in de buurt – dat je ze zelfs overtreft.'

'Ik waardeer echt wat u voor me gedaan hebt, papa, maar het enige wat ik echt wil is met u samenwerken.'

'Doe niet zo raar. Een scheepswerf is geen geschikte plaats voor een dame.'

Cherish voelde de woede in zich opstijgen en ze bad om zelfbeheersing. 'In dat geval laat ik mijn aanspraak op de damestitel varen.'

'Daar is het een beetje laat voor,' zei hij droog. 'Denk je nu echt dat ik zoveel tijd en geld in jouw opleiding en reizen heb gestoken om je uiteindelijk in de scheepsbouw te laten werken?'

Hij moest de boosheid in haar ogen hebben gezien, want hij grinnikte en klopte haar op de hand. 'Je bent nog veel te jong om te weten wat je wilt. Ik stel voor dat je naar huis gaat en doet wat je tante je opdraagt. En je hebt je aquarel-kunst toch ook nog? Waarom wandel je niet lekker naar de haven om een paar schepen te schilderen? Dan zeilen we morgen naar Hatsfield en kun je daar wat inkopen doen, een paar bekenden opzoeken en de Townsends beter leren kennen. We maken er een dagje van.'

Ze slikte met moeite haar ergernis weg, in het besef dat het geen zin had die tegenover haar vader te uiten. 'Papa,' zei ze toen rustig, 'hoe gaat u Henry dan wel vervangen?'

Met een ongeduldig gebaar haalde haar vader een hand door zijn haar. 'Daar heb ik nog niets op gevonden. Op dit moment heb ik ook geen extra paar handen nodig.'

'Laat mij dan een poosje helpen, totdat u een besluit hebt genomen!' Ze ging staan, liep om de tafel heen naar hem toe en sloeg haar armen om hem heen. 'Alstublieft, papa! Ik heb in de loop der jaren zoveel over ontwerpen geleerd. Het is waar dat ik hier niet de hele tijd was, zoals Henry, of... of Sietze, maar ik heb van Henry alles geleerd wat hij van u had geleerd. Ik kan een bouwbestek maken. Ik kan de boekhouding doen. Ze hebben ons op school heus niet alleen geleerd hoe we ons als echte dames moeten gedragen. Ik heb een degelijke kennis van de meetkunde en heb goed genoeg leren rekenen om uw uitgaven en inkomsten bij te houden. Alstublieft, papa, zeg nou ja!' Ze schonk hem haar lieftalligste glimlach en had meteen een hekel aan zichzelf, omdat ze ondanks haar nieuw verworven volwassenheid toch weer moest terugvallen op haar kleinemeisjestactieken. Met ingehouden adem wachtte ze zijn antwoord af.

'Ach, het zal je ook geen kwaad doen om hier op kantoor wat rond te scharrelen, neem ik aan.' Hij keek streng. 'Maar dan ook alleen hier. Ik wil je op de werf niet zien. En die dwaze gedachten over Sietze zet je maar uit je hoofd. Ik weet heel goed *wie* ik op mijn eigen werf *wat* te doen geef; ik ken mijn ondergeschikten beter dan wie ook. En nu ga je eerst naar tante Phoebe om te doen wat zij je opdraagt, je schildert voor mij een paar aardige zeiltafereeltjes en speelt voor gastvrouw, zoals ik je heb gevraagd.'

Hij draaide zich om naar een plank die achter hem aan de muur hing. 'Als je dat allemaal doet, krijg je dit van me.' Hij gaf haar het houten model van een halve bootromp van ruim veertig centimeter lang.

Ze nam het gladgeschuurde bootje, dat op een houten plankje was vastgemaakt, van hem aan.

'Het is een model voor Ernst Mitchell. Laat maar eens zien wat je kunt. Jij stelt het complete bouwplan ervoor op en dan zal ik beoordelen wat je waard bent.'

Haar ogen begonnen te schitteren. Ze kreeg haar zin! 'Echt, papa?'

Hij lachte om haar verrukking. 'Vooruit, jij. Ga jezelf ergens anders nuttig maken, zodat ik weer aan het werk kan.'

Ze besloot dat ze haar pleidooi voor Sietze beter even kon uitstellen en omhelsde haar vader onstuimig. 'Goed, papa! Ik zal de beste gastvrouw worden die je je kunt voorstellen. En ook de beste kok en de beste huishoudster die Haven's End ooit heeft gekend! Dank u, papa!'

Ze bukte, gaf hem een zoen op zijn stoppelige wang en vloog bijna het kantoor uit om naar de werkplaats te gaan. Allerlei ideeën tolden door haar hoofd. 'Denk eraan dat we morgen naar Hatsfield gaan!' riep haar vader haar achterna. 'En je moet vooral aardig zijn voor de jonge Townsend en zijn zus.'

Ze bleef nog even staan. 'Natuurlijk, papa. Ik zal al mijn goede manieren tevoorschijn halen en de volmaakte dame uithangen.'

Sietze had die ochtend op de werf gewerkt. Met een bijl had hij balken en latten gehakt voor de kiel van de schoener die op het strand op stapel stond. Nu kwam hij terug naar de werkplaats. Hoewel het nog fris was, was hij toch bezweet en dorstig van het harde werk.

Met een schok bleef hij staan, toen hij Cherish bij de werkbank ontdekte. Even wierp hij een blik omlaag langs zijn werkkleding die vol vlekken zat – van teer en van zweet. 'Hallo Cherish. Wat doe jij hier nou?' Haar sierlijke vrouwelijkheid maakte hem verlegen. Hij moest nog een beetje wennen aan die nieuwe, volwassen Cherish, al leek ze in haar katoenen jurk met schort en met haar paardenstaart alweer meer op haar vroegere zelf.

Ze fronste. 'Begin jij nou ook al? Had je me niet verwacht?'

Hij liep naar haar toe en veegde ondertussen zijn voorhoofd af met de mouw van zijn overhemd. 'Niet nu al. Je bent nog maar net thuis.' Hij trok sceptisch zijn wenkbrauwen op. 'Heb je deze plek dan zo gemist?'

Ze keek hem bestraffend aan. 'De plek en de mensen.'

Hij voelde zich vuurrood worden onder de indringende blik van haar grijsblauwe ogen. Heel even had het geklonken alsof ze alleen op hem doelde. Hij schudde de dwaze gedachte van zich af en merkte op: 'Je bent vandaag in ieder geval gemakkelijker te herkennen.'

Ze keek langs haar jurk omlaag. 'Ja, mijn japonnen zijn even opgeborgen, al vermoed ik dat ik je morgen weer zal vergasten op de nieuwste creatie uit Parijs.'

'Bewaar me zeg – alweer een feest?'

Ze schudde haar hoofd, maar zei er verder niets over. In plaats daarvan zei ze enthousiast: 'Papa heeft me deze halve romp gegeven voor een roeiboot van vier meter. Hij denkt dat ik er vast geen bestek voor kan maken.' Ze grijnsde, plotseling weer het meisje dat hij zich herinnerde, altijd in de weer om te bewijzen dat ze even vakbekwaam was als de mannen om haar heen.

Hij liep naar de tafel en reikte naar het model. Op dat moment zweefde een vage geur langs zijn neusvleugels, die hem deed denken aan bedauwde seringen in juni. Hij kon zich niet herinneren dat hij bij Cherish ooit eerder parfum had geroken. Hij schraapte zijn keel en dwong zijn gedachten naar de boot die voor hem lag.

'Nou ja, je hebt lang genoeg over Henry's schouder meegekeken om alles op te kunnen steken wat hij wist. Maar je bent twee jaar lang niet in een werkplaats geweest. Ben je niet bang dat je het een en ander bent vergeten?'

Ze raakte het model met een vingertopje aan. 'Volgens mij is dit een van de dingen die je niet zomaar vergeet. Alleen al het kijken naar deze romp roept allerlei herinneringen op.'

Ze wierp hem een zijdelingse blik toe en er blonk een ondeugend lichtje in haar ogen. 'Bovendien gaan wij dat bestek samen doen.'

'Samen?' Hij trok opnieuw zijn wenkbrauwen op. 'Sinds wanneer ben ik ontwerper?'

'Sinds Henry's vertrek. Papa is niet van plan hem onmiddellijk te vervangen.'

'Echt niet?' Sietze was verbaasd.

Ze schudde haar hoofd en de oorhangertjes met de minuscule turkooizen steentjes zwaaiden wild heen en weer. Toen fronste ze. 'Hij zegt dat hij op dit moment niemand nodig heeft. Hij vertelde ook dat de zaken niet meer zo vlotten. Klopt dat?'

Sietze keek door het vierkante raam dat uitkeek over de werf beneden. Het was eb, en in de gladde, drooggevallen modderbodem zochten kleine stroompjes zich kronkelend een weg naar de zee.

'Ja, dat geloof ik wel, zeker het afgelopen jaar. We deden gemiddeld drie grotere schepen per jaar, tot aan zevenhonderd ton, en daarbij nog kleinere vaartuigen.' Hij knikte in de richting van het dok. 'Dat is een schoener van vijftig ton, en dat is klein voor ons doen. Toch is het de enige opdracht van een redelijke omvang die we deze lente hebben gekregen. De rest is kruimelwerk zoals dit.' Hij wees naar het model op tafel.

'Denk je dat het weer zal aantrekken?' vroeg ze.

'Dat is moeilijk te zeggen. Verderop langs de kust wordt nog veel gebouwd.'

'Denk je dat Henry er goed aan heeft gedaan naar het zuiden te gaan?'

Hij haalde zijn schouders op. 'Sommige mensen denken dat de dagen van de zeilvaart geteld zijn. De opening van het Suezkanaal in 1869 was het begin van het einde voor de handel per klipper.'

'Maar hoe zit het dan met ons hier in het oosten? Er is een veerdienst tussen Boston en Portland, maar verder hebben we niet veel aan stoomschepen. Alle vissers zeilen, zelfs als ze bij de Grand Banks vissen.'

'Dat is zo, en ik denk dat er nog steeds vraag is naar de kleinere vissersboten en kustvaarders. Maar uiteindelijk zie ik ook die wel plaatsmaken voor stoomboten. Daarbij komt dat de grotere schoeners steeds vaker worden uitgerust met een stalen romp. Ik weet niet of staal in het gebruik beter zal bevallen dan hout, maar het is nu eenmaal zo dat de rederijen de kosten nauwlettend in de gaten houden. Een stalen romp gaat waarschijnlijk langer mee. De rompen van de meeste grotere schepen worden nu al met staal verstevigd.'

Cherish keek weer naar het model. 'O, nou ja, laten we hopen dat de veranderingen niet al te snel gaan. Op dit moment moeten we het bouwplan uitwerken en de mal in elkaar zetten.'

Hij keek haar toegeeflijk aan; haar optimisme gaf hem zoals altijd weer nieuwe moed. 'Nu zeg je alweer "we". Wilde je voorstellen dat ik je help bij het bouwen van de mal?'

'Als je je gedragen kunt...'

Hij zei maar niets, omdat hij geen domper wilde zetten op haar enthousiasme. Het was fijn dat ze weer thuis was, dacht hij – zelfs als volwassen uitgave van het meisje dat hem uit de tent probeerde te lokken zodra ze maar even de kans kreeg om met hem te discussiëren, of het nu over een aspect van de scheepsbouw ging of over de laatste roman die ze had gelezen.

'Is je vader het ermee eens?' vroeg hij ten slotte, zijn armen over elkaar.

'Maak je over papa maar geen zorgen. Dat doe ik wel.'

'Dat heb je inmiddels ook al heel wat jaren gedaan. Ik vraag me af of hij het ooit zal merken.'

'Papa heeft geen idee van de talenten die hem onder zijn eigen dak ter beschikking staan. Het lijkt erop dat ik het hem zal moeten laten zien.'

Toen hij geen antwoord gaf, vervolgde ze: 'Jij zou papa's opvolger moeten worden. Als hij dat nu nog niet inziet, wordt het hoog tijd, en aan mij zal het niet liggen.'

Hij keek vlug een andere kant op, zonder haar te herinneren aan de droom die hij nog steeds koesterde – die had ze waarschijnlijk toch niet onthouden. 'Ik moet wel op de werf zijn,' zei hij in plaats daarvan.

'Dan ga je daar 's morgens heen.' Ze ging staan en liep naar het raam. 'Er is meer dan genoeg mankracht daar beneden. Je hebt zelf gezegd dat de klad er een beetje in zit. Er is geen enkele reden waarom jij de middagen niet hier zou kunnen doorbrengen.' Ze draaide zich naar hem om en trok een grimas. 'Ik heb beloofd dat ik 's ochtends tante Phoebe gezelschap zal houden om te leren hoe je een huishouding runt. Maar daarna ben ik vrij. Papa heeft gezegd dat ik dan hier mag helpen.'

'Je hebt je zaakjes goed voor elkaar.'

Ze lachte hem vertrouwelijk toe. 'Je zult zien, papa raakt heus wel overtuigd, zowel van jouw talent als van mijn zakelijk inzicht. Hij neemt me morgen al mee naar Hatsfield om het bedrijf van de Townsends te bezoeken.'

Dus daarom had ze het over haar modieuze kleren gehad.

'Tussen twee haakjes, weet jij toevallig iets meer over de Townsends? Ze waren gisteren ook op het feest.'

'Niet zo veel. Townsend is een houtbaron. Ze behoren tot de vooraanstaande inwoners van Hatsfield. Meer weer ik er ook niet van.'

'Ik zal ze met al mijn Europese charmes om mijn vinger winden, en dan plaatsen zij bij onze werf een order voor een complete schoenervloot.'

Hij fronste zijn wenkbrauwen. De gedachte dat Cherish plezier zou maken en koketteren met die lange, knappe en onberispelijk geklede Warren Townsend beviel hem absoluut niet.

De volgende morgen besteedde Cherish extra zorg aan haar toilet. Ze koos een dieproze japon met een kraag en manchetten van witte kant. In haar oren stak ze twee bloedkoralen hangers en van haar haar maakte ze achter in haar nek een dikke wrong. Een modieuzer kapsel had weinig zin; de boottocht zou er onmiddellijk korte metten mee maken. Ze spelde er een strooien hoed op vast, met linten in de kleur van haar japon en sloeg de korte voile naar achteren. Ten slotte deed ze twee identieke gouden armbanden om die ze in Florence had gekocht.

Haar vader en zij namen het rijtuigje naar de haven. Onderweg konden ze het dorp Haven's End zien liggen, knus weggedoken in een glooiing. Aan de rand van het dorp en her en der verspreid in de heuvels rondom stonden witte huizen. Vanaf de kust staken drie reusachtige kades in het water van de beschut liggende haven, die vol lag met aangemeerde boten. Verder weg, aan de havenmond, lag een bebost eiland.

Haar vader zette haar bij de haven af en ging zelf het rijtuig en het paard stallen. Op de kade stond Sietze al te wachten, gekleed in een roomwitte kabeltrui en een jekker. Hoewel het een warme meidag beloofde te worden, wist Cherish maar al te goed dat het op het water fris kon zijn. Ze had een duffelse jas meegenomen, die ze over haar ene arm droeg.

'Goedemorgen,' begroette ze hem.

'Goedemorgen,' antwoordde hij en zijn grijze ogen namen haar aandachtig op. 'Wat zie jij er deftig uit.'

Het compliment beviel haar maar half, maar het was tenminste een compliment. Haar moeite was beloond. 'Dank je,' zei ze ingetogen.

Hij nam haar jas en parasol van haar over en ze liep over de loopplank achter hem aan naar de wachtende sloep. Sietze stak haar zijn hand toe en ze stapte op de wiebelende boot. Haar vader, die net op dat moment terugkwam, maakte eerst de vanglijn los. Ze ging alvast achterin zitten en wachtte tot hij de loopplank af kwam. Hij rolde de lijn op en gaf Sietze met een knikje te kennen dat hij kon afduwen.

Sietze zette zich aan de riemen en koerste naar de pink die tussen de andere vissersboten in de haven lag afgemeerd. Zodra ze die hadden bereikt, sprong Sietze aan boord en Cherish' vader gooide hem de vanglijn toe. Toen de roeiboot netjes langszij was getrokken, klom ook hij aan boord en draaide zich om naar Cherish om haar een handje te helpen. Ze nam de vanglijn van hem over. 'Ik maak hem wel vast,' zei ze.

Terwijl Sietze de fok hees, maakte Winslow het meertouw los. Cherish schoot Sietze te hulp met de schoten. Haar vader nam het roer, Sietze en Cherish zetten het zeil naar de wind en zo stuurden ze het schip de overvolle haven uit. Ze lieten de zilte lucht van de haven en het gekrijs van de meeuwen achter zich en zetten koers naar open zee. Sietze hees het grootzeil en de kluiver, die onmiddellijk opbolden in de wind. Het schip kreeg vaart en scheerde over het inktblauwe water.

Cherish ging naast Sietze zitten, toen deze de helmstok van haar vader overnam. Ze voeren langs de rotsachtige, altijd groene kuststrook. Hoog boven de baai waren de boerderijen zichtbaar, maar de punten van de schiereilanden waren zonder uitzondering dik bebost met sparren en balsemdennen die zwart afstaken tegen de rijzende zon. Ze laveerden door de zee-engten en de geulen die de eilandjes voor de kust van elkaar scheidden. Sommige van die eilandjes waren begroeid met bomen, anderen waren niet meer dan stenen forten die de onbarmhartig beukende golven weerstonden.

Cherish haalde diep adem in de frisse bries en ze glimlachte, toen ze Sietzes blik opving. Hij glimlachte terug en zonder woorden wisten ze van elkaar hoe ze genoten van dit zeereisje aan boord van een goed gebouwd schip. Ze sloot haar ogen en hief haar gezicht naar de hemel. De zon brandde op haar gezicht en de wind blies tegen haar wangen. Het was heerlijk om te leven. Ze dankte God voor alles wat ze had gezien en meegemaakt, maar vooral omdat ze weer thuis was, in de nabijheid van de man die ze liefhad en met de vervulling van haar dromen binnen handbereik.

Veel te vlug bereikten ze de monding van de rivier waaraan het stadje Hatsfield lag. Hatsfield was groter dan Haven's End en Cherish kwam ogen tekort bij het zien van het grote aantal schoeners, windjammers en brikken uit allerlei verschillende havens.

Sietze haalde de zeilen in en legde de pink voor anker. Cherish en haar vader gingen opnieuw aan boord van de sloep, terwijl Sietze achterbleef om de zeilen op te rollen en de boot weer op orde te brengen.

'Ik stuur wel iemand met de sloep terug om je op te halen,'

zei Winslow. Ze zwaaiden nog even en lieten hem toen achter. Cherish keek nog even om; ze had liever gezien dat hij met hen mee was gegaan.

De drukte in de haven leidde haar al snel af. Overal langs de kade lagen grote voorraden balken. Stapels planken en duigen en pasgezaagd timmerhout lagen te wachten om ingeladen te worden in schepen die zojuist waren gearriveerd met tonnen melasse, textiel, zout en graan uit alle windstreken.

'Winslow!' klonk een stem vanaf de kade.

'Goedemorgen, Townsend,' antwoordde de aangesprokene en begaf zich naar Townsend senior en zijn zoon om hen te begroeten.

Warren Townsend en zijn vader vormden een indrukwekkend paar, zag Cherish toen ze hen dichterbij zag komen. Warren was net zo gekleed als de jongemannen in Boston, heel anders dan de jonge boeren en vissers hier aan de oostkust. Hij droeg een geklede jas van prachtige, grijze stof, met vest en pantalon in bijpassende kleur en zijn laarzen waren glimmend gepoetst. Hij was gladgeschoren en zijn glanzendbruine haar was kortgeknipt.

Townsend senior gaf zijn zoon opdracht om Cherish naar hun huis te begeleiden. 'Mevrouw Townsend en Annalise verwachten je al,' zei hij tegen haar.

'Wij komen straks voor het diner,' voegde haar eigen vader eraan toe.

'Dan zie ik u en Sietze bij het eten,' zei ze en kuste hem vlug op de wang.

Ze reden langs de rivier en passeerden het ene landhuis na het andere. Vlak voordat ze het eigenlijke stadje binnenreden, draaiden ze een met bomen omzoomde oprit in, waaraan een in klassieke stijl gebouwde villa lag, met een portiek van witte zuilen.

'Welkom in ons huis,' begroette mevrouw Townsend haar. Ze was een knappe vrouw met lichtbruin haar en gekleed in een stijlvolle japon. 'Annalise raakt niet uitgepraat over het aangename bezoek bij jullie en de gastvrijheid die je haar hebt bewezen.'

Cherish glimlachte naar het bebrilde meisje, verbaasd over de complimenten. Als het meisje het al naar haar zin had gehad, was dat toch alleen aan Sietze te danken geweest. Ze kon zich niet herinneren dat Annalise meer dan twee woorden tegen haar had gesproken. 'Ik ben blij dat u ervan hebt genoten, juffrouw Townsend,' zei ze.

'Kom, zullen we maar naar binnen gaan?' stelde mevrouw Townsend voor.

In een van de zitkamers zaten ze een poosje gezellig met elkaar te praten, hoewel het Cherish opviel dat het gesprek vooral door haarzelf en mevrouw Townsend gaande werd gehouden. 'Warren,' zei deze op een gegeven moment, 'waarom leid je de jongedames niet eens rond in de tuin? Volgens mij is het warm genoeg voor een wandeling.'

'Dat zou ik heel prettig vinden, mevrouw Townsend,' zei Cherish en kwam tegelijk met Warren overeind, opgelucht dat ze de bedompte kamer voor een poosje kon ontvluchten. Annalise volgde onmiddellijk.

'Denk erom dat je je sjaal omdoet, Annalise.'

'Ja, mama,' mompelde het meisje.

Ze liepen naar de leistenen veranda die langs de hele achterkant van het huis was gebouwd. Warren bood hun allebei een arm en voerde hen mee de stenen trap af. Vandaar wandelden ze naar de waterkant, waar zich een kleine aanlegsteiger bevond. Een kort ogenblik keken ze uit over de rivier, en vervolgens liepen ze weer terug en zetten zich op een cederhouten bankje te midden van de bloembedden.

Cherish pijnigde haar hersens om een gespreksonderwerp te bedenken. Ze had het gevoel dat ze tot nu toe nog niets nuttigs voor haar vader had gedaan.

'Vond u het feest echt leuk?' vroeg ze ten slotte aan Annalise.

'O, ja,' antwoordde die zachtjes.

'Ik zou wel wat overweldigd zijn geweest door de ontmoeting met zo veel onbekenden tegelijk.'

'Misschien was ze dat ook wel een beetje,' antwoordde Warren voor zijn zus. 'Maar u bleef de hele tijd bij haar. En die jongeman, die bij ons was – hoe heette hij ook weer – die was ook heel attent.'

'Dat was Sietze de Vries. Hij woont al bij ons sinds zijn twaalfde. Hij werkt met papa samen op de werf.'

'Dan moet hij de volgende keer beslist met u meekomen.'

'O, maar u zult hem vandaag al ontmoeten. Hij is met ons meegevaren en komt straks met papa hierheen.'

'Prima,' zei Warren en glimlachte naar zijn zus.

'Ik hoop dat jullie nog eens naar Haven's End kunnen komen,' zei Cherish na een poosje. Ze dacht vlug na. 'Ik zou graag nog eens een feestje geven. Misschien kunnen we deze keer ook een beetje dansen en wat spelletjes doen.'

'Daar verheugen we ons op.'

Cherish slaakte een zucht van verlichting toen het eindelijk tijd was voor het diner en ze besloten naar het huis terug te lopen. Haar vader zou er inmiddels ook wel zijn.

'Waar is Sietze?' vroeg ze hem, zodra ze merkte dat hij alleen was.

'O, die eet wel een hapje op de werf.'

Cherish' mond verstrakte, maar ze zei niets. Hoe kon hij dat nou doen? Eerst Sietze meenemen hiernaartoe en hem vervolgens behandelen als de eerste de beste losvaste knecht? Dat zou ze Sietze vergoeden, beloofde ze zichzelf.

*D*e volgende ochtend meldde Cherish zich na het ontbijt bij haar tante in de keuken. 'Uw wens in mijn bevel, tantetje.'

'We gaan bakken, dus doe een groot schort voor als je niet onder het meel wilt komen te zitten,' zei die zonder opkijken.

'Ik ga vanmiddag met Sietze picknicken. Zou het brood dan al klaar zijn?'

Tante Phoebe keek haar van achter haar brillenglazen scherp aan. 'Is Sietze voor jou nog steeds het middelpunt van de wereld, ook al ben je inmiddels heel Europa doorgesjouwd en heb je daar ontelbare andere jongemannen leren kennen?'

'Sietze is de beste van allemaal.'

Tante Phoebe zette een grote, aardewerken kom voor Cherish op tafel. 'Doe hier de kluit gist maar in met een beetje suiker en zet een kopje melk op het fornuis. Als je gevoelens voor Sietze zo hardnekkig zijn, is het misschien toch meer dan een kalverliefde,' zei ze toegeeflijk. 'In dat geval heb je meer gezond verstand dan ik dacht.'

Ze haalde een grote kruik meel uit de kelder. 'We gaan vier broden bakken, dus we hebben flink wat meel nodig. Die melk is nu wel klaar. Je moet hem even testen op de onderkant van je pols. Als je het nog net kunt verdragen, is de temperatuur goed.'

'Zo voelt het inderdaad.'

'Goed, kom maar hier en giet het over de gist.' Ze lieten het mengsel een paar minuten staan en daarna deed haar tante er een paar kopjes meel bij.

'Ik hoop anders niet dat je in Sietze teleurgesteld raakt. Ik ken hem al vanaf dat hij een kleine jongen was. Het is zo'n aardige jongeman geworden, maar soms vraag ik me af wat er allemaal omgaat achter die grijze ogen van hem. Hij heeft me nooit last bezorgd. Iets wat je van Henry niet kunt zeggen,' voegde ze er hoofdschuddend aan toe. 'Voorzover ik weet is hij nooit dronken geweest, en heeft hij nooit gevloekt of zijn geld vergokt. Dat bewonder ik in hem – maar zoals ik al zei, soms vraag ik me af...'

'Wat bedoelt u eigenlijk?' vroeg Cherish, die haar tante nog nooit eerder op zo'n zorgelijke toon over Sietze had horen praten.

Ze zuchtte. 'Soms lijkt het of hij ergens zo veel verdriet over heeft, dat hij al zijn gevoelens wegstopt. Ik zou niet graag zien dat jij gekwetst raakte door een gebrek aan inlevingsvermogen van zijn kant. Je bent een gevoelig meisje, dat graag geeft. Ik weet het niet... Sommige mensen zijn niet in staat te geven, omdat ze zelf niet bezitten.'

'Dat kan ik me van Sietze niet voorstellen,' zei Cherish en ze zette haar woorden kracht bij met een flinke klap op het kleverige deeg. Het enige resultaat was dat het meel, dat tante Phoebe zojuist in de kom had gegoten, naar alle kanten stoof. Cherish wapperde met haar handen om te voorkomen dat het in haar neusgaten drong. 'Volgens mij is Sietze juist heel gevoelig.'

'Een mens kan je altijd voor verrassingen plaatsen,' zei haar tante filosofisch. 'Je kunt jarenlang met iemand samenleven en nog steeds geen idee hebben wat zich bij die persoon onder de oppervlakte bevindt en wat of wie dat boven water zou kunnen krijgen.'

Ze liet nog wat meel in de kom lopen.

'Hoe moet ik dit nu kneden? Het is zo stug en zo droog!'

'Je werkt het er gewoon stevig met je handen doorheen. Je zult zien hoe soepel het dan wordt. Hoe langer je kneedt, hoe zachter het brood zal zijn.' Haar tante ging de brood-blikken halen en begon ze in te vetten.

'Ik heb nooit onderscheid gemaakt tussen Sietze en mijn eigen Henry. Dat zinde je vader helemaal niet, maar ik heb voet bij stuk gehouden en je moeder, God hebbe haar ziel, gelukkig ook. Hij mocht altijd bij de familie aan tafel mee-eten. Je vader wilde eigenlijk dat hij in de keuken zou eten, bij Celia en Jacob, maar ik zei: "Niks ervan. Sietze zit bij ons aan tafel. Dan kan ik een oogje op hem houden en hem manieren bijbrengen." Zijn moeder had hem aan ons toever-trouwd en ik was vast van plan hem goed te behandelen.'

'Het deeg voelt nu wel goed,' onderbrak Cherish haar. 'Het is net een groot kussen, maar mijn armen doen er pijn van.'

Tante duwde op het deeg. 'Het begint erop te lijken, maar je bent nog niet klaar. Strooi wat meel op de tafel, leg het deeg erop en kneed dan nog eens flink.' Tante bleef ernaast staan, tot ze zeker wist dat Cherish het goed deed. 'Hou dat nog tien minuten vol en dan heb je straks het zachtste en luchtig-ste brood waar je ooit je tanden in hebt gezet.'

'Tien minuten!' Dit was veel erger dan een plank schuren.

'Bedenk maar hoe heerlijk die boterhammen straks bij de picknick zullen smaken,' zei tante onaangedaan en begon het gebruikte bestek en serviesgoed op te ruimen.

Cherish stelde zich voor hoe Sietzes ogen zouden oplichten als hij in een snee van haar zelfgebakken brood beet, en wierp zich met hernieuwde ijver op de deegklomp.

'Zo mag ik het zien.'

Tante Phoebe haalde een ketel kokend water van het fornuis en goot dat in de afwasteil. 'Ik begrijp niet waarom je vader Sietze nooit de waardering geeft die hij verdient. Als ik alles moet geloven wat jij me door de jaren heen hebt verteld, heeft Sietze alleen al in zijn ene pink meer talent dan Henry

ooit zal bezitten – en dan heb ik het over mijn eigen zoon.'
'Dat heb ik me ook altijd afgevraagd. Ik ben echt dol op papa, maar soms kan ik hem wel door elkaar rammelen als ik zie hoe hij Sietze behandelt. Neem nu gisteren. Geloof het of niet, maar hij nam hem niet mee voor het diner bij de familie Townsend. Liet hem gewoon als een doodgewone knecht zijn eigen kostje bij elkaar scharrelen op de werf.'
Tante Phoebe hield op met het afnemen van de tafel. 'Is dat soms de reden voor die picknick?' Haar blauwe ogen, waaraan niet veel ontging, keken Cherish doordringend aan.
Cherish voelde haar wangen warm worden. 'Ten dele. Maar het is ook gewoon een prachtige dag om te picknicken en ik heb nog niet een keer fatsoenlijk de gelegenheid gehad om met Sietze te praten sinds ik weer thuis ben.'
Haar tante glimlachte vol begrip en haar trekken verzachtten zich. 'Ik hoop dat jullie een prettige middag hebben. Ik regel het wel met je vader.' Ze zuchtte. 'Ik heb wel eens gedacht dat Tom jaloers was op Sietzes talent, omdat Sietze een vreemde was die zomaar opdook, en niet de zoon die hij zelf graag had willen hebben.'

In Sietzes gezichtsveld verschenen twee keurig gelaarsde voetjes onder een met roesjes afgezette witte japon, die was bespikkeld met lavendelbloesem. Met de dissel gaf hij een laatste klap op het hout, waardoor de houtsplinters in het rond vlogen. Toen kwam hij overeind en liet het stuk gereedschap losjes met de ijzeren kop tegen de plank rusten die hij aan het bewerken was. Met zijn onderarm veegde hij zijn voorhoofd af en hij streek het haar, dat alweer in zijn ogen viel, uit zijn gezicht. 'Hallo! Wat kom jij hier doen?'
'Ik kom je halen.' Cherish leek net een koele zeebries op een hete stranddag. In haar ene hand droeg ze een picknick-mand en met haar andere draaide ze een witte parasol over haar schouder rond.
'Waarom?' Nu legde hij de dissel neer op het kiezelstrand en

pakte een zakdoek uit zijn zak om zijn gezicht droog te vegen.

'Jij en ik gaan samen picknicken.'

'O ja?'

'Ja, dus ruim je spullen maar op. Ik wil met de boot naar de weide bij Allison's Bay.'

Het was een verleidelijk voorstel, maar zijn blik rustte op de stapel timmerhout waar hij nog planken van moest maken voor de schoener, waarvan het geraamte als dat van een reusachtige olifant boven hem uit rees, de ribben onderling verbonden door middel van steigers. 'Ik denk niet dat ik op dit moment zomaar weg kan lopen.'

Ze volgde zijn blik naar de scheepsromp. 'Onzin. Het is toch bijna etenstijd. Ik heb tante Phoebe al verteld dat ze niet op ons hoeft te rekenen. Afgezien daarvan heb je beloofd dat je de middagen bij mij in de werkplaats zou zijn. We lopen al een dag achter.'

'Ik moet het eerst aan je vader vragen...,' begon hij, stroopte zijn mouwen naar beneden en maakte de manchetten vast.

'Is al geregeld.'

Hij keek haar zwijgend aan en vroeg zich af welke methode ze deze keer op de oude Winslow had toegepast. Zijn dochter was de enige die in staat was hem te vermurwen. Vlug ging hij een schoon overhemd aantrekken en daarna kwam hij fluitend weer de trap af.

Het was inderdaad een prachtige dag. De lente brak hier in het oosten niet eerder aan dan ver in mei, maar als het eenmaal zover was, stond alles ook meteen in volle bloei. Sietze roeide hen naar zijn eigen boot, een jacht van ruim acht meter lang dat hij helemaal zelf had gebouwd. Op de boeg stond de naam geschilderd: *De Zeeprinses*. Deze boot was zijn grote liefde, met haar slanke lijnen, grote, witte zeilen, en de gewilligheid waarmee ze aan zijn stuurmanskunst gehoorzaamde.

'Er staat een sterke noordwestenwind. We zullen redelijk goed voor de wind kunnen varen,' zei hij tegen Cherish, terwijl hij de schoten van het grootzeil vastzette. Het zeil stond meteen bol en klapperde, telkens als hij de schoten verder aantrok.

Eenmaal de haven uit ging hij aan het roer zitten, met Cherish naast zich.

'Mag ik ook eens?' vroeg ze met een glimlach.

Hij knikte kort en liet haar de helmstok hanteren. Ze kende deze wateren even goed als hij.

'Wat vind je van de boot?'

'Fantastisch.'

Sietze keek Cherish van opzij aan. De wind blies haar pony in de war en ze hield een hand aan haar voorhoofd om de haarstrengen uit haar gezicht te houden. Er speelde een glimlach om haar lippen. Ze leek het uitstekend naar haar zin te hebben.

'Ik herinner me dat je er nog mee bezig was toen ik hier voor het laatst was.'

'Hmm,' antwoordde hij.

'Waarom heb je haar niet naar iemand vernoemd? *De Zeeprinses* – dat kan iedereen wel zijn.'

Hij haalde zijn schouders op. 'Ik heb niemand om te vernoemen.'

Ze keek hem vorsend aan. 'Dat is ook niet erg romantisch.'

Hij wendde zijn blik af; tot op dat ogenblik had hij er eigenlijk helemaal niet over nagedacht. 'Ik denk dat alleen de zee romantische gevoelens bij me losmaakt,' zei hij na een korte stilte.

Ze hoefden niet ver te varen. De plaats die Cherish had voorgesteld lag bij de eerstvolgende baai op de route. Langs Ferguson Point, een kleine inham met een kiezelstrand en boven op de kliffen een prachtig huis dat uitzag over de oceaan, koersten ze de baai in. Aangekomen bij de plek die Cherish aanwees, begon Sietze het zeil in te halen. Ze lieten het anker vallen en namen de sloep om de korte afstand naar de kust te overbruggen. Daar sprong Sietze overboord, het ondiepe water in, om de boot op het strand te trekken. Cherish ging staan om uit te stappen.

'Pas op dat je voeten niet nat worden,' waarschuwde hij. Even aarzelde hij en vroeg zich tegelijkertijd af waarom. Maar een blik op haar fijne laarsjes van wit geitenleer gaf de doorslag. Hij boog zich naar haar toe om haar op te tillen. Dat had hij al honderden keren eerder gedaan, toen ze nog jonger was. Waarom zou hij dan nu ineens weifelen? Ze was nog hetzelfde meisje, alleen een tikje groter.

Onmiddellijk sloeg ze schaterend van plezier haar armen om zijn hals. Zijn ene arm lag om haar schouder en de andere in haar knieholten. De zachte stof van haar jurk beroerde zijn vingers en opnieuw rook hij de fijne geur van haar parfum. Met een paar stappen stond hij op het droge en daar liet hij haar zo snel mogelijk zakken, verbaasd en verward over de gevoelens die zijn behulpzaamheid bij hemzelf hadden losgemaakt.

Ze liet haar handen van zijn hals naar zijn borstkas glijden en daar bleven ze even rusten voordat ze hem definitief losliet. 'Dankjewel, Sietze,' zei ze ademloos en haar blauwe ogen schitterden vrolijk, alsof ze de vreemdsoortige emoties die hem vervulden had opgemerkt. Zodra ze een stap achteruit deed, verdwenen ze ook en hij zette het incident uit zijn gedachten. In plaats daarvan richtte hij al zijn aandacht op het vastleggen van de boot. Vervolgens waadde hij terug om de picknickmand te halen.

Inmiddels was Cherish al vooruitgegaan en het in onbruik geraakte pad opgelopen dat van het strand naar een hoger gelegen weiland voerde. Het eerste gras kwam alweer op en daaroverheen lag een wit tapijt.

'O, kijk eens, houstonia's!' Cherish bukte zich om de piepkleine bloemetjes te bekijken. Van dichtbij gezien waren de vierpuntige sterretjes niet wit, maar lichtblauw.

Sietze ontdekte een plekje waar ze beschut tegen de wind konden zitten, en dat tegelijk nog uitzicht bood over de baai.

Cherish plukte een klein boeketje en stak dat in haar jurk. Sietze keek een andere kant op om te voorkomen dat hij ging zitten staren naar het stukje blanke huid dat boven de rand van haar jurk nog zichtbaar was. Het kleine bosje bloemen vestigde er jammer genoeg alleen nog maar extra de aandacht op.

Cherish knielde bij de mand en klapte het deksel omhoog. 'Dit kunnen we mooi uitspreiden,' zei ze, terwijl ze een roodgeblokt kleed tevoorschijn haalde. Hij greep twee hoeken vast, blij dat hij iets nuttigs kon doen. Het vrolijk gekleurde kleed bolde tussen hen beiden op in de wind. Sietze ging vlug een paar stenen zoeken om het vast te leggen. Toen hij terugkwam, had Cherish de etenswaren al op een aanlokkelijke manier uitgestald en plotseling drong het tot hem door dat hij honger had.

'Hier,' zei ze en gaf hem een dikke, dubbele boterham aan. 'Vanmorgen vers gebakken. Mijn eerste culinaire prestatie sinds ik weer thuis ben. Nu ik eindelijk terug ben, zul je dat merken ook.'

De boterham zag er uitnodigend uit – dik besmeerd met boter en rijkelijk belegd met plakken ham en kaas. Ze haalde een aardewerken kan uit de mand en deed het lid eraf. 'Zoete thee. Ik heb geen glazen meegenomen, dus we moeten samendoen.' Ze zette de kan tegen de mand.

'Het ziet er allemaal heerlijk uit,' zei hij, in de hoop dat ze daardoor extra voldoening van haar keukenprestaties zou hebben. Toen ze ook zichzelf had bediend, ging ze tegenover hem zitten en glimlachte hem toe. 'Dit is mijn privé welkomstfeestje,' zei ze en keek uit over de baai. 'Ik dank God voor het voorrecht dat ik iets van de wijde wereld heb mogen zien, maar ik ben nog veel dankbaarder dat ik weer thuis ben op mijn eigen plekje.' Met halfgesloten ogen haalde ze een paar keer diep adem, en het rijzen en dalen van haar borst trok Sietzes blik opnieuw naar de bloemen die daar waren vast gestoken.

'Dit is een van die momenten waarover dichters altijd schrijven, vind je ook niet? Wat heb ik die geur gemist – zee, zon, gras en dan nog een vleugje van iets ondefinieerbaars.' Ze opende haar ogen en keek hem opnieuw aan. 'Maar misschien miste ik vooral de vertrouwde gezichten van de mensen met wie ik ben opgegroeid.'

Alweer kreeg hij het gevoel dat ze met die woorden speciaal op hem doelde, maar voordat hij daar verder over na kon denken, boog ze haar hoofd om te bidden voor het eten. Na het *Amen* keek ze hem weer aan.

'Ik hoop dat je het lekker vindt. Mijn armen doen nog steeds zeer van het kneden!'

Het viel hem niet mee om aandacht te hebben voor iets anders dan Cherish' vrouwelijkheid en het effect dat zij op hem had. Hij nam een grote hap van het brood. Het was zacht en smaakte gezond; de gerookte ham was pittig, de zelfgemaakte kaas lekker scherp en de mosterd waarmee het geheel was besmeerd gaf het precies de juiste hoeveelheid pit.

'Nou, je spuugt het tenminste niet uit en je verslikt je ook niet, dus het zal er wel mee door kunnen.'

'Het is uitstekend,' zei hij haastig.

Een poosje zaten ze zwijgend te eten. Toen ze de theekan pakte en haar hoofd in de nek legde om met diepte teugen te drinken, moest Sietze onwillekeurig opnieuw naar haar hals kijken. Daarna gaf ze de kan aan hem en hij nam hem aan met een traag gebaar. Hoe vaak hadden ze dit soort dingen niet gedaan in de jaren die achter hen lagen? De kan voelde koud aan en hij keek ernaar en aarzelde. De handeling kreeg plotseling iets intiems. Hij boog zijn hoofd achterover en nam voorzichtig een slokje van dezelfde vloeistof waarvan zij daarnet had gedronken.

Ondertussen zat Cherish in de mand te rommelen en haalde er iets uit dat in een servet gewikkeld was. '*La pièce de résistance*, of moet ik het de vuurproef noemen?' Ze onthulde twee goudbruine gebakjes. 'Aardbeientaartjes, ook vanmorgen gebakken.' Ze bood hem er een aan.

'Je hebt het druk gehad, zeg,' merkte hij op.

'Ik ben doodop. Ik zou hier kunnen gaan liggen en zomaar een uur slapen.'

'Het is heerlijk,' zei hij meteen na de eerste hap en hij overdreef niet. Het korstdeeg was luchtig en de vulling hield precies het juiste midden tussen zoet en zuur.

'Dat is niet alleen aan mij te danken. Tante Phoebe zoemde als een bezige bij om me heen en zei precies wat ik moest doen en voor hoe lang. De volgende keer dat ik eten voor je maak zal ik het helemaal zelfstandig doen.'

Weer wekten haar woorden de indruk dat ze exclusief voor hem bedoeld waren, maar Sietze schudde de gedachte van zich af. In een poging de onbehaaglijke gevoelens die ze in hem wakker riep het zwijgen op te leggen zei hij: 'Vertel me eens iets over Europa.'

Ze hield haar hoofd een beetje schuin en een klein glimlachje speelde om haar lippen. 'Europa nog wel. Wat een uitgebreid gespreksonderwerp. Maar het brengt me wel op een gedachte.'

Haar glimlach maakte plaats voor een frons. 'Wat ik je vragen wilde, waarom was je zo laks in het schrijven toen ik weg was? Eens kijken...' Ze telde op haar vingers af. 'Een, twee, drie... ja, dat was het. Maar een paar korte krabbeltjes in dat hele jaar dat ik in het buitenland zat. Ik heb jou tientallen ansichtkaarten gestuurd en alles wat ik terugkreeg was: 'Beste Cherish, ik hoop dat je gezond bent. Je reis klinkt heel interessant. Hier niets bijzonders. Alles in orde. Hartelijke groeten, Sietze de Vries.'

Zijn wangen begonnen te gloeien, toen hij zijn armzalige correspondentie zo terughoorde uit haar mond. 'Ik denk dat er gewoon niet veel te vertellen was. Alles was hier hetzelfde als altijd.' Hoe had hij haar kunnen schrijven over de vreugde die het hem gaf als hij die enorme boomstammen zag veranderen in schepen en boten, terwijl zij op elke kaart en in elke brief zo'n levendige beschrijving gaf van weer een andere stad, een nieuwe ervaring en nieuwe gezichten?

'Dat is onzin. Je weet best dat ik niets liever wil dan horen wat er allemaal op de werf gebeurt.'

'Het spijt me,' zei hij. 'Ik meende gewoon dat het je niet zou interesseren.' Hij tuurde over de baai. 'De gebeurtenissen op Winslows Scheepswerf leken van geen belang in vergelijking met alle avonturen die jij beleefde, om over de belevenissen van Sietze de Vries nog maar te zwijgen.'

'Je zat er helemaal naast,' zei ze zacht, maar voordat hij de ernst in haar stem tot zich door kon laten dringen, begon ze de spullen in te pakken. Hij schoot haar te hulp en zei: 'Je hebt daar vast een heleboel interessante mensen ontmoet,' in de hoop dat hij daarmee zijn nalatigheid in de correspondentie een beetje goed kon maken.

Ze keek hem even aan. 'Wil je het echt horen?'

Hij herinnerde zich hoe ze hem vroeger altijd alles vertelde over haar leven op school en knikte. 'Natuurlijk.'

'Goed dan. Nicht Penelope kent beslist iedereen die op het continent iets te betekenen heeft,' begon ze met hernieuwd enthousiasme. Hij sloot de theekan af en reikte haar die aan. 'En als ze een belangrijk iemand niet persoonlijk kende, dan spoorde ze iemand op die dat wel deed en ontfutselde die persoon een introductie,' ging Cherish verder, terwijl ze de theekan in de mand zette. 'De omgangsvormen aan de overkant van de oceaan zijn ontzettend formeel. Je kunt je niet zomaar aan iemand gaan voorstellen. Eerst moet je een introductie regelen.'

Ze bukte om het picknickkleed op te rapen. Sietze kwam overeind, nam het van haar over en schudde het uit.

'Neem bijvoorbeeld een dansavondje – sorry, ik bedoel natuurlijk een bal. Dan kun je niet in het wilde weg gaan dansen met iedereen die jou maar ten dans vraagt, stel je voor. Nee, je moet eerst officieel aan iemand worden voorgesteld.'

Ze begon te giechelen. 'Toen we in Wenen waren, kreeg ik

van iemand het verzoek om een wals te dansen met een of andere adellijke heer, die zelf niet zo brutaal durfde te zijn om zich zomaar aan die jonge 'Amerikaanse demoiselle' op te dringen. Dat zou hoogst ongepast wezen, dus stuurde hij een afgevaardigde, een vrouwelijk familielid – ook met een titel, natuurlijk. Toen ik haar mijn toestemming had gegeven – uiteraard alleen voor een introductie – kwam hij dichterbij en werden we formeel aan elkaar voorgesteld.'

Ze nam het opgevouwen kleed van Sietze aan en legde het boven op de picknickmand. Daarna nam ze een kaarsrechte houding aan, haar handen gevouwen op haar rug. 'En nadat aldus de juiste wegen waren bewandeld, werd prins Leopold Christian Otto von Braunschweiger von Schwarzwald von Wiener Schnitzel von dinges und so weiter' – hoe langer ze sprak, hoe zwaarder haar Duitse accent werd, en ze maakte een diepe buiging, terwijl ze haar hakken tegen elkaar sloeg – 'in volle glorie met al zijn achternamen aan mij voorgesteld. Ik was diep onder de indruk, en maakte mijn mooiste reverence voor hem, kijk, zo.'

Sietze moest lachen om haar fratsen; hij voelde zich weer helemaal ontspannen. Ondanks alles was ze toch nog steeds het meisje dat hij al zo lang kende.

Ze maakte een komisch overdreven buiging. 'Ik was doodsbang dat mijn knieën zouden kraken en ik rolde bijna om – lieve help!' Ze verloor haar evenwicht en zou echt voorover gevallen zijn, als Sietze niet te hulp was geschoten en haar net op tijd had opgevangen. Ze lachte naar hem op, terwijl haar handen lichtjes op zijn schouders bleven rusten. 'Dank je, Sietze. Prins von Leopold had niet kwieker kunnen zijn.' Ze fronste nadenkend. 'Hij droeg een monocle, zie je. Als hij zichzelf zo had moeten inspannen, was die misschien wel uit zijn oogkas gevallen.'

Nog steeds lagen haar handen op zijn schouders en ze maakte geen aanstalten om hem los te laten. Sietzes hart begon hevig te bonzen.

'Hoe dan ook, we staan nu precies in de juiste houding voor de wals. Wist je dat die in Wenen is uitgevonden? Ik hoef je geen samenvatting te geven van de vleiende toespraak van de prins – of was hij nu een graaf? Alleen al het noemen van zijn naam kostte meer dan een halve minuut en het duurde nog een paar minuten langer voor ik in de gaten kreeg dat hij me ten dans aan het vragen was. Hij had zo'n zwaar accent, en hij was zo breedsprakig en bloemrijk, dat het even duurde voor ik besefte dat hij alleen maar met me wilde walsen.'

Ze lachte om haar nervositeit te verbergen. Ze had het gevoel dat ze de afgelopen minuut aan een stuk door had gerateld, zonder zelfs maar adem te halen, zo bang was ze dat Sietze zich van haar zou losmaken. Nu keek ze naar zijn glimlachende gezicht, in de hoop dat ze iets zou kunnen zien van wat hij voelde. Zou het ook maar enigszins te vergelijken zijn met de manier waarop haar eigen hart in haar borst heen en weer fladderde?

Ze staarde in zijn grijze ogen en de woorden van haar tante kwamen opnieuw in haar gedachten. Wat ging er nu eigenlijk in hem om? Hij keek haar aan met dezelfde geamuseerde genegenheid als altijd. Zou er dan nooit iets meer in zijn blik te lezen zijn?

'Kom.' Ze sjorde aan zijn schouder en pakte een van zijn handen, die om haar middel lagen, in de hare. 'Ik ga je de Weense Wals leren.'

Ze zette meteen de eerste pas in en toen pas reageerde hij. 'Ik ben niet zo goed in walsen.'

'Het is heel gemakkelijk. Ik ben van plan nog eens een feest te geven – had ik dat al verteld? – en deze keer gaan we ook dansen, als het aan mij ligt. Maar jij moet leiden. Een, twee, drie... een, twee, drie...' Onder het tellen bleef ze hem in de ogen kijken. 'Het is funest om naar je voeten te kijken, want dan weet je zeker dat je struikelt. Het is echt een heel simpele danspas, je telt gewoon een, twee, drie, kijk zo: een, en dan twee hier en drie is dan een lange pas hierheen.' Ze draaiden een halve slag. 'Zo ja!' Ze begon een wals van Strauss te neuriën. 'Een, twee, drie. Een, twee, drie. En nu moet je in gedachten het licht van honderden kaarsen voor je zien dat glinstert op de baljurken van de dames, terwijl je zelf een zwart jacquet draagt en een gesteven wit overhemd met rechtopstaande kraagpunten, en een witte of zwarte stropdas.' Ze neuriede weer verder en wenste dat deze dans nooit zou eindigen, maar Sietze verstapte zich op een graspol. 'Je mag niet stoppen, hoor,' lachte Cherish. 'Je moet onmiddellijk je evenwicht hervinden, want anders trapt er iemand op mijn sleep. De balzaal is overvol, er dansen tientallen paren tegelijk.'

Ze praatte en praatte maar door, alsof ze alleen door haar wilskracht Sietze ertoe kon bewegen verliefd op haar te worden, te merken wat zij voor hem voelde, de betovering te ondergaan van dit moment onder de wolkeloze hemel, te midden van een bloemenzee waarbij de pracht van een Weense balzaal verbleekte.

'Waar is Cherish?' vroeg Tom Winslow aan Phoebe, die tegenover hem aan het middagmaal zat.

'Die is met Sietze aan het picknicken,' antwoordde ze, terwijl ze de aardappels op haar bord schepte.

'Aan het picknicken?'

'Dat zeg ik toch. Ze gingen eerst een eind zeilen en daarna picknicken. En zou je nu een of twee plakken corned beef willen nemen en me daarna de schaal aangeven?'

'Wat? O, ja, natuurlijk.' Hij prikte twee plakken aan zijn vork, legde ze op zijn bord en gaf de schaal door. Toen ze allebei hun bord hadden vol geschept, bogen ze hun hoofd om te bidden. 'Ik weet niet of ik er wel zo blij mee ben, dat ze zoveel met Sietze optrekt,' zei Tom daarna, bedachtzaam kauwend op zijn eerste hap. 'Eerst zit ze al voortdurend in de werkplaats en nu gaan ze ook nog uit picknicken.'

'Sietze is anders een prima vent.'

'Ze loopt hem al achterna sinds ze een klein meisje was. Als ze maar even dacht dat ik hem niet goed behandelde, kwam ze meteen een goed woordje voor hem doen.' Hij lachte grimmig, vol ongeloof. 'En nu wil ze dat ik Sietze tot mijn opvolger benoem.'

'Je zou het slechter kunnen treffen,' reageerde Phoebe kort.

'Hoe dan ook, nu Cherish weer thuis is, zou ik graag zien dat ze kennismaakt met een paar jongemannen van haar eigen stand. Neem die jonge Townsend, bijvoorbeeld. De kerel bevalt me wel; een echte heer.'

'De vraag is natuurlijk, of hij haar ook bevalt,' zei Phoebe vinnig en sneed met de punt van haar mes haar broodje open, zodat de damp eraf sloeg.

Die avond knielde Cherish voor haar bed en bad. *Heer, u weet hoeveel ik altijd al van Sietze heb gehouden. U bent de enige die dat weet. U alleen weet hoe lang ik al op hem wacht. Ik heb alles gedaan wat van mij verwacht werd. Alstublieft, Vader, geef dat Sietze ook van mij gaat houden. Laat hem net zoveel van mij houden als ik van hem houd. Ik verlang zo erg naar hem dat het me bijna te veel wordt.*

4

Op zondagochtend verzamelden de gemeenteleden zich na de dienst zoals gewoonlijk in het voorportaal van de kerk om de predikant te begroeten.
'Als dat de kleine Cherish Winslow niet is!' zei dominee McDuffie en schudde haar hartelijk de hand. 'Is me dat even een deftige dame geworden, vind je ook niet, Carrie?'
Zijn vrouw glimlachte Cherish warm toe. 'Welkom thuis, Cherish. Het spijt ons dat we bij je welkomstfeest verstek moesten laten gaan. We hadden die dag verplichtingen elders. Maar we zijn blij dat je weer bij ons bent.'
'Dank u wel. En ik denk dat niemand zo blij is als ik zelf,' antwoordde Cherish.
'Denk je dat we je vanaf nu op dinsdagavond bij de koorrepetitie kunnen begroeten? Carrie kan beslist nog wel een goede stem gebruiken.'
'Ik zou inderdaad graag komen.' Ze wendde zich tot Sietze. 'Jij gaat zeker wel mee? Dan kunnen we samen gaan.'
Hij frunnikte aan zijn stropdas. 'Ik zing niet zo best.'
'Onzin,' protesteerde McDuffie. 'Je hebt een mooie bariton. Ik kon je vanaf de preekstoel horen.'
Bij het zien van de blos die over zijn gezicht kroop schoot Cherish in de lach. 'Ik hoop dat uw oren er niet van te lijden hebben gehad,' zei Sietze. Nu begon ook McDuffie te

lachen. '*Au contraire*. Het deed me juist goed om zo'n goede, sterke mannenstem te horen. Die zou in het koor goed van pas komen.' Hij boog zich voorover en fluisterde samenzweerderig: 'We zitten met een overschot aan ouwe dametjes. Goeie zielen, hoor, maar hun stemmen worden een beetje bibberig. Wat nieuw bloed kunnen we best gebruiken.' Hij drukte hen beiden nog eens stevig de hand. 'Dat is dan afgesproken; dinsdagavond om zeven uur. Fijn dat je weer terug bent, Cherish.'

Net als altijd liep Sietze met de familie Winslow mee naar huis om bij hen de zondagse maaltijd te gebruiken. Hoewel hij met opzet wat langzamer was gaan lopen om Cherish' gezelschap te vermijden, liep ze ineens toch weer naast hem.

Ze was de liefalligheid in eigen persoon, zoals ze dat trouwens sinds haar terugkeer in zijn ogen dagelijks was geweest. Met de dag verheugde hij zich sterker op het moment waarop ze kwam opdagen. Vandaag droeg ze een gele jurk met stroken en ruches langs de rok. Een brede, gele sjerp was laag op haar heupen vastgemaakt en wapperde in de wind. De japon had nauwsluitende mouwen tot aan de ellebogen en het geheel werd gecompleteerd door sierlijke, witte handschoentjes. Kwam het misschien doordat hij op de scheepswerf te lang uitsluitend in mannelijk gezelschap had verkeerd, dat hij nu zo in de war raakte van een meisje in een mooie jurk?

Ondertussen liep Cherish vrolijk met de oude Jacob te babbelen, die voor de Winslows werkte als tuinman en klusjesman. 'Ik verheug me nu al op uw vioolspel tijdens het feest.'

Geen enkel meisje in Haven's End kon zich met Cherish meten, vond Sietze. Kwam dat door de beschavende invloed van de stad? Kwam het omdat haar verschijning tot in de kleinste details verzorgd was en leuk om te zien? Moesten vrouwen nu erg hun best doen om zoiets voor elkaar te krijgen of ging het vanzelf?

Van onder een strohoedje dat was versierd met gele linten

en strikken golfde Cherish' diepbruine haardos in dikke pijpenkrullen langs haar schouders. Op de dag dat ze samen in
het weiland hadden gedanst, waren haar haren met een eenvoudig lint opgebonden, en haar paardenstaart had in het
rond gezwierd toen ze net deden alsof ze in een balzaal aan
het walsen waren. Hij glimlachte inwendig bij het idee dat
Cherish en hij zich in een elegante Weense danszaal zouden
bevinden. Wat een vertoning zou dat zijn. Hij keek naar zijn
handen, die ontsierd werden door oude littekens en verse
snijwonden waar hij zich met zijn gereedschap had gesneden, en door brandblaren als gevolg van het werken met
hete teer. Bovendien voelden ze even ruw aan als het
schuurpapier waarmee hij het scheepshout schuurde tot het
zijdezacht was. *Zijdezacht als de handen van prins Leopold,*
zeurde het in zijn gedachten.
Ze kwamen bij het huis van de Winslows dat, op het hotel
bij de haven en een paar zomerhuizen na, het deftigste was
van heel Haven's End. 'Ik hoop dat je erge honger hebt,' zei
Cherish, toen ze de oprijlaan op liepen, en haar blauwe
ogen lachten hem toe. 'Ik ben vanaf zonsopgang met tante
Phoebe in de keuken bezig geweest, tot het tijd was om naar
de kerk te gaan.'
'Meen-u dat nou, juffrouw Cherish?' zei Jacob met zijn schelle stem. 'En wat voor lekkers hebben de dames dan wel
klaargemaakt voor het uitgehongerde manvolk?'
'Gebraden kip, aardappelpuree, bietensalade en beschuitbol-
len.'
'Dat zal er vast wel ingaan!' riep de oude man uit.
Het diner was inderdaad uitstekend en iedereen complimenteerde Cherish met haar kookkunst. Na het eten liet Cherish
Sietze beloven dat ze elkaar later op de veranda zouden treffen. Anders liep hij na de maaltijd altijd terug naar de
scheepswerf, maar nu zat hij eerst een tijdje met de oude
Winslow over koetjes en kalfjes te praten. Toen die de krant
ging lezen, ging Sietze naar de veranda, waar hij even om

zich heen keek en toen besloot op de tweepersoons schommelbank te gaan zitten. Niet gewend om zijn tijd in ledigheid door te brengen, schommelde hij loom heen en weer, zich afzettend met de hak van zijn laars. In zijn vrije uurtjes was hij eigenlijk altijd wel een scheepsmodelletje aan het snijden of zijn boot aan het schoonmaken.

Net toen hij zich voelde wegdommelen hoorde hij de voordeur openzwaaien en voetstappen naderbij komen. Hij schudde de slaperigheid van zich af en kwam overeind om Cherish te helpen met het dienblad dat ze droeg.

'Ik heb wat limonade meegenomen voor als we dorst krijgen,' zei ze en wees hem waar hij het blad neer kon zetten.

'Is alles klaar?'

'Piekfijn in orde en naar volle tevredenheid van tante Phoebe,' antwoordde ze, terwijl ze ook op de schommelbank ging zitten en een in leer gebonden boekje naast zich neerlegde. Een van de katten uit de schuur dook op en sprong op haar schoot.

'Dag, poes! Waar heb jij de hele ochtend uitgehangen? Ben je op muizenjacht geweest?' Ze streelde zijn grijze vacht en de kat begon behaaglijk te spinnen.

Om de gevoelens te verbergen die Cherish' aanwezigheid opnieuw in hem losmaakten, zette Sietze zich weer af tegen de houten vloer om de bank weer in beweging te brengen. Zwijgend schommelden ze een poosje heen en weer, luisterend naar het piepen van de scharnieren. Sietze zat met gesloten ogen tegen de rugleuning. Zijn onrust onder Cherish' nabijheid was net een beetje gezakt, toen ze hem plotseling vroeg: 'Heb je op dit moment een meisje?'

Met een ruk opende hij zijn ogen. Cherish zat nog steeds de kat te aaien en keek hem aandachtig aan.

'Wat zeg je?' Waarom vroeg ze nou zoiets? Domweg uit nieuwsgierigheid of zat er meer achter?

'Je hoorde me wel. Is er op dit moment iemand die een speciale plaats in je hart inneemt?'

Zulke persoonlijke vragen was hij niet gewend en hij antwoordde dan ook niet meteen. De mannen op de scheepswerf praatten over de schepen waaraan ze bezig waren, over het zojuist binnengelopen vrachtschip of over de prijs van het timmerhout. Mevrouw Sullivan zorgde ervoor dat hij goed te eten kreeg en netjes in de kleren zat en ze merkte het als hij er 'minnetjes' uitzag. Meneer Winslow vond het alleen belangrijk dat hij dagelijks op zijn werk verscheen en daar zijn plicht deed. En hijzelf dacht nooit aan iets anders dan aan het hout onder zijn handen en het doel waarvoor hij werkte.

Niemand had hem ooit gevraagd naar zijn gevoelens. Ten slotte schudde hij zijn hoofd. 'Nee.' Waarom was dit antwoord hem nu zo zwaar gevallen?

'Is er ook niemand meer geweest sinds Emma?' vroeg ze zacht. Emma was zijn jeugdvriendinnetje geweest, al van toen hij nog thuis woonde.

'Ik denk dat ik tegenwoordig met mijn boten getrouwd ben.'

'Dat is raar. Je kunt niet met boten getrouwd zijn.'

Hij bleef zachtjes heen en weer schommelen, zijn ogen gericht op de punten van zijn laarzen. 'Ik heb sinds Emma's dood nooit meer gedacht aan trouwen of een gezin stichten of aan een eigen huis.' En langzamer: 'Ik vermoed dat ik toen vastgesteld heb dat het huwelijk niet voor mij is weggelegd.' Het was de eerste keer dat hij dit hardop zei.

'Maar Sietze, dat is toch onzin.' Ondanks het verwijt klonk het vriendelijk.

Hij haalde zijn schouders op. 'Ik ben tevreden met de situatie zoals die nu is. Ik heb nog steeds mijn droom en die is voor mij voldoende.'

'Het is een prachtdroom en ik weet zeker dat hij ooit in vervulling zal gaan, maar dat betekent niet dat je niet nog meer verlangens kunt hebben.'

Hij keek haar opnieuw van opzij aan, voor de tweede keer in korte tijd verbaasd. Dus ze herinnerde zich zijn droom nog?

Ze merkte zijn reactie niet op en vervolgde: 'Liefde is toch het hoogste wat een mens kan ervaren?'

Hij zweeg; hij kreeg een ongemakkelijk gevoel van dat woord.

'Je hield toch van Emma?'

'Ik was nog maar een kind.' Hij plukte aan zijn overhemd-kraagje en probeerde een gespreksonderwerp te bedenken waarmee hij Cherish af zou kunnen leiden.

'Leeftijd heeft er niets mee te maken. Denk nou eens na: je was een jongen van twaalf die trouw beloofde aan een meisje dat je je hele leven al gekend had, en je hebt al die jaren dat je hier woonde volhard in je liefde voor haar. Dat is toch geen kinderlijke bevlieging te noemen? Het is iets moois, iets edels.'

Hij sloeg zijn ogen neer voor haar doordringende blik. 'Het komt vast van al die oude kastelen die je gezien hebt, dat je nu zo romantisch doet.'

'Liefde heeft niks met oude kastelen te maken! Ik heb altijd in de liefde geloofd. Ik ben alleen maar ouder geworden en daarom nu beter in staat mijn gedachten onder woorden te brengen. En er is er Een, die het met me eens is.' Ze tikte op het boek dat tussen hen in lag. 'God. Hij heeft over de liefde heel veel te zeggen.'

'Nou ja, over dat soort liefde weet ik alles wel. "Doe goed aan allen" en zo.'

Ze keek van hem weg. 'Dat klinkt wel heel erg plichtmatig. Het is zoveel meer dan dat. Het gaat om liefde voor je Verlosser en om de allesomvattende liefde die hij voor ons heeft.'

'Je praat net als dominee McDuffie.'

Haar lippen krulden een beetje. 'Hij is ook degene die me liet zien dat christen zijn meer inhoudt dan zondags naar de kerk gaan of leven volgens de Tien Geboden. Weet je wat ik dankzij hem heb ontdekt?' In haar leiblauwe ogen lag een glans die ze bijna zwart maakte. 'Hoe fantastisch het is om je hart aan God te geven.'

Sietze wendde zich af. Haar woorden gaven hem het gevoel dat hij niet voldeed, dat er een vitaal onderdeel aan zijn persoonlijkheid ontbrak. De kat was ondertussen bij hem op schoot geklommen. Zijn hand gleed over haar vacht en hij voelde de trillingen van haar gespin onder zijn vingertoppen.

'Als je je realiseert hoeveel liefde Jezus heeft getoond door voor ons aan het kruis te sterven, dan kun je die liefde alleen nog maar beantwoorden met alle vezels van je wezen. Dan is het niet moeilijk om niets meer achter te houden, maar "Ja, Heer" te zeggen wanneer hij iets van je vraagt.' Ze pakte de Bijbel op en drukte die met een innig gebaar tegen haar borst. 'Waag het niet dat romantisch gedoe te noemen. Liefde is het enige doel van ons bestaan.'

Hij kon het niet direct met haar eens zijn. Hij dacht eraan hoe het voelde als een boot langzamerhand vorm kreeg onder je handen. Dat was pas leven, als je het hem vroeg. Hij gaf de schommelbank een flinke duw en de kat, geschrokken van de plotselinge beweging, sprong op de grond, rekte zich uit en kuierde weg.

Weer zaten ze een poosje zwijgend te schommelen, toen slaakte Cherish een diepe zucht. 'God heeft de liefde tussen man en vrouw gegeven als een' – ze fladderde met haar ene hand, op zoek naar het juiste woord – 'als een uitvloeisel van zijn liefde voor ons.'

Opnieuw wist hij niet hoe hij moest reageren. 'Ooit zal er iemand van je gaan houden, Cherish,' zei hij toen, 'en je de liefde schenken waarnaar je verlangt.'

Ze hield haar hoofd een beetje schuin en keek hem vast aan. 'Denk je?'

'Ik weet het zeker,' zei hij, terwijl hij zich tegelijkertijd afvroeg wat voor man dat dan wel zou zijn. Het drong tot hem door dat hij zich geen enkele man kon voorstellen die goed genoeg voor haar zou zijn.

'Ik hoop dat je gelijk hebt,' zei ze en legde het boek op haar schoot. 'Zou jij het niet fijn vinden als er weer iemand van je ging houden zoals Emma van je hield?'

Zijn ogen keken vorsend in de hare en even sneed de gedachte door hem heen, hoe veel groter het verdriet om het verlies van een geliefde zou zijn, nu hij van een jongen een man was geworden. Hij wendde zich af en tuurde over het gazon naar de baai daarachter. Door de vloed was die volgestroomd met water, net zoals Cherish' woorden zijn geest hadden vervuld zonder dat hij weerstand had kunnen bieden.

'Ik denk daar eigenlijk nooit aan,' antwoordde hij eerlijk. 'Ik was nog ontzettend jong – en zij ook trouwens – toen we onze trouwbelofte deden. Vervolgens hebben we ons daar eenvoudig aan gehouden, ook toen ik hierheen kwam voor mijn leertijd en we elkaar nog maar eens per jaar konden zien. Toen ik negentien werd, vroeg ik je vader toestemming om te trouwen. Ik had aan alle voorwaarden van de overeenkomst voldaan en had strikt genomen zijn toestemming niet nodig, maar hij raadde me aan te wachten tot mijn eenentwintigste, omdat ik dan meer gespaard zou hebben.'

Hij keek met nietsziende ogen naar de geverfde houten verandavloer. 'Het leek een verstandig advies. Op die leeftijd verwacht je niet dat je zomaar iemand kunt verliezen die nog jonger is dan jij zelf, zelfs niet als je al een paar keer eerder een verlies hebt geleden. Ik had al een oudere broer en zus verloren en mijn vader kwam nooit terug van de Grand Banks.'

Hij schraapte zijn keel. Alle herinneringen kwamen in volle hevigheid terug, nu hij hier zo zat te vertellen. 'Maar toen kreeg ze gewrichtskoorts en stierf, nog geen maand voor mijn eenentwintigste verjaardag.' Hij was lange tijd opstandig geweest over haar dood en wist niet precies meer wanneer die bitterheid was gaan vervagen.

'Mis je Emma nog steeds?'

Hij schudde langzaam zijn hoofd. 'Nee. Het is zoals ik al zei: ik ben nu met mijn boten getrouwd.'

'Je weet toch dat ik van je houd, Sietze.'

Geschrokken keek hij haar aan. Voordat hij kon bedenken wat ze bedoelde, vroeg ze zacht: 'Houd je dan niet van mij?'

Haar grote, blauwe ogen vroegen om een antwoord. Hij voelde zich vuurrood worden en wreef zich radeloos in de nek. Wat voor antwoord kon je nu geven op zo'n vraag? Doelde ze op de wederzijdse genegenheid en het vertrouwen die in de loop der jaren tussen hen waren gegroeid? Of had ze het nu over die verheven gevoelens die ze hem zojuist had beschreven? Met moeite maakte hij zijn blik van haar los.

'Nou... eh..., ja hoor.'

'Je zegt het alsof je er bijna in stikt.'

Zijn gezicht begon nog erger te gloeien. 'Dat is niet waar! Natuurlijk houd ik van je. Ik ken je al sinds je een klein meisje was. Je bent als een zusje voor me.'

Toen hij weer naar haar keek, keek ze de andere kant op. Hij voelde zich bezwaard. Cherish vertrouwde hem. Winslow vertrouwde hem. Hoe zou hij op de lange duur dat vertrouwen waard kunnen zijn, als hij niets liever wilde dan een kus drukken op die lieve lippen daar zo vlakbij?

Sietze lag in bed te luisteren naar het klotsen van de golven. Het geluid bezorgde hem een gevoel van beslotenheid. Hij kon Cherish' vraag niet langer verdringen. *'Houd je dan niet van mij?'*

Ze had gezegd dat ze van hem hield, rechtuit en kinderlijk, zoals ze was. Ze hield ongetwijfeld van de jongen die veertien jaar geleden naar Haven's End was gekomen. Maar het was een naïef, kinderlijk gevoel dat weldra voorbij zou zijn. Naarmate ze langer thuis was, zou ze gaan merken dat Sietze de Vries dezelfde ongeschoolde man was die ze twee jaar geleden had achtergelaten; iemand die nooit verder was geweest dan deze kust, en die zich op geen enkele manier kon meten met de jongemannen die ze op haar reizen was

tegengekomen. Ze zou haar kalverliefde al spoedig ont-
groeid zijn en met de bewonderende ogen van een vrouw
gaan kijken naar iemand als Warren Townsend.

Maar Sietze zelf dan? *'Houd je dan niet van mij?'* Waarom
probeerde hij zich telkens weer onder die vraag uit te wur-
men, als een wriemelende regenworm die uit de donkere,
vochtige aarde wordt opgegraven en onbarmhartig wordt
blootgesteld aan licht en lucht?

Wat wist hij nou van de liefde? Kon hij eigenlijk wel liefhebben?

Hij hield van boten, dat was een ding dat zeker was. Hij
hield van het zijdeachtige gevoel van pas geschuurd hout;
het was iets tastbaars, iets wat hij vorm kon geven, kon tem-
men en waaraan hij zijn wil kon opleggen. Hij hield van de
aanblik van pas gezaagde planken met een kaarsrechte nerf,
omdat hij wist dat die bovenmatig sterk waren en in het
water niet zouden splijten of kromtrekken. Hij hield van de
geur van cederhout, eikenhout en dennenhout, die de werkplaats doortrok en zelfs doordrong tot in zijn kamertje erboven, dat de afgelopen veertien jaar zijn enige thuis was
geweest. Hij hield van de uitdaging om de rechte, keiharde
en onbuigzame balken te bewerken en te vormen tot sierlijke vaartuigen. Hij hield van het triomfantelijke gevoel dat
hem beving, wanneer zo'n vaartuig met verachting van de
peilloze waterdiepten door de golven sneed, en hij de krachten van de natuur trotseerde door met wiskundige precisie
de zeilen zo te manoeuvreren dat zelfs de wind het schip
moest gehoorzamen. Het trotse, vlugge zeilschip – dat was
zijn geliefde.

Maar houden van een vrouw, een echte, levende vrouw van
vlees en bloed? Sietze ging rechtop zitten, zijn ellebogen op
zijn knieën en zijn kin op zijn gebalde vuisten. De vraag
maakte hem zo onrustig dat hij onmogelijk stil kon blijven
liggen. Weer voelde hij zich onmachtig om een antwoord te
geven, alsof zijn hart er niet ontwikkeld of volwassen

genoeg voor was. Het kwam hem voor alsof de groei ervan was blijven stilstaan op het moment dat hij als twaalfjarige het ouderlijk huis verliet.

Hij zag zichzelf zwaaien, terwijl de boot de haven uitvoer. De kleine Emma, die hem was komen uitzwaaien, stond hem hand in hand met zijn moeder na te kijken. Zijn moeder zag er nog steeds een beetje verloren uit, en dat was al zo sinds ze het nieuws had ontvangen dat zijn vader niet van de visexpeditie zou terugkeren. Ook zijn oudste zus stond er, verbeten en ijzig, oud voor haar tijd, hoewel ze nog maar halverwege de twintig was; zo was ze geweest sinds ze de touwtjes van het huishouden in handen had moeten nemen.

Sietze was de laatste geweest die uit huis ging. Zijn oudere broers en zussen hadden bijna allemaal elders werk gevonden. En zo was Sietze op de werf van meneer Winslow beland en had hij zijn hart aan de scheepsbouw verloren. Sinds die tijd leefde hij te midden van mannen en boten. De enige vrouwen in zijn leven waren de moeder van Cherish, een vriendelijke, knappe vrouw, en de enigszins bitse, gewoontjes uitziende mevrouw Sullivan. Maar met beiden had de conversatie zich beperkt tot waarschuwingen als *Ga je handen eens wassen, Sietze. Was je gezicht eens. Vergeet niet achter je oren te schrobben. Eet je bord leeg, Sietze. Haal je ellebogen eens van tafel.*

En dan had je nog Winslows dochter, zijn lieveling, stralend, ondernemend en gevoelig voor al zijn stemmingen. Hij wist zich geen raad met die vreemde, nieuwe gevoelens die ze nu in hem wakker riep. Hij voelde zich als een knoestige appelboom, die geteisterd door de zilte winterwind in de groei is achtergebleven, een gedrongen, gebochelde verschijning tussen de reusachtige, majesteitelijke sparren om hem heen.

Cherish had gesproken over dat hooggestemde gevoel dat liefde genoemd werd. Zou zijn hart ooit in staat zijn zulke edele gevoelens te koesteren?

Vanavond zou ze opnieuw Sietzes armen om zich heen voelen. Hij had dan wel geen idee hoe groot het wonder van echte liefde was, maar Cherish Winslow zou het hem laten zien. Ze zou ervoor zorgen dat hij haar niet kon weerstaan.

Nadat ze zichzelf helemaal had afgesponst, waarbij ze er zorgvuldig voor waakte dat haar krullen niet nat werden, trok ze schoon ondergoed aan, schone kousen, een schoon corset en schone petticoats. Ze bevestigde het metalen frame voor de queue en richtte haar aandacht vervolgens op haar garderobe. Haar japon hing al klaar aan de deur; ze had hem die ochtend nog geperst. Iedere ruche stond stijf rechtop en elke plooi lag perfect glad. Liefkozend nam ze de lichtblauwe jurk van het hangertje. Het was een creatie van Worth himself. Nicht Penelope had haar in Parijs aan deze modekoning voorgesteld en hij had de jurk voor haar ontworpen. Ze was zelfs bij de modeshow geweest, waar de jurk door een van de jonge Franse mannequins werd geshowd.

Ze maakte de lange rij knoopjes aan de voorkant vast en streek het nauwsluitende lijfje glad. De voorkant van de bovenrok was gevormd als een wijduitstaand schort en viel in soepele plooien omlaag. De achterkant was samengetrokken zodat de rok bevallig langs het queueraamwerk kon worden gedrapeerd. De onderrok was uitgevoerd in een donkerder tint blauw en afgezet met een brede, geplooide zoom.

Nadat ze zichzelf in haar manshoge spiegel even met voldoening had bekeken, wijdde Cherish zich verder aan de details van haar kapsel en haar make-up. Ze rommelde in haar juwelenkistje, haalde een zwartfluwelen halsband met een hanger van amethist te voorschijn en deed die om. Daarna borstelde ze met aandacht haar haren en wikkelde iedere pijpenkrul afzonderlijk nog eens stevig om haar vingers. Vervolgens stak ze de haardos hoog op haar hoofd vast met een kam van schildpad, en schikte de waterval van krullen langs haar schouders en over haar rug. In haar oren bungelden amethisten oorringen. Met gefronste wenkbrauwen bestudeerde ze haar spiegelbeeld. Het liefst had ze ook nog rouge opgedaan, naar de gewoonte van de Franse vrouwen, maar dan zou tante Phoebe haar ongetwijfeld publiekelijk te schande maken door haar terug te sturen naar boven met de opdracht die rommel van haar gezicht te vegen. Daarom deed ze alleen een beetje rijstpoeder op haar gezicht en kneep in haar wangen om ze wat kleur te geven. Ten slotte depte ze een beetje eau de toilette op haar slapen en achter haar oren.

Voor de laatste keer inspecteerde ze zichzelf in de spiegel. De japon leek in de verste verte niet op een baljurk; ze was wijs genoeg om niet iets aan te trekken dat voor Haven's End te modieus was. Maar wat zou Sietze ervan vinden? Dat was het enige wat haar echt kon schelen.

In een stil gebed vroeg ze de Heer om een zegen over al haar inspanningen. Daarna maakte ze haar kamer aan kant en ging naar beneden om de eerste gasten te begroeten.

De hal krioelde van de jonge mensen. Cherish voelde hoe Annalise zich krampachtig aan haar arm vastklampte, maar ze besteedde er geen aandacht aan. Vrolijk stortte ze zich in het gewoel, begroette links en rechts haar vrienden en stelde Annalise voor aan iedereen met wie ze sprak. Ondertussen zochten haar ogen de ruimte af naar Sietze, maar ze zag hem nergens. Teleurgesteld ging ze met Annalise naar de zitkamer, waar Warren, die langer was dan de meeste anderen, onmiddellijk naar hen toe kwam.

'Ah, daar zijn jullie.' Hij keek van Cherish naar zijn zus en ze kon de vraag in zijn ogen lezen.

'Hier zijn we, inderdaad. Ik heb Annalise beloofd in haar buurt te blijven tot ze mijn vrienden wat beter heeft leren kennen.' Ze vertelde hem niet dat ze zijn zus slechts met moeite naar de zitkamer had weten mee te tronen. 'Zou je zo vriendelijk willen zijn voor ons een glas punch te halen?'

'Natuurlijk.'

Van alle kanten drongen Cherish' vrienden op om met haar te praten. In de kamer ernaast begon de muziek te spelen en ze hoopte vurig dat Annalise haar nu eindelijk eens zou loslaten, zodat ze Sietze zou kunnen gaan zoeken. Ze had hem inmiddels zien binnenkomen. Hij had hen kort begroet en was daarna weer naar buiten gegaan, waarna ze hem uit het oog was verloren. Waarschijnlijk stond hij op de veranda met de andere mannen te praten.

Met een gevoel van bevrijding liet ze Annalise ten slotte achter in de hoede van tante Phoebe en een van haar vriendinnen en zette koers naar de deur, waar ze echter door Warren werd aangeklampt.

'Waar is Annalise?' vroeg hij.

Ze slikte een bitse reactie in en antwoordde vriendelijk: 'Ze zit daar, zie je wel? Bij tante Phoebe en mevrouw Drummond.'

'Ik wilde je bedanken voor het geduld dat je met haar hebt. Ze is' – hij aarzelde en keek in zijn glas – 'heel erg verlegen.'

Cherish voelde haar ergernis verdampen en haar hart stroomde vol sympathie voor deze man, die zo duidelijk bezorgd was om zijn zus.

'Dat is me opgevallen, ja, maar ik denk dat ze het verder wel redt. Misschien kunnen we een van de jongens hier vragen om met haar te dansen.'

Hij glimlachte enthousiast. 'Dat zou geweldig zijn. Maar hoe staat het eigenlijk met jou? Kan ik jou tot een dansje verleiden?'

Opnieuw moest Cherish slikken tegen haar irritatie. Misschien moest ze maar een dans met hem doen, dan was ze ervan af. Zo zou ze de wals voor Sietze kunnen bewaren. Ze had de walsen al uitgezocht, samen met haar vriendin Alice, die piano zou spelen in de tijd dat Jacob en de andere violisten pauzeerden.

Ze knikte toestemmend en samen gingen ze naar de naastgelegen kamer, waar de meubels en de tapijten aan de kant waren geschoven, zodat er in het midden een vrije ruimte was ontstaan. Er werd al geestdriftig gedanst en Cherish liet zich te midden van de andere dansers door Warren in het rond zwieren. Op die ene dans volgde een tweede. Ongeveer halverwege zag ze plotseling Sietze in de deuropening staan. Ze hief haar hand ten groet en hij knikte haar glimlachend toe.

Toen de muziek ophield, verliet ze met Warren de dansvloer. 'Je danst heel goed,' zei hij. 'Ik zal wat drinken voor je halen, voordat de muzikanten weer losbarsten. Dan neem ik meteen Annalise mee terug.'

'Goed.' Misschien kon hij dan met zijn zus dansen.

Ze wendde zich glimlachend tot Sietze. 'Waar heb jij de hele avond uitgehangen?'

'Zo hier en daar,' antwoordde hij met een trage grijns. Zijn dikke haar was uit zijn gezicht gestreken, en zijn donkere bakkebaarden vormden een scherp contrast met het vlammende goud van de rest van zijn haardos. In zijn grijze ogen twinkelden pretlichtjes. 'Je ziet eruit als een plaatje uit een modeblad.'

'Dat zal ik maar als compliment opvatten.'

Hij knikte bevestigend. 'Terecht. Is dat weer zo'n creatie uit Parijs?'

'*Oui, monsieur.*' En na een korte stilte: 'Ik heb je lopen zoeken.'

'Waarom? Toch niet om me een of andere jongedame op te dringen voor een dans?'

Ze lachte; hij sloeg de spijker op de kop. 'Waarom dans je eigenlijk niet?'

'Ik heb je toch verteld dat ik niet zo'n danser ben.'

'Als je niet oefent, zul je dat nooit worden ook.'

Op dat moment kwam Warren terug met Annalise.

'Sietze, je herinnert je Warren Townsend zeker nog wel, en ook zijn zus Annalise?'

'Maar natuurlijk. Leuk om jullie weer te zien.' Hij gaf Warren een hand en glimlachte naar Annalise.

'Ook leuk om jou weer te zien,' zei Warren.

Ze wisselden nog wat beleefdheden uit, terwijl Cherish van de koude vruchtenpunch stond te nippen. Op het horen van de eerste pianoklanken keek ze om zich heen of ze een plekje zag om haar glas neer te zetten. Ze strekte haar arm al uit naar een laag tafeltje, toen ze plotseling verstarde. Achter haar hoorde ze Warren zacht en vriendelijk vragen: 'Zou jij Annalise naar de dansvloer willen begeleiden? Ik wil graag met Cherish dansen en ik vind het niet prettig om mijn zus alleen achter te laten. Ze zal het beslist ontkennen, maar ze danst geweldig.'

'Eh, natuurlijk,' zei Sietze na een korte aarzeling. 'Juffrouw Townsend, mag ik deze wals van u?'

Cherish draaide zich om en zag een angstige uitdrukking in Annalises ogen verschijnen. Even was ze opgelucht; het meisje zou Sietzes verzoek vast afwijzen. Haar broer duwde haar echter zachtjes in Sietzes richting en drong aan: 'Doe het nou maar. Anders gaat iedereen nog denken dat Sietze is afgewezen door het knapste meisje in de hele kamer.'

Annalise sperde nerveus haar ogen wijdopen en Sietze zag zwijgend aan hoe ze tussen de beide mannen stond te aarzelen. Uiteindelijk bood hij haar zijn arm en glimlachte haar bemoedigend toe. 'Zodra ze me zien walsen, zouden ze daar nog begrip voor hebben ook.'

Annalise lachte terug en legde haar hand op zijn arm.

De hele kamer vervaagde voor Cherish' ogen – de walsmuziek en het geroezemoes van stemmen om haar heen. Ze zag alleen nog Sietze, arm in arm met Annalise, op weg naar de dansvloer. Machteloos moest ze toezien hoe met iedere stap de afstand tussen hen groter werd.

De stem van Warren bracht haar met een schok tot zichzelf. 'En mag ik dan deze dans van jou?'

Ze likte over haar lippen, en had de bijna onbedwingbare

neiging om hem het blauwtje van zijn leven te laten lopen. *Hoe durfde hij? Hij en dat stomme, kleine zusje van hem met haar verlegen, kinderachtige maniertjes!* Ze slikte de woorden die door haar heen gonsden weg; ze wist wel dat het oneerlijk was, maar de teleurstelling en de vernedering kon ze niet wegduwen, ook al voldeed ze met een knikje aan zijn verzoek.

Als een automaat voerde ze de dansfiguren uit, terwijl het verraad knaagde aan haar hart. De hartelijke glimlach, de bemoedigende woorden die Sietze altijd voor haar had gehad, waren niet exclusief voor haar gereserveerd. Ze waren voor iedere jongedame die toevallig zijn pad kruiste.

Het was duidelijk dat hij Annalise wel mocht. Was dat misschien ook alles wat je van zijn gevoelens voor Cherish zou kunnen zeggen? Hij was altijd haar grote broer geweest, haar kameraad en vertrouwenspersoon... haar held. Maar nu wilde ze meer van hem.

Te midden van de klanken van de walsmuziek weigerde Cherish te geloven dat ze al die jaren vergeefs op Sietze had gewacht. Voor haar bestond er eenvoudig geen andere man. Zou Sietze dat dan echt niet zien?

ietze hield Annalise behoedzaam vast. Hij was al niet zo'n ster in walsen, en nu had hij ook nog een partner die de indruk wekte dat ze elk moment kon flauwvallen. Hulpzoekend keek hij om zich heen, maar het zag er niet naar uit dat de bevrijding in aantocht was.

Cherish bevond zich in de armen van Townsend en lachte om iets wat deze zei. Ze dansten precies in de maat en leken eerder thuis te horen in een balzaal in Boston dan in de voorkamer van een huis in Haven's End.

Hij richtte zijn aandacht weer op Annalise en onderwijl bewogen ze zich onhandig tussen de overige dansers door. 'Lach eens, anders denkt iedereen dat ik voortdurend op je tenen trap.'

De angstige blik in de ogen van het meisje verdween en haar gezicht ontspande een beetje.

'Dat is al beter. Het is nog wel geen lachen, maar je ziet er tenminste niet meer zo gepijnigd uit.'

Nu verscheen er een voorzichtig glimlachje om de roze lippen.

'Het gaat steeds beter. Ik moet toegeven dat ik niet geweldig dans, maar ik wil ook niet doorgaan voor een ergere pummel dan ik al ben. Ik was ervan overtuigd dat ik niet zou kunnen walsen, maar iemand die het weten kan heeft me verteld dat het even gemakkelijk is als tot drie tellen. Al weet ik niet of ik in dat opzicht wel capabel ben; ik ben al vrij jong van school gegaan.'

Haar glimlach verbreedde zich en hij slaakte een zucht van opluchting. Hij zou de gedachte niet kunnen verdragen dat het meisje zich gedwongen voelde en alleen met hem danste om haar broer een plezier te doen. 'Grote meid.'

De rest van de dans hield Sietze het gesprek aan een stuk door op gang, tot het tot hem doordrong dat hij aan het leuteren was. Het deed hem terugdenken aan de dag dat hij met Cherish in het weiland had gewalst en hij vroeg zich af of ze toen even nerveus was geweest als hij nu.

Vast niet – hij verwierp de gedachte zodra die bij hem opkwam. Cherish was het evenwichtigste meisje dat hij kende. Weer zocht zijn blik haar tussen de dansers; hij herinnerde zich dat ze al een dametje was geweest toen ze als vijfjarige met hem kwam kennismaken op zijn eerste dag in de werkplaats.

'... al een hele poos, geloof ik?'

Hij keek weer naar Annalise. 'Wat zei je?'

'Ik zei dat je volgens mij al een hele poos in Haven's End woont.'

'Dat klopt. Ik heb altijd geweten dat ik scheepsbouwer wilde worden, dus ik was erg blij dat ik hier in de leer kon komen.'

Zijn ogen dwaalden weer naar Cherish en Townsend. Ze leek beslist volkomen op haar gemak. Terwijl ze door de kamer gleden, waren ze in druk gesprek gewikkeld en het kwam Sietze voor dat ze zich in een balzaal even losjes zou kunnen bewegen als in een weiland. Hijzelf vond het een hele toer om het gesprek gaande te houden en tegelijkertijd op te letten waar hij zijn voeten neerzette. Daarom besloot hij zich maar op zijn passen te concentreren en op te houden met praten.

Toen het lied afgelopen was en een ander werd ingezet, wenste hij even dat het Cherish was die hij in zijn armen hield. Maar na die korte wals in het gras had hij zich voorgenomen het dansen met haar voortaan te vermijden. Als hij haar in zijn armen hield, om wat voor onschuldige reden ook, sloeg zijn hoofd te veel op hol.

De volgende ochtend werd Cherish pas laat wakker. De gordijnen waren niet afdoende om de schitterende lentedag en het vogelgekwetter buiten te houden. Ze keerde zich af van het raam en kroop dieper onder de dekens. Hoefde ze de hele dag maar niemand te zien! Ze kreunde bij de gedachte aan haar ongewenste gasten. Net als haar japon van Worth, die nu op een frommelige hoop precies in haar gezichtsveld lag, drongen ze zich aan haar op wanneer het absoluut niet gelegen kwam. Maar Warren en Annalise Townsend logeerden nu eenmaal in haar huis en zij was hun gastvrouw.

Ze staarde naar het behang en doorleefde nog eens de mislukte avond. *O Heer, moet ik echt naar beneden gaan en net doen alsof er niets aan de hand is? Ze hebben gisteren mijn hele avond bedorven. Het was mijn feest en ik had alles zo precies uitgedacht. Ik heb zo lang op Sietze gewacht! Met hem dansen was mijn enige wens!*

Haar lippen trilden en de tranen sprongen in haar ogen, zoals de afgelopen nacht voortdurend was gebeurd, terwijl zij lag te woelen en te draaien.

Het had geleken alsof Sietze haar doelbewust uit de weg ging. Het was nooit eerder voorgekomen dat hij haar steeds ontglipte. Wanneer hij zijn kameraadschappelijke gesprekken met die bleekneuzige Annalise even onderbrak, was hij meteen spoorloos. Ze begreep er niets van.

De hele avond had ze haar woede en teleurstelling moeten verdringen en net doen alsof alles prima verliep. Toen ze klaar waren met eten en weer naar binnen gingen voor een nieuwe wals, had ze zich naar hem toe gekeerd, net op het moment dat hij opnieuw Annalise naar de dansvloer leidde, alsof ze de beste maatjes van de wereld waren.

Daarna had ze Annalise nog een keer zien dansen met een andere man – een vriend van Sietze – en was Sietze verdwenen. Ze had al haar zelfbeheersing nodig gehad om te blijven lachen en praten, eerst met Warren en later ook met Annalise, terwijl ze niets liever wilde dan haar toebijten dat ze bij Sietze uit de buurt moest blijven.

Nu veegde ze haar tranen weg. Het was niet goed als ze straks met gezwollen ogen liep, zodat iedereen kon zien dat ze gehuild had. Die voldoening gunde ze Sietze niet!

Ze moest aandacht aan haar gasten gaan besteden. Gelukkig gingen ze vanmorgen alweer weg. Cherish gooide de dekens van zich af, vastbesloten de dag manmoedig te verdragen. Eerst maar eens haar gezicht opfrissen, besloot ze, toen ze haar roodomrande ogen in de spiegel zag. Daarna zou ze de charmante gastvrouw uithangen, zoals ze haar vader had beloofd. Ten slotte zou ze naar de werkplaats gaan om er achter te komen waarom Sietze niet een dans voor haar had overgehad.

Sietze ging pas in de loop van de middag naar de werkplaats. De hele ochtend was hij bij de houtopslag bezig geweest met het aan elkaar lassen van houten planken, die zo gezaagd waren dat ze als puzzelstukjes in elkaar pasten. Samen vormden ze zo het verticale beschot voor de romp van een schoener.

Voor het middageten was Sietze niet naar het huis gegaan, maar had hij een lunchpakket meegenomen. Nu was hij niet alleen blij dat het werk in de brandende zon erop zat, maar ook moest hij tegen wil en dank bekennen dat hij zich erop verheugde om Cherish weer te zien. Hoe kon het eigenlijk dat hij maanden, zelfs jaren achter elkaar zonder haar had geleefd, en dat hij nu iedere dag hoopte een glimpje van haar op te vangen of een paar minuten met haar te kunnen praten? Het waren vragen die hij voor het moment besloot te negeren.

Toen hij de achterdeur van de werkplaats opende, zag hij Cherish meteen. Ze zat op haar knieën bij een groot stuk hout.

'Hallo! Al druk aan het werk?' vroeg hij vriendelijk. In haar eenvoudige katoenen jurk en schort zag ze er heel anders uit dan gisteravond, maar niet minder hartveroverend.

Ze keek niet op, maar ging door met waar ze mee bezig was: het trekken van een rechte lijn van de bovenkant van het houten blad naar de onderkant. 'Inderdaad.'

Een beetje onthutst dat ze alvast zonder hem was begonnen hurkte hij naast haar neer. 'Sorry dat ik er niet eerder was. Ik moest eerst het geraamte van de schoener nog afmaken.'

Ze maakte de lijn af. 'Dat geeft niks. Mag ik even?' Ze beduidde hem dat ze een stukje wilde opschuiven en hij ging opzij, terwijl hij zich afvroeg waarom ze zich gedroeg alsof hij iets verkeerd had gedaan.

'Heb je hulp nodig?'

Eindelijk ging ze eveneens op haar hurken zitten en keek hem aan, terwijl ze tegen hem praatte. 'Ik maak een raster op dit stuk hout. Ik heb de schaal uitgerekend van het model van die halve romp, en er een grafiek van gemaakt op deze kaart. Kijk maar: vijf centimeter staat gelijk aan dertig centimeter. Dus we gaan het hout opdelen in stukken van dertig centimeter. Hier, doe jij de volgende maar.'

Hij nam de duimstok en het potlood van haar over en volgde haar aanwijzingen op. Ondertussen begon zij de horizontale lijnen op het hout uit te zetten, waarbij ze uitlegde hoe ze de berekening had gemaakt. Daarna werkten ze in stilte samen door, af en toe van plaats verwisselend.

Iedere keer dat dit gebeurde, kietelde de bloesemgeur van haar haren zijn neusvleugels. Ze leek zich totaal niet van zijn aanwezigheid bewust. Al haar aandacht was gericht op het gereedschap in haar hand. Het viel hem op hoe smal en aantrekkelijk die hand was, zoals hij daar op het witte hout lag. De enige versiering was een smalle, zilveren ring met een steentje van amethist, gevat in een nestje van zilverdraad.

'Ben je nog moe van gisteravond?' vroeg hij.

'Een beetje,' antwoordde ze, met de rug naar hem toe.

'Het was een leuk feest,' complimenteerde hij haar, in de hoop dat ze zich daardoor beter zou voelen voor het geval ze ergens door van streek was geraakt.

'Dank je.'

'Juffrouw Townsend had het er maar moeilijk mee dat ze niemand anders kende dan jou; ze zag er een beetje verloren uit.'

'De hemel zij dank dat jij er was om haar te redden.'

Hij keek naar haar rug. Hoorde hij daar een spoortje van sarcasme? Wat had hij gedaan? 'Ze is best aardig als je haar eenmaal beter leert kennen. We hebben over jou gepraat,' zei hij plagend.

Die opmerking deed haar over haar schouder kijken. 'Wat dan?'

Hij grijnsde; hij wist wel hoe hij haar uit de tent kon lokken. 'O, ik zei gewoon tegen haar dat ze beter achter jou aan kon lopen als ze wilde leren hoe je met mensen omgaat.'

'Wat bedoel je daarmee?' Het klonk niet alsof ze het grappig vond.

'Net wat ik zeg. Jij weet precies hoe je een praatje aanknoopt, je kunt dansen, je windt de mensen om je pink...'

'Denk je dat echt?'

Hij schraapte zijn keel. Waarom was ze zo lichtgeraakt vandaag? 'Nou ja, ze was inderdaad een beetje verlegen en ik dacht dat jij haar zou kunnen helpen.'

'O ja?' Ze trok een nieuwe lijn over het hout. 'En wat hebben jullie nog meer over mij gezegd?'

'Ze bewondert je erg. Misschien zou je vriendschap met haar kunnen sluiten, je weet wel, haar een beetje onder je hoede nemen. Ze lijkt doodsbang voor vreemde mensen. Ik had gisteravond echt met haar te doen. Ik heb tegen Charlie gezegd dat hij met haar moest dansen en aardig voor haar zijn, als hij tenminste mijn hulp op prijs stelde bij het bouwen van zijn volgende boot.'

Cherish keerde zich weer naar hem toe en begon de volgende lijn af te meten. 'Volgens mij heb ik haar keurig behandeld. Wat wil je nog meer? Dat ik haar meeneem naar de werkplaats?'

Nu wist hij zeker dat haar iets dwars zat. Ze nam nooit een vriendin mee naar de werkplaats. 'Nou nee, maar je zou, je weet wel, haar te logeren kunnen vragen, een vriendin voor haar zijn, met haar praten over alles waar meisjes het zoal samen over hebben.'

Ze gaf geen antwoord, maar werkte stug door.

Hij tekende nog een lijn en vroeg toen: 'Wat is er aan de hand?'

Ze keek hem van opzij aan. 'Wat bedoel je?'

'Ik merk het heus wel wanneer je ergens mee zit.'

'Er is niks.' Ze pakte de kaart en begon die aandachtig te bestuderen.

'Kom op, zeg. Vertel het nou maar aan ome Sietze.'

'Je beeldt je iets in.'

'Wat is er nou, Cherry?' vroeg hij vleiend, terugvallend op het koosnaampje uit haar kindertijd.

'Noem me niet zo! Je weet dat ik het niet kan uitstaan!'

Dat bracht hem op een idee. 'Komt het soms door Townsend? Hij was het grootste deel van de avond niet bij je weg te slaan. Heeft hij je soms ergens mee beledigd?'

'Welnee. Hij was van top tot teen een heer.'

Sietze fronste zijn wenkbrauwen bij de herinnering aan het elegante danspaar. 'Je vader lijkt veel met hem op te hebben.'

'Misschien wel terecht.'

'O, zeker,' antwoordde hij droog. Hij merkte wel dat hij nergens kwam met al zijn gevraag en daarom gaf hij het maar op. Cherry had gewoon een kwade bui. Hij had weleens gehoord dat vrouwen soms last van vreemde stemmingen konden hebben, maar voor haar vertrek was daar bij Cherish nooit sprake van geweest. Misschien was het een gewoonte die ze tijdens haar reizen ergens had opgepikt.

Cherish was echter nog niet bereid het onderwerp te laten varen. 'Ik zag dat je geen problemen had met dansen,' zei ze en opnieuw viel Sietze de scherpe klank in haar stem op.

'Nou, ik kon Townsends verzoek of ik met zijn zus wilde dansen toch moeilijk weigeren.'

'Het was heel attent van je om haar zo vaak ten dans te vragen. Alleen jammer dat je daardoor voor je gastvrouw geen enkele dans meer over had.'

Sietze staarde Cherish aan. In haar vaste blik las hij gekwetstheid en eindelijk begreep hij het. Ze had met hem willen dansen.

Hij slikte moeilijk en draaide zich om. Hoe kon hij haar nou vertellen dat hij dat bewust had vermeden?

Hij schraapte opnieuw zijn keel en zijn vingers speelden nerveus met het potlood in zijn hand. Ze had recht op een verklaring, maar de enige die hij kon geven zou vast niet acceptabel voor haar zijn.

'Je had het de hele avond al zo druk met dansen. Ik meende dat je mij niet nodig had om je balboekje vol te krijgen.'

Ze boog zich weer over haar werk en uit niets bleek of ze al of niet geloof hechtte aan zijn uitleg.

'Dat klopt ook, Sietze. Ik had je niet *nodig* als danspartner. Ik had je graag als danspartner *gewild*.'

Daar had hij geen antwoord op. Hij wist zelf maar al te goed hoe graag hij met haar had willen dansen, maar hoe minder zij dat in de gaten had, hoe beter.

De avond van de koorrepetitie was aangebroken. Na het avondeten zette Cherish haar hoed op en sloeg ze een sjaal om voor de wandeling naar de kerk. Zodra ze de deur uit ging zag ze Sietze het pad naar de voordeur op lopen.

'Ben je klaar om te gaan?' vroeg hij.

'Je had echt niet helemaal hierheen hoeven komen om me te halen, hoor.' Toen ze eerder die dag samen in de werkplaats bezig waren, had ze hem met opzet niet aan de repetitie herinnerd.

Hij zag er onweerstaanbaar knap uit. Zijn goudblonde haar was strak achterover gekamd en zijn overhemd stak helderwit af tegen zijn gebronsde huid. Hij droeg geen jasje, alleen een vest.

'Het is toch vanzelfsprekend dat ik je afhaal. Kom, we gaan.' Zonder haar reactie af te wachten, draaide hij zich om en begon het pad weer af te lopen.

Ze zeiden onderweg niet veel tegen elkaar. Halverwege kwamen ze een ander stel tegen dat ook op weg was naar de kerk.

''Navond, Cherish, Sietze,' zei de man en de vrouw naast hem groette met een glimlach en een knikje.

'Goeienavond, Billy,' antwoordde Sietze. 'Ook onderweg naar de koorrepetitie?'

'Yep. Een mooie avond, vind je ook niet?'

'Inderdaad.'

Ze kwamen langs de werf. 'Wanneer ga je die schoener eigenlijk te water laten?' vroeg Billy en hij wees naar het schip dat daar op stapel stond.

'Tegen het eind van de zomer, verwachten we, of misschien aan het begin van de herfst.'

'Ik zie geen andere kielen. Hebben jullie geen nieuwe orders gekregen voor de komende tijd?'

'We zijn in de werkplaats aan een aantal vletten bezig en Charles Whitcomb heeft een sloep besteld.'

De man knikte. 'Wel even wat anders dan in de goeie, ouwe tijd toen de werf volgepakt stond met boten in aanbouw.'

Al pratend waren ze bij het withouten kerkje aangekomen. Tijdens het oefenen stond Cherish bij de andere vrouwen.

De dominee was er niet – alleen zijn vrouw Carrie was aanwezig en bespeelde de piano. Een broeder uit de gemeente fungeerde als dirigent. 'We doen vandaag gezang tachtig,' zei deze en geestdriftig zongen ze 'All hail the power of Jesus' name'. Ze moesten het zes keer herhalen voor de dirigent tevreden was.

Tegen de tijd dat ze weer naar huis zouden gaan, had Cherish het gevoel dat ze de woorden van het gezang de hele avond niet meer uit haar hoofd zou kunnen krijgen. Verscheidene mensen liepen met haar en Sietze mee.

'Je hoeft me niet thuis te brengen, hoor. Ik loop gewoon met de groep mee tot ik bij huis ben,' zei ze tegen hem.

'Ik heb beloofd dat ik je zou halen en brengen, en dus doe ik dat,' zei hij koppig.

Ze zuchtte. Het zou leuk geweest zijn als hij had gezegd dat hij het graag wilde en niet dat hij zich ertoe verplicht voelde. Ze trok haar omslagdoek wat strakker om zich heen en keek omhoog naar de avondhemel. Die was diepblauw met nog een paar lichte randjes. Aan de horizon hing nog een oranje gloed op de plaats waar de zon was ondergegaan.

'Heb je het koud?' vroeg Sietze zacht.

Ze schudde haar hoofd.

'Ik ga morgen de uien en de piepers in de grond zetten,' vertelde Billy ondertussen. 'Maar voor de pompoenen en de maïs is het nog te vroeg. Het kan nog gaan vriezen.'

'Onze erwten, radijsjes en sla komen al goed op,' zei Cherish. 'Waarschijnlijk zal tante Phoebe morgen nog meer zaad in de grond stoppen.'

Aangekomen bij het tuinhek groetten ze de andere paren met een zwaai. Sietze liep achter Cherish aan naar de veranda, waar ze zich op de eerste trede omdraaide om hem welterusten te zeggen.

Hun ogen waren op gelijke hoogte. 'De afgelopen dagen zag je eruit alsof je je beste vriend had verloren,' zei hij gekscherend. 'Treur nou maar niet. Je hebt mij nog.' In het schemerlicht zag ze zijn mondhoeken omhoog gaan.

Ze kreeg een brok in haar keel bij zijn opmerking. Hij wist niet wat hij zei. Ze had inderdaad haar beste vriend verloren en die had het niet eens in de gaten. Ze voelde de tranen in haar ogen springen.

Omdat ze geen woord kon uitbrengen, boog ze zich voorover om hem een zoen op zijn wang te geven. Ze wilde hem op de een of andere manier laten merken wat ze voor hem voelde. Maar op hetzelfde moment draaide Sietze zijn gezicht naar het hare om haar goedenacht te wensen. Hij kreeg er de gelegenheid niet voor, want haar getuite lippen raakten zijn halfgeopende mond. Ze zag zijn ogen wijdopen gaan van schrik en durfde niet meer te bewegen of adem te halen. Ze wist alleen maar dat dit moment nooit meer mocht eindigen, maar het duurde nog geen seconde. Toen trok hij met een ruk zijn hoofd weg.

'Nou,' zei ze. Ze voelde zich zo overweldigd dat ze niet meer kon zeggen.

Hij staarde haar aan en aan het wippen van zijn adamsappel zag ze dat hij slikte. 'Het... het spijt me,' stamelde hij en deed een stap achteruit. 'Welterusten dan maar, enne... tot morgen.' Als een haas ging hij ervandoor.

'Welterusten,' riep ze hem achterna. Er klonk een lach door in haar stem en haar zonnige humeur was weer helemaal terug. Hij had haar gekust en het had hem niet onberoerd gelaten! Je kon het dan wel niet een echte kus noemen, maar het kwam toch wel in de buurt. Werd hij daar verlegen van? Dan zou zij hem wel laten zien dat het niet gaf. Bepaald niet!

Dank u, Heer, dank u!

Ze bleef op de veranda staan tot Sietze achter een kromming in de weg was verdwenen. Ze drukte haar omslagdoek aan haar lippen en beleefde opnieuw de aanraking van zijn mond, zo zacht en warm. Het was een teken, een onmiskenbaar teken, dat zij en Sietze voor elkaar bestemd waren.

Met grote stappen liet Sietze het huis van de Winslows achter zich, alsof hij door hard te lopen zijn gedachten voor zou kunnen blijven. Pas toen hij bij de werkplaats aankwam, vertraagde hij zijn pas. Hoe had dat nou kunnen gebeuren! Hij was alleen maar van plan haar een goede nacht te wensen en van het ene op het andere moment raakten hun monden elkaar! Cherish was de dochter van zijn werkgever. Hij zou nooit... Het was nooit bij hem opgekomen... Ontzetting besprong hem. Hoe had het tot zo'n intieme handeling kunnen komen? Hoe meer hij probeerde na te gaan hoe het precies was gegaan, hoe sterker de herinnering zich aan hem opdrong: haar zachte lippen, haar warme adem die langs zijn mond streek. Het besef dat hij de ongeschreven regel die Cherish buiten zijn bereik plaatste, had overtreden, deed hem huiveren. Maar ook al deed hij nog zo zijn best de herinnering te verdringen, tegelijk verlangde hij hevig naar een herhaling.

Hij ging de werkplaats binnen, waar de geur van hout tot in alle hoeken van de hoge ruimte hing, en hij voelde hoe de eenzaamheid hem van alle kanten besloop en insloot. In dit vertrek bevond zich alles waarvoor hij had geleefd zolang hij zich kon herinneren. Hij had geen tijd gehad om zich eenzaam te voelen; al jaren geleden had hij zich neergelegd bij zijn afgezonderde bestaan.

Hij klom de trap op naar zijn kamer, die zich vlak onder het dakgebinte van de werkplaats bevond. Alles lag daar nog precies zoals hij het had achtergelaten, opgeruimd en netjes. Hij liet zich pardoes op het smalle ledikant vallen. Het ging wel even door hem heen dat zijn nette broek en gesteven overhemd helemaal verkreukeld zouden raken als hij ze niet meteen op zou hangen, maar hij verroerde zich niet. De muren kwamen op hem af, en het verstikkende gevoel werd nog versterkt door de vloed die tegen de stenen fundering van de werkplaats sloeg, alsof de golven de beschermende muur die hij in de loop der jaren om zich heen had gebouwd wilden ondermijnen.

Als een zandkasteel was die muur ingestort; binnen een paar seconden was er niets van overgebleven, alleen door het onbedoelde contact tussen de lippen van een meisje en de zijne. Met de rug van zijn hand veegde hij over zijn mond, alsof hij daarmee de herinnering weg kon vegen. Maar het hielp niets.

6

Cherish stond vroeg op. Sinds ze als vijftienjarige haar hart aan de Heer had gegeven, had ze zich aangewend om stille tijd te houden voor ze aan haar dag begon. De afgelopen periode was dat een beetje verwaterd, maar nu voelde ze dat ze moest terugkeren naar het vaste fundament van Gods Woord en van het gebed. Ze sloeg haar bijbels dagboek open en begon aan de schriftlezing voor die dag.

'Denk aan hem bij alles wat je doet, dan baant hij voor jou de weg. Wees niet eigenzinnig, maar heb ontzag voor de Heer,' las ze in het aangegeven gedeelte uit het boek Spreuken. Ze bestudeerde de uitleg van de tekst en knielde daarna voor haar bed om te bidden.

Ze vroeg om Gods leiding voor die dag. Ze bad voor haar familieleden en voor de mensen van wie ze wist dat die de bijzondere zorg van God nodig hadden. Ze bad voor de zendelingen die in verre landen Gods Woord verkondigden.

Ten slotte noemde ze ook de nood die haar het zwaarst op het hart lag. 'Vader, u kent mijn gevoelens voor Sietze. U weet alle dingen. Ik wil alleen maar uw wil doen, maar' – ze voelde opnieuw de hoop in zich opwellen – 'maar na wat er gisteravond is gebeurd, denk ik dat uw zegen erop rust. Ik wil niet eigenzinnig zijn, maar ik weet zeker dat hij ook iets voor mij voelt! Help mij, Heer, om de juiste weg te kiezen. Laat me in zijn ogen iets mogen zien waaruit blijkt dat hij om mij geeft, of alleen maar een vermoeden heeft van wat ik voor hem voel! Dat bid ik u in Jezus' naam.'

Ze beëindigde haar gebed, stond op, waste zich en kleedde zich aan, klaar om de dag met nieuwe moed tegemoet te treden. De hoop groeide toen ze Sietze nog samen met haar vader aan het ontbijt trof. Had hij soms op haar gewacht?

'Goedemorgen,' zei ze opgewekt.

Sietze stond net bij de tafel een schep suiker uit de suikerpot te nemen. Onwillekeurig ging er bij haar groet een schok door hem heen, waardoor hij suiker morste op het witte tafelkleed. Zijn blik schoot even naar Cherish en toen weer terug naar de lepel.

'Goedemorgen,' groette haar vader terug. Ze gaf hem een zoen boven op zijn hoofd en liep daarna om de tafel heen naar Sietze toe, glimlachend om zijn onhandige gestuntel bij het opvegen van de suiker. 'Vooruit, ik help wel even,' zei ze en ging naast hem staan. Onmiddellijk schoof hij van haar weg. Ze pakte een mes, schraapte met de rand ervan de gemorste suiker naar de tafelrand en liet het in haar handpalm lopen. 'Zie je wel? Niks aan de hand.'

Hij schoof zijn koffiekopje naar haar toe. 'Eh, doe het hier maar in,' zei hij. Zijn stem klonk vreemd.

Ze liet de kristallen in het kopje vallen en veegde haar handen af aan het kleed. 'Zo. En wat staat er vandaag op het programma van de werf?'

Het was haar vader die antwoord gaf. 'We gaan verder met het geraamte voor de schoener en waarschijnlijk maken we een begin met de dwarsbalken voor het dek.' Hij vouwde zijn krant op, terwijl Cherish aan tafel ging zitten. 'Sietze heeft gezegd dat hij vanmiddag aan de mal van de boot voor Ernst Mitchell zal beginnen.'

'Hè?' Verbaasd keek ze naar Sietze, net toen tante Phoebe met een stapel pannenkoeken binnenkwam. 'Je bedoelt toch zeker dat wij daarmee gaan beginnen?'

Hij vermeed haar ogen. 'Als je vader dat goed vindt.'

Met open mond staarde ze hem aan. *Als je vader dat goed vindt?*

'Kijk eens: regelrecht uit de koekenpan,' zei tante Phoebe en zette de dampende schaal op tafel. 'Jullie mogen jezelf bedienen.' Ze duwde Sietze de spatel in de hand.

'Papa, ik zou toch samen met Sietze aan de boot voor Mitchell werken. We hebben het daar vorige week nog over gehad.'

'Je zou het bestek maken, dat is iets anders dan de boot ook daadwerkelijk bouwen,' bracht hij haar in herinnering, terwijl hij een pannenkoek nam van de schaal die Sietze hem voor hield. Daarna gaf hij de schaal aan Cherish door, die zichzelf automatisch bediende.

'Nou, Sietze en ik hadden afgesproken dat we de middagen in de werkplaats zouden doorbrengen, nadat hij 's ochtends op de werf had gewerkt en ik tante Phoebe had geholpen.' Ze glimlachte naar haar tante. 'Nu we het daar toch over hebben, mag ik voor vanavond een bijzonder toetje maken?' Ze probeerde te bedenken wat Sietze lekker zou vinden.

'Natuurlijk. We gaan vanochtend toch bakken. Als het brooddeeg staat te rijzen, mag je me helpen om donuts te maken.'

'Mmmm!' zei haar vader. 'Er gaat niets boven hete donuts bij de koffie. Neem er een paar mee naar de werkplaats, Cherish. En wat dat betreft, ik heb liever dat Sietze vandaag de hele dag op de werf is en de komende dagen ook, om dat geraamte af te maken. Het is hoog tijd dat we aan het dek beginnen.'

Cherish fronste. 'U bedoelt dat hij de komende dagen niets aan het bestek kan doen?' vroeg ze, hoorbaar teleurgesteld.

'Voordat je losbarst, kan ik je beter het hele verhaal vertellen.'

'Het hele verhaal?' Ze was al koortsachtig tegenwerpingen aan het bedenken tegen ieder obstakel dat haar vader haar in de weg zou kunnen leggen.

'Kijk niet zo, lieverd. Het is goed nieuws.'

'Wat dan, papa?' Cherish zette de ahornsiroop neer.

'Jullie twee hebben beslist een goede indruk op de Townsends gemaakt, want ze hebben jullie samen voor aanstaand weekend uitgenodigd.'

Cherish' ogen lichtten op en ze keerde zich naar Sietze, maar die keek haar vader aan met een uitdrukking op zijn gezicht alsof de pannenkoek in zijn mond plotseling in varkensvoer was veranderd.

'O, wat enig! Mogen Sietze en ik samen naar Hatsfield om het weekend bij hen te logeren?'

'Dat klopt, lieverd,' antwoordde haar vader. Hij veegde zijn mond af en gooide zijn servet neer. 'Ze hebben plannen voor allerlei activiteiten met een hele club jonge mensen, zoals een boottocht op Whittier's Lake, spelletjes, een dansavondje, 's zondags samen naar de kerk. Zondagmiddag kunnen jullie weer terug varen.' Hij stond op. 'Als Sietze het weekend vrij wil hebben, moet hij me vandaag dus wel op de werf helpen.'

'Ik hoef niet per se naar Hatsfield, meneer Winslow...' begon Sietze, zodra hij zijn mond had leeg gegeten. De aangesprokene keek hem even nadenkend aan. 'Ik waardeer je werkhouding, Sietze, maar je moet bedenken dat je met zo'n weekendje bij de Townsends de scheepswerf ook een dienst bewijst. Vergeet niet dat we de klandizie nodig hebben.'

De twee mannen keken elkaar aan en ten slotte was het Sietze die zijn ogen neersloeg. 'Goed, meneer.'

'Ik stel je loyaliteit erg op prijs.' Winslow nam nog een laatste slok koffie. 'Ben je klaar? Anders zie ik je straks bij de werf.' Hij pakte zijn krant en liep naar de deur. 'Vergeet de donuts niet, Cherish.'

'Vast niet, papa. Ik kom straks,' antwoordde ze, terwijl ze een stuk pannenkoek aan haar vork prikte. Ze vroeg zich af waarom Sietze geen zin leek te hebben in het weekendje Hatsfield. Misschien waren zijn gevoelens voor Annalise toch niet wat zij ervan dacht?

Ze wierp een zijdelingse blik op hem. Hij leek vast van plan zijn ontbijt in recordtijd naar binnen te werken. Voordat ze een gesprek met hem kon aanknopen, stond hij al op. 'Vergeet je schone was niet mee te nemen als je naar buiten gaat,' zei tante Phoebe tegen hem. 'Dank u,' antwoordde hij, al halverwege de keuken. 'Ik heb alles in een grote zak bij de achterdeur gezet,' riep ze hem nog achterna, maar hij was al weg.

'Lieve help, wat had die ineens een vreselijke haast. Zou dat nu door die uitnodiging komen? Ik dacht juist dat hij wel zin zou hebben in een uitstapje. Hij gaat veel te weinig met mensen van zijn eigen leeftijd om. Hangt maar dag in dag uit rond met dat ruwe werkvolk op de werf.'

Ze schudde haar hoofd. 'Hoe het ook zij, wij gaan vandaag eens proberen of je ook stokbroden kunt bakken.'

'Dat klinkt interessant,' zei Cherish, maar haar gedachten waren bij het komende weekend. Twee hele dagen in Sietzes gezelschap. Even dacht ze aan Annalise, maar ze besloot dat ze zou doen wat Sietze haar had gevraagd door te proberen vriendschap met het meisje te sluiten. Ze zou Sietze wel eens laten zien wat een goede vriendin ze kon zijn.

Ze had het vage vermoeden dat Warren Townsend achter die uitnodiging zat. Een knappe jongen, het aanzien zeker waard. Eigenlijk zou ze als een blok voor hem moeten vallen. In plaats daarvan zat ze zich hier af te vragen hoe ze het twee dagen lang met hem moest uithouden en hoe ze kon voorkomen dat ze opnieuw aan hem gekoppeld werd.

Piekerend at ze haar pannenkoeken op. Voor het weekend aanbrak zou ze een strategie verzonnen moeten hebben.

Cherish liep de houten trap af die van de werkplaats naar het strand voerde. Voorzichtig zocht ze zich een weg tussen de rommel door en tilde haar voeten hoog op om over het timmerhout heen te stappen dat voorbij de vloedlijn lag opgeslagen.

'Ha, die Cherish, zoek je iets?' riep een van de timmerlui. Hij stond hoog boven haar op de steiger die tegen de romp van de schoener was gebouwd, met een beitel in zijn hand.

'Goedemorgen, William. Ik dacht zo dat jullie wel zin zouden hebben in een verse donut.' Ze haalde de katoenen lap van de mand die ze bij zich had en liet hem de inhoud zien. 'Zie je wel?' ·

'Die zien er prima uit,' zei hij. 'Waarom kom je niet naar boven? Dan kunnen we ze proeven.'

Hij kwam haar tegemoet langs de schuine plank die naar de steiger omhoog leidde en begeleidde haar naar boven. Daar wiste hij met een zakdoek het zweet van zijn voorhoofd en pakte een van de donuts uit de mand. Ze waren kleverig van de suiker. 'Vriendelijk bedankt, zeg.' Na de eerste hap veegde hij zijn mond af met zijn onderarm en merkte op: 'Mmm, niet slecht. Heb je die allemaal zelf gemaakt?'

'Nou, tante Phoebe heeft me geholpen.'

'Die vrouw kan een steen in de oven leggen en als hij eruit komt, smaakt hij lekker.'

'Laat me er eentje naar Ezra brengen.' Ze liep naar de man die zich wat verderop op het platform bevond. 'Waar is Sietze eigenlijk?' vroeg ze, nadat hij een donut had genomen.

Met zijn donut wees Ezra naar het binnenste van het scheepsgeraamte. 'Daar ergens beneden. Hij zet de kniestukken tussen de dwarsbalken.'

Cherish bleef een poosje bij de beide mannen zitten babbelen. Ze waren allebei van middelbare leeftijd. Hun haar was grijs en hun huid na al die jaren werken in de volle zon net zo bruin en gekloofd als opgedroogde modder. Ze kenden haar al vanaf dat ze een baby was en zij beschouwde hen als een soort ooms.

Na een poosje wikkelde ze een paar donuts in een servet, liet de mand bij de mannen achter met een laatste aansporing om alles op te eten nu het nog warm was, en liep weer langs de hellende plank, die diagonaal tegen de scheeps-

romp was gebouwd, omlaag naar het strand. Daar aangekomen nam ze haar rok op en klom naar binnen in wat het
ruim van het schip zou worden. Nu was het alleen nog maar
een bouwwerk van verticale ribben, waartussen het zonlicht
in banen naar binnen scheen. Ze ontdekte Sietze vlak bij de
boeg en met omzichtige passen liep ze over het zaathout
naar hem toe.

Sietze stond op een ladder tegen de ribben. Hij klopte met
een hamer op het hout boven zijn hoofd en hoorde haar
door het lawaai niet aankomen. Hij was bezig hardhouten
pinnen te slaan in de gaten die hij in het hout had geboord.
Toen hij even ophield viel er een stilte die Cherish meer dan
welkom was.

'Ahoi, maat,' zei ze.

Met een ruk draaide hij zich om. 'Wat doe jij daar? Hoe ben
je hier binnengekomen?'

'Gewoon, lopend.'

'Je had wel kunnen struikelen of vallen.'

'Nou, dat is niet gebeurd. Maak je niet zo druk.'

Hij begon de ladder af te dalen. 'Je hebt mijn vraag niet
beantwoord. Wat kom je doen?'

'Ik kreeg niet eens kans om antwoord te geven.' Ze zwaaide
het katoenen servet voor zijn neus heen en weer. 'Ik kwam
je dit brengen, maar als dit je gebruikelijke groet is voor
iemand die je iets lekkers komt brengen, dan verander ik
misschien nog van gedachten. Ezra en Will hebben me allebei al verteld dat ze heerlijk zijn.' Hij stopte de hamer in de
gereedschapsgordel om zijn middel en keek achterdochtig
naar de donuts die ze hem aanbood.

'Wat is er? Denk je soms dat ik er zaagsel in verwerkt heb?'

Hij schudde zijn hoofd alsof hij plotseling wakker werd.
'Nee, natuurlijk niet.'

Hij veegde zijn handen af aan zijn broekspijpen en vroeg op
vriendelijker toon: 'En, hoe gaat het met bakken?'

'Je zou kunnen zeggen dat ik uitblink in culinaire vaardigheden,' antwoordde ze, terwijl ze hem een donut gaf. 'Maar je mag zelf oordelen.'

Hij nam de donut aan en even raakten hun vingers elkaar. Terwijl hij zijn eerste hap nam, likte zij de achtergebleven suikerkorrels van haar vingers. Al kauwend keek hij naar haar, tot hij ineens abrupt de andere kant op keek.

'Hier,' zei ze, toen hij de donut op had, en gaf hem haar zakdoek.

'Bedankt.' Hij veegde zijn mond af.

'Je hebt nog een plekje overgeslagen.' Ze pakte hem de zakdoek af en wreef ermee langs zijn kin. 'Zo.' Ze deed een stap achteruit en keek om zich heen tot ze ergens tussen de ribben een plekje zag om te zitten.

'Pas op dat je rok niet vies wordt,' waarschuwde hij. Hij volgde al haar bewegingen met zijn ogen. Ze schikte haar rok, en begon zich vreemd beverig te voelen.

'Maak je niet druk, het is maar een oude.'

'Bewaar je al je nette kleren voor het weekend?'

Ze keek hem aan, haar hoofd een beetje schuin. De toon waarop hij het zei stemde haar tot nadenken. Was hij misschien jaloers op Warren Townsend? Ze liet haar kin in haar hand rusten. 'Ik heb nog niet besloten wat voor kleren ik dit weekend zal aantrekken. Maar jij leek er vanochtend niet zo happig op om je los te rukken van de werf en de gastvrijheid van de Townsends te genieten.'

'Ik heb het druk.'

'Van altijd maar werken word je een saaie Piet,' merkte ze op, terwijl ze een van de donuts uit het servet op haar schoot pakte en aandachtig bekeek. Het was een volmaakt exemplaar, rond en bol, en het gaatje middenin zat bijna dicht. Ze nam een hapje. Heerlijk. Luchtig en een beetje zoet, met een vleugje nootmuskaat. Tante Phoebe had gelijk dat ze op kookgebied zo stipt was.

'Ben ik dan een saaie Piet?'

'Hè?' Ze moest even nadenken waar hun gesprek ook alweer

over ging. Sietze stond schijnbaar uiterst geconcentreerd naar de punt van zijn boor te kijken.

'Laat ik zeggen dat je het risico loopt er een te worden. Maar zit er maar niet over in. Cherish is weer thuis en die zal je wel redden.'

Hij gaf geen antwoord, maar klom de ladder weer op en zette de boor tegen het hout.

'Schiet het lekker op?' vroeg ze. Ze kwam overeind en liep naar de ladder toe.

'Prima.'

'Dat zie ik. Waar waren we gebleven? O ja, bij de vraag hoe we kunnen voorkomen dat Sietze de Vries even kleurloos wordt als afwaswater – of kan ik in jouw geval beter ruimwater zeggen?'

Hij hield op met boren en keek haar vanaf zijn hoge standplaats aan. 'En wat is de remedie, dokter Winslow?'

'Om te beginnen ga je dit weekend eens fijn plezier maken in Hatsfield.'

'Is dat een bevel?'

'Beschouw het maar als zodanig. Onderdeel van het regime.'

'Van het jouwe of van dat van je vader?'

Ze keek verbijsterd. 'Ben je boos op papa omdat hij wil dat je dit weekend naar Hatsfield gaat?'

'Nee.' Het klonk niet overtuigend.

'Hij gunt ons gewoon een beetje plezier.'

'Hij wil alleen maar dat we ons bij de Townsends naar binnen slijmen.'

'Wat is er verkeerd aan om vriendschap en zaken met elkaar te combineren?'

'Niets, zolang je maar oprecht van hun gezelschap geniet.'

Ze dacht na over wat hij bedoelde. 'Doe jij dat dan niet?' vroeg ze toen met een sluw glimlachje. 'Ik dacht dat je Annalise wel mocht.'

Hij haalde zijn schouders op. 'Dat is ook zo. Maar ik heb vooral medelijden met haar.'

Zijn antwoord irriteerde haar, maar ze wist niet goed waar-om. 'Waarom dan? Ze is knap, ze heeft een goede opleiding gehad, ze heeft een aardige broer, haar familie is welgesteld.'
'Ze is ook dodelijk verlegen.'
'Daar kan een mens zich toch overheen zetten.'
'Jij hebt makkelijk praten. Je weet niet wat het is om verle-gen te zijn.'
'Hoe weet jij nou dat ik makkelijk praten heb?' Wel heb je ooit! Nou kwam ze hem met de beste bedoelingen een aar-digheidje brengen en nu werd haar aangepraat dat ze tekort schoot in naastenliefde. *Naastenliefde*. Brrr. Het woord riep ook andere woorden op, zoals geduld en vriendelijkheid...
'Ik heb je beloofd dat ik vriendschap met haar zou sluiten. Wat wil je nog meer?'
'Niets.' Hij draaide zich om en ging weer aan het werk. Cherish had het gevoel dat ze werd weggestuurd.
'Ik wil alleen maar dat we het gezellig zullen hebben met elkaar,' zei ze zo sussend als ze maar kon. 'Is daar iets mis mee?'
Ze kon zijn gezicht niet meer zien. 'Waarschijnlijk niet,' ant-woordde hij kortaf.
'Nou, ik heb geen idee waarom je zo nukkig doet. Ik kwam je alleen een of twee donuts laten proeven. Sorry dat ik je van je gewichtige werkzaamheden heb afgehouden.' Ze leg-de de overgebleven donuts op een plank en klopte haar rok af. 'Ik denk dat ik maar naar de werkplaats ga om het bestek af te maken. Als je nog tijd hebt, kom je ook maar.' Ze voeg-de die laatste opmerking eraan toe op een toon alsof zijn betrokkenheid haar volkomen koud liet.

Sietze kwam niet naar huis om te eten. Hij maakte liever zijn werk eerst af en vroeg meneer Winslow hem bij mevrouw Sullivan te willen verontschuldigen. Hij at de rest van de donuts op, inclusief degene waar Cherish al een hap uit had genomen.

Hij wist dat hij zich in Cherish' gezelschap lomp gedroeg, en schrikkerig als een veulen, maar hij kon er niets aan doen. Hij had geen andere keuze als hij nog enige controle wilde houden over een situatie die behoorlijk uit de hand begon te lopen. Cherish wist gewoon niet wat ze aanrichtte. Hij nam het haar ook niet kwalijk. Ze had totaal niet in de gaten wat ze hem aandeed met haar gedrag. Waarschijnlijk behandelde ze Townsend op dezelfde manier.

Het zou interessant zijn – maar leuk beslist niet - om te zien hoe de zaken zich tijdens het weekend bij de Townsends zouden ontwikkelen. Verbeten dreef hij de pinnen in het hout. Zijn arm deed pijn. Hij wist dat hij Cherish niet kon blijven ontlopen. Hij kon maar beter een flinke laag eelt op zijn ziel kweken.

7

'Warren speelt prachtig piano,' vertelde mevrouw Townsend aan Cherish, terwijl het dienstmeisje de restanten van het voorgerecht wegruimde. 'Speelt u zelf ook, juffrouw Winslow?'
'Niet echt serieus,' antwoordde ze en leunde een beetje achterover om het meisje gelegenheid te geven de broodkruimels van het tafelkleed te vegen.
'Juffrouw Winslow is een begaafd tekenares,' zei Warren aan de overkant van de tafel. Cherish zond hem een vlugge glimlach, voordat haar blik weer afdwaalde naar de andere kant. Daar zat de oude Townsend met Sietze te praten, die aan zijn rechterhand zat. Tegenover hem zat Annalise die geen oog van hem af liet. Cherish richtte haar aandacht weer op mevrouw Townsend, hoewel ze ondertussen haar oren gespitst hield om de conversatie tussen meneer Townsend en Sietze te volgen.
'O, dus je tekent?' vroeg mevrouw Townsend haar.
'Zeg, wat is eigenlijk de tonnage...,' ving ze van de kant van meneer Townsend op.
'Inderdaad, mevrouw, en ik doe ook wel aan aquarelleren. Ik vind het leuk om schetsen te maken van alle schepen die op onze werf worden gebouwd.'
'O, wat enig,' zei mevrouw Townsend. 'Ik stel me zo voor

dat je tijdens je reis door Europa ook heel wat mooie monumenten hebt gezien die de moeite van het tekenen waard waren?'

'Als we de totaallengte en de diepgang vergroten, kunnen we volgens mij...,' kwam Sietzes stem ertussen.

'Dat klopt, ja. Ik heb een map vol schetsen. Ik heb zelfs geprobeerd met olieverf te werken.'

'Dat moet je me ooit eens laten zien.'

'Neem nou de driemasters voor de kustvaart. Die hebben hun waarde in vergelijking met de stoomboten toch dubbel en dwars bewezen.'

'Er is beslist geen weerbestendiger schip te vinden,' zei Sietze instemmend.

'Ik heb geprobeerd Annalise over te halen om een schilderij van de tuin te maken, maar tot nu toe lijkt ze er niet zoveel zin in te hebben.'

'Maar ik vraag me toch af welke beter is: het model met de diepliggende kiel, of de platbodem.'

'Nou, meneer, ik heb daar veel over nagedacht, en...'

Cherish zat te popelen om een bijdrage te leveren aan het gesprek tussen de beide mannen, maar in plaats daarvan glimlachte ze beleefd naar haar gastvrouw en probeerde enig enthousiasme in haar antwoorden te leggen. Uit haar ooghoekjes keek ze naar Sietze en ze zag dat hij met zijn zilveren mes iets op het tafelkleed uittekende om het aan meneer Townsend te verduidelijken. Zijn gezicht glansde van geestdrift en de oudere man luisterde met grote aandacht.

Ten slotte gaf Cherish haar pogingen op. Het was te veel gevraagd om naar twee gesprekken te luisteren en aan een ervan ook nog actief deel te nemen. Ze draaide haar kristallen sorbetschaaltje rond. Als het hele weekend zo verliep als dit diner, dan zou het vrijwel onmogelijk zijn om Sietze ook maar een moment voor haarzelf te hebben.

De volgende dag brachten ze door op Whittier's Lake, samen

met een hele groep jonge mensen die daarvoor door de Townsends waren uitgenodigd. Het weer was helemaal opgeklaard en de zon scheen helder en warm over het bedauwde land.

Cherish' humeur werd er niet beter op toen ze er niet in slaagde in dezelfde boot als Sietze een plaatsje te bemachtigen. Warren had Annalise er al in geholpen en assisteerde Cherish, wier glimlach iets krampachtigs had gekregen, bij het instappen in de tweede boot.

Met als smoes dat ze graag de prachtige omgeving wilde tekenen, onttrok ze zich aan de beleefde gesprekken. Terwijl de anderen aan het vissen waren, zat zij in het wilde weg te schetsen.

Ze roeiden naar het midden van het uitgestrekte meer. Ondanks haar groeiende ergernis besloot Cherish uiteindelijk dan maar de boot te gaan tekenen waarin Sietze zat. Ze zorgde er wel voor dat ze beide inzittenden vastlegde, zodat het niet zou opvallen wie van hen in feite haar enige belangstelling had, maar ze besteedde extra aandacht aan Sietzes gelaatstrekken.

Hij had een smal gezicht en een klassiek profiel. Hoewel hij meestal ernstig keek, kon ze altijd wel merken of hij iets grappig vond. Lang voordat de lach zijn mond bereikte, sprankelde die al in de diepliggende, grijze ogen. Op dit moment glimlachte hij naar Annalise, die tegenover hem zat. Cherish kon zich de plagende toon van zijn stem, waarmee hij haar een reactie probeerde te ontlokken, precies voorstellen. Met krachtige slagen roeide hij ondertussen het meer op. Je moest eens zien hoe zorgzaam hij haar hielp om het aas aan de haak te bevestigen en de hengel uit te werpen! Cherish drukte haar potlood zo hard tegen haar schetsblok dat de punt versplinterde.

'Is de punt gebroken?' Warrens rustige stem doorbrak haar gedachten. Ze keek op en merkte dat hij haar bezorgd zat aan te kijken.

'Ja. Slordig van me. Ik drukte er te hard op,' antwoordde ze kortaf.

'Geef maar hier, dan slijp ik er wel een nieuwe punt aan,' bood hij aan.

'Nee, dank je; ik heb nog een reservepotlood.' Ze legde haar schetsblok neer. 'Ik stop er ook maar even mee, denk ik.'

'Mag ik eens zien?' vroeg Warren en stak zijn hand uit. 'Dat is goed, zeg.'

'Het is maar een ruwe schets,' antwoordde ze haastig.

Een plotseling lachsalvo in een van de andere boten trok haar aandacht. De boot danste heen en weer, terwijl een van de inzittenden een grote vis ophaalde.

'Die lijken zich wel te vermaken,' zei ze.

'Wat hebben jullie gevangen?' riep Warren. 'Een oude roei-boot?'

'Dat zou je wel willen,' riep de visser terug en hij hield de lijn, waaraan een forse forel spartelde, triomfantelijk om-hoog.

'We zullen onze inspanningen moeten verdubbelen,' zei Warren tegen de andere roeiers. 'Ze lopen een exemplaar op ons voor.'

Ook Cherish besloot maar eens een poging tot vissen te wagen en toen ze daadwerkelijk een forel ving, gaf haar dat een gevoel van genoegdoening. Toen Sietze er ook een had gevangen, hielden ze hun vangsten omhoog om ze met elkaar te vergelijken. Jaren geleden hadden ze heel wat keren samen gevist.

Halverwege de middag lieten ze hun bootjes op het zand-strand lopen waar de familie Townsend beschikte over een 'kamp', de misleidende benaming voor een ruim zomerhuis. Warren pakte Cherish om haar middel en zette haar met een zwaai op het strand, om te voorkomen dat ze natte voeten kreeg. Ze draaide zich om en zag nog net hoe Sietze Annalise dezelfde dienst bewees.

'Ik laat de dames aan jouw goede zorgen over,' lachte

Warren tegen haar. 'Jullie kunnen mooi brandhout sprokkelen.'

Cherish greep haar rokken bij elkaar en zei over haar schouder tegen de andere meisjes: 'Kom, dames, laten we dat varkentje eens wassen. Annalise, zou jij ons de weg willen wijzen? Zijn hier wandelpaden?'

'Ja, die kant op.'

Toen ze terugkwamen met hun armen vol brandhout, hadden de mannen de forellen al schoongemaakt. 'Net wat we nodig hadden.' Warren kwam naar Cherish toe en nam het hout van haar over.

Al gauw brandde er een lekker vuur. Cherish, die erop gebrand was haar nieuwe culinaire vaardigheden te bewijzen, bood Warren aan te helpen met het roosteren van de vis, maar hij wees haar aanbod af. 'Dat is mannenwerk,' grinnikte hij. 'Vis vangen en schoonmaken en ze dan braden op een open vuurtje op het strand.'

'O, is dat zo?' antwoordde ze lachend. Hij was toch echt aardig, dacht ze, terwijl ze in zijn glimlachende gezicht keek. De vrouw die zijn genegenheid won, was een gezegend mens. 'En wat moeten wij dan ondertussen doen? Ik waarschuw je, wij hebben in de loop van de ochtend flinke trek gekregen.' Uit haar ooghoeken keek ze naar Sietze, die op zijn hurken bij het vuur zat en er extra takjes op legde.

'Je hebt niets te vrezen. Ik heb dit al zo vaak gedaan. Wacht maar af, dit wordt de knapperigste forel die je ooit hebt gegeten.'

'Knapperig, hoop ik, niet verbrand.'

'Cherish, je beledigt me,' zei hij. Ondertussen zette hij een braadpan op het vuur en deed er een klont spekvet in. Hij had zijn jasje uitgetrokken en de mouwen van zijn overhemd opgerold. Nadat hij Sietze gevraagd had het vuur in de gaten te houden, nam hij een van zijn vrienden mee om de picknickmand uit te gaan pakken. Tijdens het tafeldekken deed Cherish echt haar best om de andere meisjes beter te leren

100

kennen. Toch kon ze het niet laten om opnieuw een zijde-lingse blik op Sietze te werpen. Tijdens het hele uitje had hij nog geen woord tegen haar gezegd. Nu stond hij te praten met Warren en een andere jongeman, terwijl de eerste de vis door de bloem rolde en in het hete vet legde.

Tranen prikten achter haar ogen. Wat was er overgebleven van haar innige vriendschap met Sietze? Liet ze hem dan totaal onverschillig? *O, Heer, help me om het te begrijpen. Ik weet dat ik ook in dit opzicht op u moet vertrouwen, maar... het lijkt wel alsof...*

'Je vader heeft een hoop plannen voor de houtzaagmolen,' zei Sietze tegen Warren. De lucht was vervuld van het aroma van geroosterde forel.

Warren glimlachte tegen hem door de rook heen. 'Klopt. Zodra hij een project heeft afgerond, begint hij meteen aan het volgende.'

Als een volleerd kok keerde hij de forel met een spatel om. De bloem siste en spatte in het gloeiende vet. 'Zijn jongste plan houdt in dat hij een paar schoeners wil laten bouwen voor het vervoer van het hout dat we met de molen denken te verwerken. Hij leek behoorlijk onder de indruk van de ideeën waarmee je gisteravond op de proppen kwam. Je hebt hem iets uitgelegd over het gebruik van schepen met een dieperliggende kiel.'

'Volgens mij heeft dat het voordeel dat je door de kiel een grotere stabiliteit hebt, terwijl je toch meer vracht kunt ver-voeren dan met de huidige platbodems.'

'Als dat waar is, zou dat ideaal zijn voor de kustvaart waar nu nog driemasters voor gebruikt worden. Het is precies wat vader nodig heeft voor de soort handel die hij voor ogen heeft.'

Sietze gaf geen antwoord. Hij wist dat zijn ideeën uitvoer-baar waren, maar was niet gewend ze aan wie dan ook te verkopen. Zijn blik gleed naar Cherish, die zichzelf zoals gewoonlijk nuttig maakte door plezier te maken met een paar meisjes die ze nog maar net had ontmoet. Het was bewonderenswaardig hoe ze zich in elke nieuwe situatie toch altijd weer op haar gemak leek te voelen. Heel anders dan Annalise, die haar dan ook met ontzag gadesloeg – een ontzag dat hij met haar deelde.

Hij keek weer naar Townsend. Als hij Thomas Winslow ook maar een beetje kende, dan had Cherish' vader deze man in gedachten als geschikte huwelijkskandidaat voor zijn enige dochter. Was dat ook de reden waarom Sietze zo zijn best deed om de man te leren kennen en te zien uit welk hout hij gesneden was? Om vast te stellen of hij Cherish wel waard zou zijn? Hoe hij het ook probeerde, Sietze kon met geen mogelijkheid kritiek op Warren hebben. Waarom stelde die conclusie hem niet tevreden, maar bleef hij zitten met een bittere smaak in zijn mond, waardoor de aanlokkelijke geur van gebakken forel hem voorkwam als stinkende rook?

De forel smaakte inderdaad verrukkelijk. Mevrouw Townsend had brood, ingemaakte groenten en salades meegegeven. Cherish zat een heel eind bij Sietze vandaan en spande zich in om mee te doen aan het gelach en geplaag om haar heen.
Na het eten vroeg Ted, een van de mannen: 'Kun je van hier naar Dexters Top klimmen?'
'Er loopt inderdaad een pad heen,' zei Warren en wees naar het bos. 'Het is een klim van ongeveer een uur.'
'Wie durft?' vroeg Ted en keek het gezelschap rond.
'Het klinkt als iets dat we na die forel wel kunnen gebruiken,' antwoordde Cherish onmiddellijk.
'Ik weet het niet, hoor,' begon Warren. 'Het is een vrij ruig pad en het stijgt de hele tijd. Weten de dames zeker dat ze dat aankunnen?'
'Natuurlijk!' Cherish keek de andere meisjes aan en met uitzondering van Annalise vielen die haar bij. Warren haalde

zijn horloge tevoorschijn. 'Ik wil niet te laat naar Hatsfield terug. Wat denk jij ervan, Annalise?'

'Het is een flink eind,' zei die.

'Misschien kan een van ons hier beneden blijven, om de dames gezelschap te houden die de klim niet zien zitten,' bood Andrew, een van de andere jongens, aan, maar de meisjes hoonden zijn voorstel weg.

Cherish zag hoe Sietze ongedurig stond te schuifelen. Uit angst dat hij zou aanbieden bij Annalise te blijven, zei ze: 'Kom op, zeg, zo flauw zijn we toch niet?' en richtte zich daarbij exclusief tot het meisje. 'De heren hebben ons ook al niet de gelegenheid geboden onze kunsten te vertonen bij het eten klaarmaken. Door hen bij te houden kunnen we alsnog bewijzen wat we waard zijn.' Ze glimlachte Annalise liefjes toe. Die aarzelde en keek van haar broer naar Cherish. 'Als je moe bent, dragen we je wel terug,' bood Ted aan en Andrew viel hem bij. Annalise keek als iemand die weet dat ze in de val zit en niet anders meer kan dan de situatie dapper onder ogen zien en op een waardige manier doorstaan. Cherish voelde haar geweten knagen, maar het verlangen om Annalise dwars te zitten was te sterk.

'Goed dan,' zei Annalise uiteindelijk zacht.

Terwijl onder Warrens supervisie de picknickmanden werden opgeborgen, slenterde Sietze naar Cherish toe. 'Weet je zeker dat het een goed idee is om zo vlak na de maaltijd zo'n lange wandeling te maken, met zo'n stel meisjes erbij? Ik weet dat jij het makkelijk aankunt, maar hoe zit het met de anderen? Die zijn vast niet zo aan lichamelijke inspanning gewend als jij.'

'O, Sietze, zeur niet zo. Wat is nou een wandeling van een uur?'

Hij keek haar hoofdschuddend aan en er was geen lach op zijn gezicht. 'Wat gebeurt er als een van de dames een enkel verstuikt? Het is leuk bedacht dat wij haar dan wel naar beneden zullen dragen, maar de werkelijkheid komt niet bepaald overeen met een dwaas, romantisch waanidee...'

Voordat ze meer had kunnen doen dan een gezicht trekken om al zijn bezorgdheid, riep Warren hen al naar het pad.

Ze liepen over een dikke laag droge dennennaalden en Cherish ademde diep de kruidige geur van balsem en sparrenhout in. Ze probeerde zichzelf voor te spiegelen dat de dag nog niet helemaal op een fiasco uitgelopen was, maar Sietzes woorden hadden haar gestoken en het viel niet mee om dat te negeren. Hij had de hele dag nog geen twee woorden tegen haar gezegd, en toen hij eindelijk iets zei, gaf hij haar een standje alsof ze nog een kind was.

Voor de tweede keer die dag had ze moeite haar tranen te bedwingen. Geërgerd wreef ze zich in de ogen. Waarom was hij nou zo bezorgd om Annalises welzijn? Want daar kwam het toch uiteindelijk op neer. Om de anderen gaf hij geen steek. Het was die schattige, verlegen Annalise Townsend om wie hij zich zorgen maakte. Zij bezette de plaats in zijn hart die vroeger aan Cherish had toebehoord.

Ze zocht steun bij een boomtak om beter te kunnen klimmen. Was het pad in het begin breed en gemakkelijk begaanbaar geweest, nu werd het smal en steil, zodat ze achter elkaar moesten lopen.

Tegen de tijd dat ze de top bereikten, zeiden ze niet veel meer. Ze waren moe en hun voeten deden pijn. Zo halverwege mei was het nog niet echt warm, maar het was een zonnige dag en door de klim waren ze toch verhit geraakt.

'O, adembenemend zeg!' Vanaf de kale rotspunt waarop Warren haar plaats had laten nemen tuurde Cherish naar het meer ver onder hen – een gladde, glanzende spiegel, waarvan door het dichte bos eromheen slechts een klein hoekje zichtbaar was.

'Dit was de moeite wel waard, vind je ook niet?' zei ze tegen Ted, die naast haar stond.

'Dat dacht ik ook! En we hebben er niets van overgehouden, volgens mij.' Hij keek achterom naar de anderen die nu pas omhoog gezwoegd kwamen. Annalise kwam achteraan; ze leunde zwaar op Sietzes arm.

'Gaat het wel goed met je?' vroeg Warren en liep haastig naar haar toe.

'Ja hoor, best,' was het antwoord. 'Het komt alleen maar doordat ik nieuwe laarsjes aan heb.'

Sietze bracht haar naar een groot rotsblok. 'Hè, heerlijk om even te zitten,' zei ze met een diepe zucht.

'Waarom trek je die laarsjes niet uit?' vroeg Warren en hurkte neer aan haar voeten. 'Dan kan ik koud water uit mijn veldfles over je voeten gieten.'

Ze schudde haar hoofd. 'Ik ben bang dat ik ze dan nooit meer aankrijg. Laat me hier maar even rustig zitten.'

Cherish verkeerde in hevige tweestrijd, maar deze keer won het medelijden van haar ergernis. Ze liep naar Annalise toe en ging naast haar zitten. 'Het spijt me vreselijk. Ik dacht er niet bij na dat je geen gemakkelijke schoenen aanhad.'

Annalise glimlachte bleekjes. 'Het is jouw schuld niet.'

Sietze was naar de rand van het plateau gelopen. Waarom liep hij toch telkens weg, zodra zij bij Annalise in de buurt kwam, en waarom was hij niet bij haar weg te slaan, wanneer Cherish ergens anders was?

'Weet je wat, rust gewoon even uit en dan kunnen we het de terugweg misschien wat kalmer aan doen.'

'Dat moet wel lukken.'

Cherish lachte haar nog eens vriendelijk toe en kwam overeind. Ze streek haar rok glad, liep naar de rand en ging naast Sietze staan. Toen hij er het zwijgen toe bleef doen, en zelfs niet iets zei als: 'Zie je nou wel?' bleef ook Cherish maar zwijgen. Voor geen goud wilde ze tegenover hem toegeven dat ze verkeerd had gehandeld. Dus beperkte ze zich tot het bewonderen van het panorama. Na een poosje vergat ze alles om zich heen, en bekeek het landschap met het oog van een schilder. Het kamp beneden was niet te zien, verborgen als het was achter de dichte bossen, en ook de andere zomerhuisjes, die her en der tussen de bomen verspreid stonden, waren onzichtbaar.

Sietzes stem onderbrak haar. 'Bevalt het uitzicht?'

Hij zei het zacht, maar ze kon niet om het sarcasme in zijn stem heen. Ze besloot het te negeren. 'Ja, het is prachtig, vind je niet?'

'Het is anders nog een heel eind terug.'

'Sinds wanneer maak jij je zo druk om dat soort prozaïsche dingen?'

'Sinds ik geleerd heb me in te leven in de moeite van een ander.'

'Nou, misschien wil een van de andere heren je dienst wel overnemen.'

'Je gedraagt je afschuwelijk oppervlakkig sinds je terug bent. Hoort dat soms bij die Europese beschaving die je aan de overkant hebt opgedaan?'

'Misschien heb ik geleerd het zonder een man te stellen die me te pas en te onpas overeind moet houden.'

Ze keken elkaar niet aan tijdens hun woordenwisseling, en hun stemmen bleven gedempt.

'Het komt me voor dat je erg onverdraagzaam bent geworden jegens mensen die zwakker zijn dan jij.'

'Het komt mij voor dat je jezelf opwerpt als redder van de underdog. Is dat omdat je die rol van underdog zelf zo volmaakt hebt ingestudeerd?'

'Dat kun jij beter beoordelen dan ik.' Hoewel haar woorden bewust beledigend bedoeld waren, verried zijn kalme stem helemaal niets.

'Ik kan alleen maar beoordelen wat ik zie.' Het was even stil en toen zei ze: 'Als je me nu wilt excuseren – ik denk dat mijn Europese beschaving elders beter van pas komt.'

Ze liet hem staan en Sietze hield zijn ogen gericht op het uitzicht aan zijn voeten. Hij wekte de indruk dat Cherish' woorden hem nog minder pijn deden dan een muggensteek. Zelfs zijn wimpers trilden niet. Maar de rust die van het meer uitging ervoer hij als een illusie. Vanbinnen voelde hij zich allesbehalve rustig. Hij was razend. Als hij op dit moment een bijl in handen had gehad, was hij een boom gaan vellen. Als hij een dissel had gehad, was hij daarmee een stel planken te lijf gegaan. Had hij alleen een simpele beitel gehad, dan zou hij nu op een stuk hout inhakken. Maar hij stond met lege handen, die hij alleen maar steeds opnieuw tot vuisten kon ballen. Per slot van rekening bevond hij zich in beschaafd gezelschap. Hij moest ieder woord en iedere impuls beheersen, totdat hij weer alleen zou zijn met het hout dat hij bewerkte. Het was alleen te hopen dat hij enigszins tot bedaren zou zijn gekomen wanneer het tijd werd om terug te keren naar de anderen, de heren en dames Townsend en Bradshaw en Belvedere, uit de bovenlaag van de burgerij van Hatsfield – de crème de la crème van dit kuststadje, zoals Cherish zou zeggen. Waren dit niet de mensen waarop Winslow zo graag indruk wilde maken? En was dat niet de belangrijkste reden waarom hij deze ellendige logeerpartij moest ondergaan?

's Avonds zat Sietze naast Annalise op een bankje, terwijl de gehuurde band in het huis van de Townsends het ene deuntje na het andere ten gehore bracht. Hij keek toe hoe Cherish met Warren rond wervelde en vroeg zich ondertussen af hoe het kwam dat hij zich zo druk maakte over een meisje dat hij altijd als zijn kleine zusje had beschouwd. En dat, terwijl zij hem duidelijk niet anders zag dan als het knechtje van haar vader en hem tegelijkertijd verachtte omdat hij de bevelen van haar vader gehoorzaamde.
En dan had je hier naast hem dat andere meisje, in wie hij totaal niet geïnteresseerd was, maar dat hem met grote koeienogen zat aan te kijken alsof hij de een of andere held was. Een held voelde hij zich niet bepaald. Het beeld van de vernederde, volgzame huurling danste door zijn gedachten. Was dat wat er van hem geworden was na al die jaren waarin hij

had gedaan wat Winslow van hem vroeg, terwijl hij elke verdiende cent opzij legde en wachtte op de dag dat hij genoeg
zou hebben om op eigen benen te staan?

O, God, wanneer zal mijn droom in vervulling gaan?

Of zou hij gewoon oud worden zoals Ezra en Will – niet
meer dan een arbeider op de werf, die langzamerhand uitge-
blust raakte tot hij op een dag te oud was om de zware planken nog te kunnen tillen?

Had hij zichzelf nu al die jaren voor de gek gehouden?

8

herish werd gekweld door berouw en dat werd met het uur erger. Maar tante Phoebe zette met een bons de wasmand voor haar neer. 'Aan het werk, jij.' Cherish kreunde bij het zien van de stapel strak opgerold wasgoed. Na het ontspannende weekend wachtten haar weer de huishoudelijke taken van Haven's End. De hele vorige dag had ze over het gloeiend hete sop gebogen gestaan en wasgoed aan de lijn gehangen. Vandaag stond ze bij het hete fornuis strijkijzers te warmen om al het gewassen goed te strijken en te persen.

'Dat allemaal?' Zo kwam ze vandaag nooit meer in de werkplaats. Met een zucht bukte ze zich, trok een kledingstuk uit de mand en vouwde het uit. Een wit mannenoverhemd.

Zou het van Sietze zijn? Ze drapeerde het vochtige overhemd over het smalle uiteinde van de strijkplank en begon de schouders te persen. Uit het witte katoen rees een fris geurende stoom op, dankzij het feit dat het gisteren de hele dag in de buitenlucht had gehangen.

Cherish keerde het overhemd om en begon het rugpand te persen. Onwillekeurig gingen haar gedachten terug naar het weekend. Tegen de tijd dat ze terugkeerden in Haven's End hadden Sietze en zij nauwelijks meer met elkaar gesproken. Sindsdien waren de zaken er niet veel beter op geworden.

Ze had hem gisteren alleen 's middags en 's avonds bij het eten gezien. Hij kwam zwijgend binnen en at zwijgend zijn bord leeg. Er kon alleen een knikje af bij wijze van groet.

Plotseling drong een schroeilucht in haar neus. 'Kijk uit wat je doet!' waarschuwde Celia, die opkeek van de stapel wasgoed die ze aan het vouwen was.

'Hè, wat?' Cherish tilde het strijkijzer omhoog en keek ontzet naar de schroeiplek in het smetteloze witte overhemd. Ze zette de bout neer en ging met haar vinger over de bruine vlek, in de hoop dat ze het er nog af kon vegen. Maar nee, het was helemaal doorgebrand. De vezels verpulverden onder haar vingers.

'Wat nu?' vroeg ze radeloos. De schade die ze had aangericht maakte dat ze zich dubbel ellendig voelde. Eerst had ze Sietze zo'n hatelijke belediging toegevoegd en nu verknoeide ze dit. Kon ze dan niks goed doen?

'Je moet eerst maar eens leren je aandacht bij je werk te houden,' zei tante Phoebe die naar de tafel toekwam. Ze nam het overhemd van de strijkplank en bekeek het met kritische blik. 'Dat kan in de voddenmand. Jammer, hoor; het was een van Sietzes nette overhemden.'

Cherish beet op haar lip; dat was weer een nieuwe deuk in haar zelfvertrouwen. 'Het spijt me.' Waarom kon ze deze woorden tegenover Sietze niet over haar lippen krijgen?

Haar tante gooide haar het overhemd toe. 'Kniezen heeft geen zin. Je zult gewoon een nieuwe voor hem moeten naaien.'

Dat zette de kwestie in een heel ander licht. 'Dat zal ik dan maar doen,' zei Cherish en bekeek het overhemd met een glimlach. Ze zou een nieuw overhemd naaien en dat aan hem geven als excuus voor de afschuwelijke dingen die ze tegen hem gezegd had. Hoewel hij er niet meer op teruggekomen was, voelde ze dat het tussen hen in stond, onwrikbaar als een verzwaarde kiel.

'Wilt u me dan leren hoe ik uw nieuwe naaimachine moet bedienen?' vroeg ze haar tante.

'Natuurlijk. Met dat ding heb je hem in een wip af.'
Cherish knikte, pakte het volgende overhemd en liep naar het fornuis om het hete ijzer te pakken.

Na een week van hard werken hadden Cherish en Sietze de mal van de boot af. Zo'n mal was een tijdelijk bouwsel, gemaakt van pijnboomhout, waar de romp van de boot overheen werd gevormd. Anders dan de schoener op de werf werd deze boot ondersteboven gebouwd. Op dit moment waren ze bezig het geraamte te vormen rond de kiel en de voor- en achtersteven.
Sietze liet de cederhouten spant die hij tot de juiste breedte aan het afschaven was rusten, ging rechtop staan om even uit te blazen en masseerde zijn nek. Ondertussen zat Cherish gebogen over het originele bestek, de bouwtekening van de romp op ware grootte. Het was een netwerk van ingewikkelde lijnen, curven, afkortingen en cijfers. Sietze vroeg zich af hoeveel een man moest kunnen verdragen zonder de grenzen uit het oog te verliezen. Waar hij zich ook wendde of keerde werd hij met Cherish geconfronteerd. In een enkele middag gebeurde het minstens een dozijn keer dat hun handen elkaar raakten, of dat ze voor hem langs reikte, en telkens keek ze hem daarbij zo onschuldig aan dat hij zich afvroeg of ze wel besefte hoe ze al zijn zintuigen in beroering bracht.
'Volgens mij is er inmiddels wel een stel spanten klaar,' zei hij tegen haar toen ze zich oprichtte van de tekening. 'Ze liggen al een hele tijd in de stoomoven. Ze moeten nu wel zacht genoeg zijn om ze te kunnen buigen.'
'Goed, laten we ze er dan maar uit halen.'
Hij trok een paar handschoenen aan en opende de oven, die speciaal ontworpen en gebouwd was om de smalle, houten strips te kunnen bevatten die de verticale ribben van de romp zouden worden. Het was een heel karwei om het vuur onder de oven brandende te houden, maar het was nodig

om voldoende stoom te creëren in de metalen bekisting waarin de houten strips gelegd waren.

'Wees voorzichtig als je de deur opendoet. Het kan erg heet zijn.'

'De planken zijn volgens mij precies goed, zacht als was,' zei Cherish, terwijl ze samen de strip over de mal legden, in de juiste vorm bogen en vastzetten.

'We laten hem eerst maar drogen en uitharden, voordat we hem er weer af halen om te schuren. Vooruit, laten we er nog een doen.'

Nadat ze hem nog twee keer had geholpen, deelde ze mee dat ze het verder zelf wel afkon en dus ging hij verder met het schuren van de ribben die hij de vorige dag in vorm had gebogen en die inmiddels droog waren. Hij moest toegeven dat Cherish de beste kracht was die hij ooit had gehad. Vanaf het begin had hij zich voorgenomen om haar te behandelen als alle mannen die met hem hadden samengewerkt en ze had dubbel en dwars bewezen wat ze waard was. Ze kon alles wat hij ook kon, en deed alles wat hij haar vroeg. Ze had zelfs een paar bruikbare suggesties gedaan.

Maar hoeveel langer kon hij haar voortdurende nabijheid nog verdragen voordat hij iets doms zou doen?

'Au!'

Met een ruk draaide hij zich om. Ze stond bij de ovendeur met haar vingers in haar mond. Haastig liep hij naar haar toe.

'Wat is er gebeurd?'

Ze glimlachte berouwvol langs haar vingers heen. 'Ik heb me gebrand aan de stoom.'

'Ik waarschuwde je nog.'

'Ja.'

'Kom, we moeten je hand koelen met koud water.'

Hij nam haar mee naar buiten, waar de pomp zich bevond, en begon te zwengelen. Zodra het water begon te stromen, pakte hij haar hand en hield die onder de ijskoude straal.

'Zo beter?'

'Veel beter,' glimlachte ze.

Haar slanke hand in de zijne werd rood van de kou. Ze keek naar hem met een dankbare blik in haar ogen, en als ze zo naar hem keek wilde hij niets liever dan haar kussen. Waarom kon hij die ene avond nou niet vergeten? Waarom kon hij de herinnering aan haar mond tegen de zijne niet van zich af zetten?

'Jij lapt me ook altijd weer op.'

Hij haalde zijn schouders op, en liet de pompzwengel en haar hand tegelijkertijd los.

'Het spijt me wat ik bij het meer tegen je gezegd heb.'

Hij deed net of hij het niet begreep. 'Wat bedoel je?' vroeg hij nonchalant, terwijl hij zich al omdraaide om weer naar binnen te gaan.

Ze schraapte haar keel. 'Dat ik je een underdog heb genoemd.'

Langzaam keerde hij zich om, zijn ene hand op de klink. Ze stond nog steeds bij de pomp. 'Het was gemeen. Ik weet niet wat me bezielde.'

'Vergeet het maar,' antwoordde hij luchtig. 'Het was waar, of niet soms?'

Hij deed de deur open en gebaarde dat ze voor hem uit naar binnen kon gaan, maar ze hield vol. 'Natuurlijk niet!'

'Ik ben toch alleen maar het knechtje van je vader?'

'Dat ben je niet! Je bent de beste kracht die hij ooit heeft gehad, de beste scheepsbouwer van heel Haven's End en Hatsfield en... en nog veel verder.'

Om te voorkomen dat haar lovende woorden hem echt raakten, liep hij snel de werkplaats in, naar de oven, maar Cherish kwam vlug achter hem aan. Hij haalde de zacht geworden houten strip, waar Cherish mee bezig was geweest, tevoorschijn, nam hem mee naar de mal en begon hem eroverheen te buigen. Cherish kwam naast hem staan en hield het uiteinde op zijn plaats, terwijl hij de rib langs de contouren van de mal in vorm bracht.

'Hoe voelen je vingers nu? Weet je zeker dat dit lukt?' vroeg hij.

'Het gaat prima. Alleen nog een vaag, branderig gevoel en dat gaat gauw genoeg over. Mijn vingers zouden eraan gewend moeten zijn, na al het strijken en bakken van de afgelopen week.'

'Heb je je dan al eerder gebrand?'

'Dat kun je wel zeggen, ja.'

'Dat had je moeten zeggen, dan had ik de ribben eruit gehaald.'

Ze werkten weer een paar minuten zwijgend door en toen vroeg Cherish: 'Ben je nog steeds voor je eigen scheepswerf aan het sparen?'

Hij keek haar aan. Dacht ze nou echt dat hij de rest van zijn leven haar vaders loopjongen wilde blijven? Het leek wel alsof ze zijn gedachten raadde. 'Hoe lang duurt het nog, denk je, voordat je genoeg hebt?'

Hij liet een keurende blik over het gebogen hout glijden. 'Moeilijk te zeggen. Een dezer dagen zal het wel zover zijn.'

'We zullen je erg missen,' zei ze zacht.

'Misschien zou je voor mij kunnen komen werken,' plaagde hij. 'Dan kun je voor de verandering mijn loopjongen zijn.'

Ze lachte klaterend, en zijn hele lichaam begon te kriebelen alsof ze hem met een veer zat te kietelen.

'Ik zou het leuk vinden om voor jou te werken.'

Verbaasd keek hij haar aan; zo'n vlotte reactie had hij niet verwacht.

Ze glimlachte ondeugend. 'Maar alleen als volwaardig partner.'

'O ja?' Hij liep weer naar de oven. 'Nou, daarover hoef ik nu niet te beslissen. Zoals het nu gaat, zal het nog wel even duren voordat ik voldoende heb gespaard om je vader te verlaten.'

'Daar ben ik blij om. Ik bedoel... ik ben blij dat we voorlopig nog samen kunnen werken.'

Hij hield even in, maar weigerde zich door haar woorden te laten beïnvloeden. Wat ze bij het meer tegen hem had gezegd stak nog steeds. En dus liep hij door.

Cherish was ten einde raad. Wat moest ze nou nog meer doen om te zorgen dat Sietze haar beschouwde als een volwassen vrouw? Hoewel hij beleefd en behulpzaam bleef, voelde ze de kloof tussen hen beiden steeds wijder worden. Noch het werk in de werkplaats, noch de koorrepetities, noch de gezamenlijke kerkgang bracht hen dichter tot elkaar. Integendeel, de afstand werd alleen maar groter.

Ze kon zich niet voorstellen dat de vervreemding puur het gevolg was van een paar gedachteloze opmerkingen waarvoor ze bovendien haar excuus had aangeboden. Ze kende Sietze langer dan vandaag en wrok koesteren was niets voor hem. Hij maakte ook geen boze of gekwetste indruk, hij was alleen maar afstandelijk. Vriendelijk, maar afstandelijk. Wat was er toch met hem? Ze vroeg het zichzelf voor de honderdste keer af.

Ze draaide met haar hoofd om de nekpijn, ontstaan door het voortdurend gebogen staan over de werkbank, iets te verlichten, en veegde de krullen weg die de schaafmachine had achtergelaten.

Ze bracht Sietze steeds allerlei lekkers dat ze zelf had gebakken. Ze had weliswaar een nieuw overhemd voor hem genaaid, maar het uiteindelijk gewoon op zijn stapel wasgoed gelegd, in plaats van het hem als cadeau te overhandigen. Ze vond het leuker om voor geheime weldoenster te spelen. Hoewel het een gewoon overhemd was, dat precies op andere leek, had ze wel haar eigen stempel erop gedrukt door zijn initialen op het zakje aan de voorkant te borduren. Zo wist ze ook dat hij het vandaag droeg. Ze verbeet een glimlach, terwijl ze het uitgeharde geraamte opnieuw over de mal heen legde. Nu alle cederhouten ribben aan de kiel bevestigd waren begon de boot steeds meer op een skelet te lijken. Sietze hielp haar met het vastzetten van het geraamte en ze kon haar ogen niet afhouden van de dikke, gouden haarlok die over zijn voorhoofd viel toen hij zich voorover boog.

'Nog maar drie,' zei ze. 'En dan gaan we zeker met de beplanking beginnen?'

'Hmm,' antwoordde hij bevestigend, zonder op te kijken. Het overhemd spande strak om zijn schouders. Ze was er trots op. Het had niet beter kunnen zijn als het in een fabriek of door een ervaren naaister in elkaar was gezet. Vanochtend had ze besloten dat ze een directere aanpak wilde proberen. Met bonzend hart vroeg ze zich af of dit misschien het juiste moment ervoor was. Ze likte haar lippen. 'Sietze?'

'Hmmm?'

'Heb je je ooit afgevraagd hoe het zou zijn om mij te kussen?'

Hij zei niets, maar zijn handen vielen stil en hij ging rechtop staan, zijn ogen nog steeds op de houten rib gericht. 'Wat bedoel je?' vroeg hij langzaam.

'Herinner je je die avond nog? Toen onze monden per ongeluk tegen elkaar kwamen?'

Dat kon hij toch niet vergeten zijn!

Ze begon al spijt van haar voortvarendheid te krijgen, maar eindelijk zei hij zachtjes: 'Jawel.'

Ze slikte, vastbesloten om te zeggen wat ze op haar hart had. 'Moest je daardoor niet denken aan hoe het zou zijn als we echt gingen zoenen?'

Zijn vingers frunnikten aan de klemschroef. Ze besefte dat ze al te ver was gegaan om nog terug te kunnen krabbelen en bekende: 'Ik moet er wel steeds aan denken.'

Ze stond nu zo dicht bij hem dat ze alleen maar haar hand hoefde op te tillen om met haar vinger langs zijn kaaklijn te gaan. 'Je lippen voelden heel prettig aan. Ze waren zacht en warm.'

'Cherish!' Zijn grijze ogen keken hevig geschokt.

'Wat is er?'

'Je vader!'

'Wat heeft die ermee te maken?'

'Wat zou hij vinden van dit gesprek?'

'Hij is er niet bij. Bovendien, wat is er zo verkeerd aan dat wij elkaar zouden zoenen? We kennen elkaar al ons hele leven.'

Hij lachte gesmoord en streek met een onbeheerst gebaar het haar uit zijn gezicht. 'Denk je nou echt dat je vader dat een goede reden zou vinden?'

Ze gleed met haar vinger over het monogram op zijn borstzakje. Daarna legde ze haar hand plat tegen zijn borst. Ze kon zijn hart dwars door het dunne goed heen voelen kloppen.

'Laat dat!' Zijn stem was nog zachter, een smekende fluistering bijna.

'Waarom?' vroeg ze. Ze begreep niets van zijn reactie. 'Het lijkt wel of je bang voor me bent.'

Zonder een woord te zeggen deed hij een stap achteruit en liep weg. Had ze soms te veel gewaagd? Pas toen hij aan de andere kant van de werkplaats bij de draaibank stond, zei hij: 'Cherish?'

'Ja?' vroeg ze hoopvol.

'Ik...' Hij schraapte zijn keel en begon opnieuw. 'Ik hoop dat je je niet bij alle mannen uit je kennissenkring zo gedraagt.'

Haar mond viel open.

'Iemand anders dan ik zou het wel eens verkeerd kunnen opvatten. Jij bent gewend om je behoorlijk onafhankelijk op te stellen. Ongetwijfeld heb je door je reizen en zo allerlei nieuwe opvattingen gekregen. Maar hier in Haven's End zijn de mensen nog steeds erg behoudend.'

'Natuurlijk gedraag ik me niet overal zo!' Cherish' gezicht werd rood van schaamte bij het idee dat hij zoiets van haar dacht.

'Daar ben ik blij om. Ik wilde je alleen maar waarschuwen. Jij bent nog jong en ik ben al wat ouder dan jij, en... eh..., ik weet een beetje hoe mannen zijn. Ik zou niet graag zien dat je in een lastig parket verzeild raakt met een man die misschien minder eergevoel heeft...'

'Er valt helemaal niets aan te merken op hoe ik met je omga. Je bent mijn beste vriend.'

'Maar dat wil nog niet zeggen dat we... dat we kunnen... Misschien is het de jonge meisjes in Europa wel toegestaan om te flirten.'

'Dacht je dat ik daarnet met je aan flirten was?'

Hij pakte een schroevendraaier van de werkbank en draaide die in zijn handen om en om. 'Nou, dat weet ik niet precies. Ik weet niet wat meisjes doen als ze flirten.'

Opgelucht dat hij haar gewoon verkeerd begrepen had, barstte ze in lachen uit.

'Wat valt er te lachen?' vroeg hij met gefronste wenkbrauwen.

'Het idee! Dat je dacht dat ik met je aan het flirten was!'

'Was dat dan niet zo?'

Ze kon gewoon niet ophouden met lachen. 'Arme Sietze. Wat zou jij buiten Haven's End moeten beginnen, als je in aanraking kwam met meisjes die daadwerkelijk de kunst van het flirten beoefenen?'

'De kunst van het flirten?'

'Mmm,' antwoordde ze luchtig; ze voelde weer grond onder de voeten. 'Het is een hoogontwikkelde kunstvorm.'

'Vertel er eens iets van.' Zijn frons werd dieper.

'Nou, ik heb heel wat praatjes gehoord van andere meisjes. Sommige van hen hebben zelfs stiekem met jongens gezoend – tijdens dansfeestjes, achter de kamerpalmen of op een donker balkon...'

'En jij hebt hun voorbeeld gevolgd?'

'Absoluut niet! Ik flirt nooit!'

'En hoe noem je je gedrag van daarnet dan?'

'Dat zei ik al. Er is niets verkeerds aan als wij elkaar zoenen.'

Hij blies geërgerd. 'Je kunt dat soort dingen niet in het wilde weg tegen mannen zeggen. Ze zullen denken dat je een flirt bent, of... of een vrouw van losse zeden of zoiets.'

'Sietze de Vries, ik begrijp helemaal niets meer van jou!' Ze zette haar handen op haar heupen. 'Sinds die bewuste avond voel ik dat er iets tussen ons is en ik dacht dat jij hetzelfde voelde. Maar in plaats daarvan gedraag jij je steeds zo vreemd. Wat is er toch met je?'

Hij stond roerloos en zijn onbewogen gezicht verried niets van wat er in hem omging.

'O, ik geef het op! Je bent onuitstaanbaar! Ik heb nog nooit zo'n botte, verwaande, zelfingenomen...' Voordat hij de rest van de zin kon horen, stampte ze naar de deur en sloeg die met een klap achter zich dicht.

9

'ergis u niet, God laat niet met zich spotten: wat een mens zaait, zal hij ook oogsten. Wie op de akker van zijn zondige natuur zaait oogst de dood, maar wie op de akker van de Geest zaait oogst het eeuwige leven.'

Met gefronste wenkbrauwen las Cherish de voorgeschreven tekst uit haar bijbels dagboekje. De woorden maakten haar onrustig, vooral als ze daarbij terugdacht aan de scène van de vorige dag. 'Zondige natuur' kwam verontrustend dicht in de buurt van wat ze in Sietzes nabijheid had gevoeld, terwijl zijn hart klopte onder haar handpalm.

De bijbeltekst klonk streng en onverbiddelijk. 'God laat niet met zich spotten.' De woorden hadden iets onbuigzaams en ze besefte dat God de afgelopen weken haar gesol met Sietze had gadegeslagen – het telkens had gezien als ze met opzet dicht bij hem ging staan, als haar hand of arm of zelfs haar hele lichaam 'per ongeluk' tegen hem aan stootte.

Nu knielde ze naast haar bed en bad of de Heer haar wilde helpen zijn woorden aan te nemen. *Is het verkeerd om op deze manier van Sietze te houden? Het ene moment zit ik vol liefde, maar even later ben ik woest op hem. Ik begrijp er niets van!*

Ze bladerde terug naar de eerste brief aan de Korintiërs en

las het hoofdstuk over de liefde. 'De liefde kent geen af-gunst, geen ijdel vertoon en geen zelfgenoegzaamheid. Ze is niet grof en niet zelfzuchtig... Alles verdraagt ze, alles gelooft ze, alles hoopt ze, in alles volhardt ze.'

In het licht van Gods liefde bleek nog duidelijker hoe schan-delijk haar gedrag was geweest. Terwijl ze daar zo geknield lag en stil wachtte op leiding, kwam het bij haar op dat ze toch wel ver verwijderd was geraakt van het vurige geloof dat haar bezield had in de tijd kort na haar bekering. Op een gegeven moment en op een bepaalde manier was ze uitge-blust geraakt en ze had het tot op dit ogenblik niet eens gemerkt. Kwam dat misschien omdat ze het te druk had met leven?

Ze zocht nog wat verder in haar bijbel. 'Laten we daarom het goede doen, zonder op te geven, want als we niet verzwak-ken zullen we oogsten wanneer de tijd daarvoor gekomen is.' Deze woorden gaven haar nieuwe moed; ze voelde zich erdoor gesterkt in haar geloof dat haar liefde voor Sietze toe-komst had.

'Laten we dus, in de tijd die ons nog rest, voor iedereen het goede doen...'

Ze liet de aansporing op zich inwerken. Misschien had ze in de afgelopen jaren het werk van de Heer wel verwaarloosd. Welnu, ze zou opnieuw beginnen.

Ze zag een verlegen gezichtje voor zich. Misschien moest ze nu maar eens serieus werk gaan maken van haar vriend-schap met dat meisje. Ze vouwde opnieuw haar handen en boog haar hoofd.

Lieve Heer, help me om een goede vriendin voor Annalise te zijn. Help me om haar uw liefde te laten zien...

Ze hield haar belofte en vroeg haar vader of ze Annalise voor een paar dagen te logeren mocht vragen, maar dan zonder Warren.

'Weet je zeker dat je haar broer er niet bij wilt hebben?' vroeg haar vader. 'Hij is zo'n aardige jongeman.'

'Ik weet het zeker, papa. Tob nou maar niet. Er komen nog genoeg gelegenheden om meneer Townsend te ontmoeten. Ik vind het gewoon leuk om Annalise beter te leren kennen.'

'Goed dan. Ik ga straks toch naar Hatsfield, dan geef ik je uitnodiging wel door.'

Nu stond Cherish in de werkplaats op Sietze te wachten. Ze wist niet goed hoe ze zich vanaf nu in zijn nabijheid moest gedragen. In ieder geval had ze besloten haar gevoelens beter in toom te houden. Het was duidelijk dat hij er nog niet aan toe was om haar anders te zien dan als de kleine Cherry.

Zuchtend greep ze het schuurpapier en concentreerde zich op de boot in aanbouw.

De deur vloog met een slag open en Sietze kwam binnen met een stapel planken. Onmiddellijk dacht ze alleen nog maar aan de boot. 'Gaan we met de beplanking beginnen?' vroeg ze, legde het schuurpapier neer en liep enthousiast naar hem toe.

Hij wierp haar een scherpe blik toe en liet toen het hout op de vloer zakken. 'Inderdaad. Dit is een partij uitstekend hout; het heeft de hele winter liggen drogen. We doen eerst de schalmlatten en daarna leggen we de kielgang.'

Uit geen enkele blik of opmerking bleek dat Sietze zich hun gesprek van de vorige dag nog herinnerde, wat bij Cherish zowel ergernis als schaamte opwekte. Liet ze hem dan werkelijk zo ijskoud, en dat terwijl zijn nabijheid haar hele lichaam deed tintelen? Af en toe reikte Sietze langs haar heen, of kruisten hun blikken elkaar, maar dat was een schrale troost en als het zich voordeed keken ze allebei snel een andere kant op.

Een poosje werkten ze zwijgend door. Ze bevestigden de tijdelijke planken, die schalmlatten werden genoemd, langs de ribben van de romp om de juiste afmetingen te bepalen voor de definitieve beplanking die later aangebracht zou worden. Toen ze de zoveelste schalmlat tegen de kiel aan zetten, zei

Sietze plotseling: 'Cherish, wat ik gisteren bedoelde, toen ik je waarschuwde in verband met je gedrag tegenover mannen...'

Zijn betuttelende toon maakte haar woedend. Hij was haar oudere broer niet! Als hij dacht dat ze er een gewoonte van maakte, jongemannen te vragen haar te kussen, dan kende hij Cherish Winslow slecht. Maar hoewel ze lang zo kalm niet was als ze zich voordeed, en gevoelens van frustratie en vernedering in haar binnenste om voorrang streden, deed ze haar best zichzelf de woorden voor te houden die ze vanmorgen in de Schrift had gelezen: 'Wie op de akker van de Geest zaait oogst het eeuwige leven.' Ze keek hem vast aan, totdat hij zijn ogen neersloeg. 'Ik zal je vertellen, Sietze, dat er een ding is dat ik niet nodig heb,' zei ze toen liefjes.

'En dat is?'

'Een preek over het flirten met jongemannen.'

Daarna vervielen ze weer tot stilzwijgen en Sietze stelde haar alleen nog vragen als het werk dat vereiste.

De dagen met Annalise waren veel minder saai dan Cherish had gevreesd. Ze besefte dat dat voor een groot deel met haar eigen instelling te maken had. Al de eerste dag had ze Annalise meegenomen het dorp in om een paar jeugdvriendinnen te bezoeken, en vanmorgen hadden ze samen molsla en eetbare varens geplukt in het bos.

Die avond richtte Cherish' vader zich bij het eten tot Sietze: 'Zou jij vanavond de meisjes naar de dansschuur willen rijden? Ik vind het niet prettig om ze zonder begeleiding te laten gaan, en zelf ben ik een beetje moe.'

'Gaat het wel goed met u, papa? We kunnen ook thuis blijven, hoor.'

'O, het gaat best. Als ik even rustig met mijn benen omhoog de krant kan lezen, ben ik weer helemaal de oude.'

Cherish' vader wachtte nog steeds Sietzes antwoord af, toen Cherish er alweer tussenkwam. 'Het geeft niks, we kunnen best zelf gaan. Het is maar ruim een kilometer naar het dorp en het is prachtig weer.'

'Ik zal ze wel brengen, meneer Winslow. Dat is echt geen moeite.'

Cherish staarde naar hem, maar hij keek haar niet aan en hield zijn ogen strak op zijn bord gevestigd. Ze wierp een blik op Annalise die er maar al te blij uitzag, om niet te zeggen dat ze zat te stralen. Cherish dacht aan de bijbeltekst over de liefde die zichzelf niet zoekt en pakte zuchtend haar vork.

Ze waagde nog een poging. 'We zouden naar Julie kunnen lopen en dan met haar verder rijden.'

'Nee, ik kan jullie best brengen,' herhaalde Sietze die nog steeds niet naar haar keek. Ze begreep er niets van. Behalve... Ze keek nadenkend naar het meisje naast haar. Zou het vanwege Annalise zijn? Ze prikte het laatste stukje vistaart aan haar vork en veegde er haar bord mee schoon. Deze keer zou ze er maar niet op rekenen dat ze met hem kon dansen. Ze stak de hap in haar mond en voelde hoe die in haar keel bleef steken.

Heer, help me om me niet aan hem op te dringen.

Ze slikte de vistaart door. Hoewel haar ogen plotseling zwommen van tranen voelde ze ook de troostende aanwezigheid van Gods Geest en ondanks haar verdriet ging er een golf van blijdschap door haar heen.

Toen ze bij de dansschuur aankwamen, maakte Cherish aanstalten om op eigen houtje de wagen af te klimmen, met de bedoeling Sietze gelegenheid te geven om Annalise te helpen. Maar zodra ze van haar zitplaats was opgestaan, stond Sietze al voor haar, legde zijn handen om haar middel en zette haar met een zwaai op de grond. Even zocht ze zijn blik, maar hij vermeed haar ogen door over haar hoofd heen naar een punt in de verte te kijken. Met zwierende rokken zette ze koers naar de schuur, zonder zich verder om Sietze en Annalise te bekommeren. Pas bij de deur keek ze om. Ze moest toegeven, ook al deed het pijn, dat ze een aantrekkelijk paar vormden. Haastig wendde ze zich af. Ze moest en zou haar gevoelens in bedwang houden, anders zou ze de avond voor Annalise bederven.

Schenk mij uw genade, Heer, opdat ik uw wil mag doen.

Met opzet bleef ze daarna bij Sietze uit de buurt. Ze begroette haar oude kennissen en stelde hen opnieuw aan Annalise voor. Er vormde zich een kring van mensen om hen heen en toen ze rondkeek, ontdekte ze dat Sietze was verdwenen. Na enig speuren zag ze hem aan de andere kant van de danszaal staan, druk in gesprek met een paar andere jongemannen. Toen begon de muziek en had ze geen tijd meer om aan Sietze te denken. Ze greep Annalise bij de hand en trok haar mee in de dansopstelling voor de square.

Later op de avond, toen degene die de dansfiguren moest afroepen even pauze had genomen en de muzikanten een wals inzetten, zaten Cherish en Annalise plotseling zonder partner. Cherish keek om zich heen en besefte dat geen enkele jongeman een van hen beiden zou vragen. Ze begon te lachen. Zoiets was haar in jaren niet overkomen. Ze had altijd meer dan genoeg partners, en de jongemannen smeekten haar hun naam in haar balboekje te mogen schrijven. Maar hier werd niet met een balboekje gewerkt. Dit was gewoon een gezellige avond van een stel jonge mensen die samen waren opgegroeid, in families die elkaar allemaal kenden. Glimlachend keek ze naar de dansende paren, alsof ze zeggen wilde: 'Hè, heerlijk om even te kunnen zitten! Hoe het jullie vergaat weet ik niet, maar ik heb zere voeten!' Ze tuurde naar de punten van haar muiltjes.

Daarna begon ze de dansers te observeren, nonchalant, alsof het voor Cherish Winslow de normaalste zaak van de wereld was om een complete dans uit te zitten. Een vreemde weemoed overviel haar bij het zien van al die vrienden uit haar kindertijd. Ook voor hen had de tijd niet stilgestaan in de jaren dat zij weg was om haar opleiding te voltooien en nieuwe indrukken op te doen. Zij hadden ook doorgeleefd, zij het in een ander tempo.

Daar had je nu Julie met Matt, Rachel met Jed en Alice met Douglas. Ze kenden elkaar al hun hele leven en zonder dat Cherish er iets van had geweten, waren ze paren gaan vormen. Nu ze hen zo gadesloeg kwamen haar ook de andere signalen weer in gedachten die ze de afgelopen weken had opgevangen en Cherish twijfelde er niet aan, dat binnenkort de eerste verlovingen bekendgemaakt zouden worden.

Voor het eerst voelde ze zich een buitenstaander in haar eigen geboortedorp. Wat was er gebeurd? Was ze meer ontwikkeld dan aanvaardbaar voor hen was? Meer dan goed was voor haarzelf?

Aan de andere kant van de dansvloer stonden Sietze en zijn vriend Charlie van hun cider te nippen en naar de dansers te kijken die over de kale houten vloer zwierden.

'Zou je me een plezier willen doen?' vroeg Sietze zijn vriend.

Charlie nam een slok en veegde zijn mond af met de rug van zijn hand. 'Wat dan?'

'Vraag juffrouw Townsend ten dans.'

'Dezelfde met wie ik op jouw verzoek bij Cherish' welkomstfeest heb gedanst?'

'Inderdaad.'

Charlie keek zijn vriend vragend aan. 'Weet je zeker dat je dat niet erg vindt? Vraag je haar niet liever zelf?'

'Nee, natuurlijk niet.'

'Nou ja, ik dacht even... Eerst dat feest van Cherish... en toen ging je ook nog eens een weekend logeren bij haar thuis.'

'Ik was gewoon aardig voor haar om Cherish een plezier te doen,' zei hij, geërgerd dat hij gedwongen werd zich nader te verklaren. 'Ze hebben me alleen maar in Hatsfield uitgenodigd omdat we anders met een oneven aantal zouden zijn.'

'O, nou, als het jou niet kan schelen. Het is een leuk meisje om te zien. Ze zegt alleen niet veel.'

'Nou, dat moet jij dan maar doen,' stelde Sietze rustig voor. Hij deed zijn best niets te laten merken van zijn groeiende ongeduld. Straks was de dans al voorbij voordat hij zijn vriend had overgehaald. 'Als jij tegen haar praat, zegt ze heus wel iets terug.'

'Goed dan,' antwoordde Charlie grijnzend. Hij keek even nadenkend voor zich uit en vroeg toen: 'Je hebt toch geen oogje op Cherish, of wel?'

'Hoe kom je daar nou bij?' vroeg hij, scherper dan de bedoeling was.

'O, weet ik veel. Jullie zijn anders maar vaak samen.'

'We zijn min of meer samen opgegroeid. Dat betekent nog niet dat we verliefd op elkaar zijn.'

'Nee, natuurlijk niet,' antwoordde Charlie. Zijn veelbetekenend grijns verbreedde zich. 'En als die ouwe Winslow d'r ooit lucht van zou krijgen, nou, dan zou hij je wel bij haar uit de buurt houden. Weet je echt zeker dat je zelf niet een poging bij juffrouw Townsend wilt wagen? Bij de ouwe Townsend vergeleken is Winslow maar klein wild. Denk je eens in: je zou zelf een of twee scheepswerven kunnen bezitten!'

'Ja, vast.'

'Als je het spel handig speelt en je valt bij Townsend in de smaak, zit je voor de rest van je leven gebakken.'

Sietze glimlachte bij de gedachte. 'Ja, vast,' herhaalde hij.

'Oké dan,' zei Charlie lijzig, zette zijn beker neer en slenterde langs de rand van de dansvloer naar Annalise.

Ook Sietze zette zijn beker neer. Terwijl hij achter Charlie aan liep, wist hij dat dit de reden was waarom hij vanavond was gegaan. Al op het moment dat hij inging op Winslows verzoek, en ook later tijdens het scheren en aankleden en het ophalen van de wagen, had hij geweten waarom hij wilde gaan. Sinds het vorige dansfeestje in Cherish' huis, waarbij hij haar met opzet had gemeden, had dit verlangen diep in zijn onderbewuste gesluimerd, wachtend op een goed moment om in daden te worden omgezet.

De wals was nog niet afgelopen en een beetje schuchter vroeg Charlie Annalise ten dans. Cherish keek geamuseerd toe. 'Vooruit maar, Annalise,' drong ze aan. 'Ik red me wel. Mijn voeten hebben even rust nodig.'
Ze keek naar de dansers en haar tenen wipten mee op de maat. De wals liep ten einde en de volgende werd ingezet. Daar zat ze nou, Cherish Winslow, van wie Annalise had gezegd dat ze het stralende middelpunt van ieder feestje was – niet een, maar zelfs twee dansen als muurbloempje aan de kant. Als het niet zo'n bittere pil was geweest, had ze het zelfs grappig kunnen vinden. Ze had het gevoel of er elk moment barstjes in haar lippen konden springen van het voortdurend krampachtige glimlachen.
Ze weigerde om zich heen te kijken om te zien waar Sietze uithing. In plaats daarvan volgde haar blik de rondgang van Annalise en Charlie over de dansvloer.
'Partner nodig?'
Ze viel bijna uit haar rol, toen ze het lage, vertrouwde stem-geluid boven haar hoofd hoorde. Bij de herinnering aan zijn kritische houding kwam ze even in de verleiding om hem af te wijzen. Maar toen keek ze naar hem op en haar adem stokte in haar keel. Hij zag er zo knap uit. Zijn scherpe trek-ken hadden zich verzacht en er lag een tedere uitdrukking in zijn grijze ogen.
'Ik heb geen partner *nodig*,' herinnerde ze hem met kalme waardigheid aan haar eigen woorden. 'Maar als jij jezelf aan-biedt, dan wil ik je aanbod welwillend aanvaarden.'
Hij stak zijn hand uit en ze legde de hare erin.
Vastbesloten niets van haar emoties te laten merken, nam ze de juiste danshouding aan: een armlengte van hem af, met haar ene hand lichtjes op zijn mouw en de andere hand in

de zijne. Zo begaven ze zich tussen de andere dansers en voegden zich naar het ritme van de muziek.

'Ik ben nog steeds niet zo goed in walsen,' zei hij boven haar hoofd.

Ze slikte een bitse opmerking over zijn pogingen met Annalise in. 'Je danst prima,' zei ze.

Naarmate de dans langer duurde, liet Cherish haar terughoudendheid een beetje varen en stond ze zichzelf toe te genieten van zijn arm om haar middel en haar hand in de zijne. Ze durfde alleen niet naar hem te kijken – bang voor wat ze in zijn ogen zou zien: diezelfde superieure houding van de oudere broer, of medelijden omdat ze zonder partner had gezeten, of, het ergst van alles, onverschilligheid.

Daarom bleef ze strak over zijn schouder kijken naar de andere dansers die langs hen heen wervelden. Ze glimlachte toen ze een glimp van Charlie en Annalise opving. Charlie was druk aan het praten en ze vroeg zich af wat hij haar allemaal te vertellen had. Daar zou ze Annalise vanavond eens flink mee plagen.

Gehoor gevend aan een impuls keek ze naar Sietze op om iets over Charlie te zeggen, maar de woorden bestierven haar op de lippen. Sietze keek op haar neer met een blik die ze nog nooit eerder in zijn ogen had gezien. Het leek alsof de luiken voor zijn ogen zich gedurende een fractie van een seconde openden, zodat ze diep in zijn ziel kon kijken. Hij zag er kwetsbaar en hulpeloos uit.

Ze glimlachte voorzichtig, maar meteen wendde hij zijn blik af en ze vroeg zich af of ze het zich misschien had verbeeld.

'Wat wilde je zeggen?' vroeg hij.

'Eh... o, gewoon, dat Charlie en Annalise het wel naar hun zin lijken te hebben.'

'Ja,' antwoordde hij.

'Vind je dat niet vervelend?' waagde ze.

Nu keek hij weer naar haar en er verscheen een rimpel in zijn voorhoofd.

'Vervelend? Waarom zou ik? Ik heb Charlie zelf gevraagd of hij haar ten dans wilde vragen.'

'Echt waar?' Ze glimlachte breed. 'Ik dacht dat je Annalise zo aardig vond.'

'Waarom probeert iedereen me toch aan Annalise te koppelen?' Dit keer klonk de ergernis duidelijk door in zijn stem.

'Nou, je wilde bijvoorbeeld maar al te graag dat ik vriendschap met haar zou sluiten.'

Stomverbaasd keek hij haar aan. 'Ik wilde gewoon dat je haar vriendelijk en fatsoenlijk zou behandelen, zoals je gewoonte is. Dat is alles. Dat wil toch niet zeggen dat ik een oogje op haar heb.'

'Oh.' Ze zei verder niets meer en hield haar blik gevestigd op de revers van Sietzes colbert, maar verstevigde nauwelijks merkbaar haar greep op zijn schouder. Een wilde vreugde welde in haar op en dreigde haar te overspoelen. *Wie had dat nou gedacht? Hij heeft helemaal geen oogje op Annalise. En hij keek naar mij alsof ik hem niet onverschillig laat...*

Toen de dans afgelopen was schonk ze hem haar liefste glimlach en vroeg om nog een wals. En daarop volgde er nog een en nog een.

Tegen de tijd dat Sietze weer bij zijn positieven kwam, besefte hij dat hij meer dan de helft van de avond uitsluitend met Cherish had gedanst.

10

D e dagen erna regende het aan een stuk door. Aanvankelijk was Cherish er blij om; nu zou ze hele dagen met Sietze aan de boot kunnen werken. Haar blijdschap duurde niet lang, want ze kwam er al gauw achter dat alle andere werknemers van de scheepswerf die dagen eveneens in de werkplaats doorbrachten, met allerlei klusjes aan de verschillende kleinere boten die daar in aanbouw stonden.

'Ben je nog steeds zo in boten geïnteresseerd, Cherish?' vroeg Ezra haar. 'Ik doch' zo dat je niet meer zoveul zin zou hebben in vuile handen, nu je zo'n mooie jongedame geworden bent.'

Ze keek lachend naar haar handen. De lange, gepolijste nagels waren verdwenen. 'Vind je me dan in mijn werkkleren geen mooie jongedame?' Terwijl ze de vraag stelde, keek ze zijdelings naar Sietze. Die stond in volle concentratie over de romp gebogen, en maakte potloodaantekeningen op een stukje papier. Hij leek Cherish' blik niet op te merken.

'O, zelfs met alleen een stel lompen an je lijf was jij nog steeds een mooie jongedame,' grinnikte de oude arbeider.

Het was Cherish opgevallen dat Sietze in de afgelopen dagen afstandelijker had geleken dan ooit. Zijn houding jegens haar was voorkomend, maar nooit maakte hij eens een speelse of plagende opmerking. Nog geen blik in zijn ogen verried dat zij meer voor hem was dan een collega. Desondanks danste haar hart nog altijd van blijdschap. Steeds weer dacht ze terug aan die niets verhullende blik die ze even had opgevangen en dan herhaalde ze bij zichzelf: 'Hij voelt echt iets voor me!'

De vraag was alleen: wat dan precies? Ze probeerde van alles om dat te ontdekken, maar zonder de directe aanpak die ze eerder had gehanteerd. Zodra ze maar even de gelegenheid had – en dat kwam vaak voor – vroeg ze hem bij het een of ander om hulp. Maar noch uit een blik, noch uit een gebaar kon ze ooit opmaken dat haar nabijheid hem iets deed.

'Sietze, wat vind je hiervan?' vroeg ze hem nu vanaf de andere kant van de romp.

'Hè, wat?' Hij had zijn aandacht nog steeds bij de getallen die hij aan het noteren was.

'Denk je dat ik het zo voldoende afgeschuind heb?'

Hij liep om naar haar kant en hurkte naast haar neer. Samen bekeken ze de plank die ze tijdelijk tegen het geraamte had bevestigd en onderzochten hoe goed die aansloot bij de verticale ribben. Hij wees op een miniem spleetje. 'Volgens mij moet je het hier nog wat bijwerken.'

'O, ja, ik zie het.'

'Hoe gaat het met de jongeheer Townsend?'

Het was Ezra die de vraag stelde en Cherish keek op. 'Wel goed, neem ik aan.'

'Da's nou wat ik een deftige jongeman noem. Ik wed dattie wel ken waarderen wat je allemaal aan de andere kant van de oceaan heb geleerd,' kwam William ertussen vanaf de andere kant van de werkplaats.

'De Townsends hebben toch maar een mooi bedrijf daar in Hatsfield,' voegde Ezra eraan toe. 'Ik heb gehoord dat ze het vervoer van timmerhout nog willen uitbreiden en dus meer schoeners nodig hebben.' Hij schoof het potlood achter zijn oor recht.

'Ik heb gehoord dat de scheepswerf bij de steenbakkerij van 't jaar dichtgaat.' William schudde droefgeestig zijn hoofd.

'Yep. 't Is zonde, en dat is het,' zuchtte Ezra hartgrondig.

Sietze nam geen deel aan het gesprek. Hij had zijn berekeningen meegenomen naar de werkbank, waarop een lange, cederhouten plank lag. Cherish wist dat het van levensbelang was om de ronding van de romp exact op dat hout over te brengen.

Net op dat moment kwam haar vader de werkplaats in. 'Heren, als u voor de middagpauze even naar mijn kantoor wilt komen? Ik heb uw loonzakjes daar klaarliggen.'

'We zijn er zo!' riepen de arbeiders in koor, maar Sietze deed net alsof hij het niet eens had gehoord. Hij werkte gewoon door aan de plank die hij voor de definitieve scheepsromp op maat aan het maken was.

Cherish haalde haar eigen plank van het bootskelet af en nam hem mee naar de werkbank om hem bij te schuren. Terwijl haar hand heen en weer ging over het gladde hout, was ze in gedachten voortdurend bezig met de impasse waarin ze met Sietze verzeild was geraakt. Sinds het dansfeest bleef hij voortdurend bij haar uit de buurt, zo opvallend dat ze zich afvroeg of hij het soms expres deed. Maar waarom zou hij dan uitsluitend met haar gedanst hebben?

Nadat hij zijn loon had opgehaald, trok Sietze een van de muurpanelen van zijn kamer weg. Hij stak een arm in de donkere ruimte erachter en haalde een metalen kistje tevoorschijn. Met behulp van een sleutel die aan een touwtje om zijn nek hing maakte hij het slot open en haalde het deksel eraf. In het kistje lagen strak opgerolde bundeltjes bankbiljetten en stapeltjes gouden en zilveren munten.

Voorzichtig maakte hij het touwtje rond een van de bundeltjes los en voegde de biljetten die hij zojuist van Winslow had gekregen eraan toe. Daarna bond hij het weer bijeen en legde het terug bij de rest. Even nog keek hij naar zijn schat, denkend aan de jaren van zwoegen die nodig waren geweest om het kistje te vullen.

Hij maakte maar weinig kosten. Winslow gaf hem kost en inwoning en mevrouw Sullivan hield zijn kleren netjes, totdat er eenvoudig niets meer aan te verstellen viel, en pas dan gaf hij geld uit voor iets nieuws. Hij dronk niet en gokte ook niet, iets wat de meeste arbeiders van de werf op vrijdagavond wel deden. Hij ging niet met meisjes uit en had alle gedachten aan een huwelijk uit zijn hoofd gezet; dat kwam pas wanneer hij eindelijk zijn eigen scheepswerf zou hebben.

Hij vergeleek zijn stapeltje spaargeld met de jaren van opoffering en een onverklaarbare wanhoop overviel hem. Het schoot hem ineens te binnen dat een enkele japon die Cherish uit Parijs had meegenomen meer kostte dan wat hij hier in zijn tinnen kistje had.

Hij wreef over zijn voorhoofd en probeerde zijn vertwijfeling de baas te worden. Wat had het hem nu opgeleverd dat hij al die jaren zo zuinig was geweest? Een armzalig stapeltje munten en bankbiljetten. Hij dacht aan de jongens en meisjes op het dansfeest. Hij was samen met hen opgegroeid. Nu begonnen zij aan trouwen te denken, aan het stichten van een gezin, het openen van een eigen zaak of het overnemen van de ouderlijke boerderij, of aan het bouwen van een eigen vissersboot. Voor het eerst van zijn leven was hij jaloers op hen.

Nooit eerder was hij in de verleiding gekomen zijn gekozen koers te verlaten – tot op dit moment. Maar hij moest en zou voorkomen dat dit dwaze, onbesuisde en onmogelijke verlangen naar de dochter van zijn werkgever hem van zijn doel zou afleiden. Sietze deed het kistje weer op slot en zette het terug in de schuilplaats. Zijn beheerste gebaren vormden een scherp contrast met zijn chaotische gedachten.

Op zaterdag was het weer warm en zonnig. Cherish wist dat

het vandaag veel rustiger in de werkplaats zou zijn. Alle mannen waren terug naar de werf. Hoewel ze op zaterdag meestal niet naar de werkplaats ging, had ze nu aan Sietze gevraagd om een paar uur met haar aan de boot te werken.

Hij was er al toen ze binnenkwam en zette net een plank vast op de romp. Cherish bekeek het vaartuig met voldoening. Het schoot lekker op; ze waren al halverwege met de beplanking.

'Hallo,' zei ze. 'Hulp nodig?'

Hij keek haar even aan en werkte toen weer stug door. 'Hou het andere eind maar even vast.'

Ze deed wat hij vroeg. Ze vond het prettig om naar hem te kunnen kijken, terwijl hij de plank zorgvuldig tegen de vorige aanschoof en controleerde of de aansluiting goed genoeg was. Dat was niet zo, en hij ging rechtop staan.

'Goed, laat maar los. Ik moet deze nog wat bijschuren.'

Cherish ging nu aan de andere kant van de boot met haar eigen planken aan het werk. Gestaag werkten ze samen door. Af en toe keek ze naar Sietze, in de hoop dat ze hem opnieuw op zo'n veelbetekenende blik zou kunnen betrappen, maar vergeefs.

'Ben je nog van plan binnenkort weer eens naar Hatsfield te gaan?' vroeg hij plotseling, tot haar verbazing.

'Nee. Hoezo, jij wel dan?'

Nu keek hij haar wel aan. 'Nee.'

Ze werkten weer even zwijgend door en toen vroeg hij: 'Heb je al plannen voor het weekend?'

'Niet een,' antwoordde ze, terwijl ze het ene uiteinde van haar plank vastzette met een klamp.

'Dat is niks voor jou.'

'Waarom zou ik niet eens een rustig weekendje thuis mogen hebben?'

Hij haalde zijn schouders op. 'Van mij mag je. Ik vroeg het alleen maar omdat je sinds je thuiskomst ieder weekend iets hebt gehad. Vorige week is Annalise hier geweest. Daarom

dacht ik dat je misschien dit weekend naar haar toe zou gaan.'
'Nee, hoor. Ik ben niet uitgenodigd.'
'Was je anders wel gegaan?'
Ze keek op, verbaasd om zijn vasthoudendheid.
'Dat weet ik niet. Zoals het weekend nu verloopt, bevalt het me ook prima. We hebben bijvoorbeeld veel meer aan de boot kunnen doen. Vind jij dat ook niet prettig?'
Hij haalde opnieuw zijn schouders op. 'Ja, hoor.'
Ze verbeet haar ergernis. Zo af en toe kon hij zo vervelend nonchalant doen! Zo nonchalant dat ze geen idee had wat hij nu werkelijk dacht.
Recht tegenover haar boog hij zich nu over een plank. Een dikke lok goudblond haar viel over zijn voorhoofd. Impulsief stak Cherish haar hand uit en duwde de lok met haar vingertoppen weer terug.
Hij kromp in elkaar en liet zijn potlood vallen. 'Doe dat alsjeblieft niet, Cherish,' zei hij zacht maar flink.
Ze trok haar hand terug alsof hij haar een tik op de vingers had gegeven. Was dit nou de jongen met wie ze was opgegroeid, die altijd haar beste vriend was geweest, voor wie ze de grootste bewondering had gekoesterd, de jongen die altijd zo geduldig en vriendelijk was, zelfs in zijn plagerijtjes? Dikke tranen sprongen in haar ogen.
Hij mocht niet zien dat hij haar gekwetst had. Terwijl hij zich bukte om zijn potlood op te rapen, schoof ze vlug bij de boot vandaan. Maar ze had nog maar twee stappen gedaan, toen Sietze opkeek en haar betraande ogen zag. Vlug draaide ze zich om.
'Het spijt me, Cherish. Het was niet mijn bedoeling zo tegen je uit te vallen.'
Ze liep gewoon door. Ze wilde zo snel mogelijk de werkplaats uit zijn.
'Toe nou, Cherish.' Voor het eerst in weken klonk zijn stem smekend. 'Ga nou niet weg. Ik wilde je niet van streek maken.'

Ze legde haar hand op de deurklink. 'Ik ben ook niet van streek,' zei ze zo beheerst mogelijk. Nu zou ze de deur open doen en naar buiten gaan. Maar in plaats daarvan zei ze: 'Weet je, die avond op het dansfeest gedroeg je je bijna weer zoals vroeger. Ik stond daar maar te kijken hoe iedereen aan het dansen was en plezier had, en ik besefte dat ze allemaal volwassen waren geworden en verder waren gekomen in het leven in de tijd dat ik weg was. De meeste jongens en meisjes vormden al paren. Ik voelde me ineens een buiten-beentje. Ondanks papa's goede bedoelingen heeft hij me misschien een beetje te veel beschaving bijgebracht. Ik pas hier gewoon niet meer. Misschien ben ik wel zo gepolijst dat ik licht geef en de mensen in de ogen schijn.'
Ze lachte, een korte, bittere lach.
'Maar toen kwam jij me redden als een echte held, en vroeg me ten dans.' Ze zuchtte en zei tegen de deurklink: 'Ik weet het niet, Sietze, maar sinds ik weer thuis ben heb ik het gevoel dat ik geen goed meer bij je kan doen. Ik geef het op. Als jij gewoon te blind bent, en te ongevoelig om te mer-ken dat ik om je geef...' Ze begon te hakkelen, maar zette dapper door. 'Dan moet je maar weten, Sietze de Vries, dat ik het heel goed zonder jouw genegenheid kan stellen.'
Tergend langzaam tikten de seconden voorbij en hoe langer hij bleef zwijgen, hoe belachelijker ze zich voelde. Met een ruk draaide ze de klink om, maar voor ze de deur kon open-trekken, begon hij te praten. 'Je verwijt me dat ik geen gevoel heb.' Ze hoorde dat hij zacht moest lachen. 'Is het soms ongevoelig van me dat ik niets liever wil dan jou te kussen, sinds die keer dat onze lippen elkaar per ongeluk raakten? Dat ik sindsdien aan weinig anders meer heb gedacht?'
Langzaam draaide Cherish zich om, met haar hand nog steeds aan de klink, totaal in de ban van zijn kalme bekente-nis. Sietze stond er nog net zo als ze hem achter had gelaten, aan de andere kant van de omgekeerde romp, met de passer en het potlood in zijn hand.

'Je zegt dat het mij niet opvalt dat je een vrouw bent geworden. Cherish, hoe zou ik dat ooit niet kunnen zien? Iedere keer dat je langs me loopt en ik de seringengeur in je haren ruik, moet ik mezelf bedwingen om mijn armen niet om je heen te slaan. Telkens wanneer je arm per ongeluk langs me heen strijkt, gaat er een rilling door me heen. En telkens wanneer je zo vol vertrouwen je hand in de mijne legt, net als vroeger, wil ik je heel dicht tegen me aan houden.'

Cherish slaakte een diepe zucht. Nu pas merkte ze dat ze al die tijd haar adem had ingehouden. 'O, Sietze, ik had nooit durven dromen...' Ze begon naar hem toe te lopen, maar toen ze halverwege de werkplaats was schudde hij zijn hoofd en zei alleen maar: 'Cherish.' Het klonk als een angstige smeekbede, maar ze liet zich er niet door tegenhouden; integendeel. Ze schoof langs de bootromp die tussen hen in stond, tot ze nog maar een paar centimeter van elkaar verwijderd waren. Hij slikte en ze zag zijn adamsappel op en neer gaan, maar voordat hij iets kon zeggen pakte ze het potlood en de passer uit zijn hand en liet die achter zich op de grond vallen. Hij verzette zich niet en de doffe klank van metaal op hout was het enige geluid in het vertrek.

'Laat het me dan eens zien,' zei ze zacht.

Langzaam bracht hij zijn gezicht naar het hare toe en deed zijn ogen dicht. Het leek een eeuwigheid te duren, maar eindelijk raakten hun lippen elkaar opnieuw. Ze gaf zich over, ging op haar tenen staan en legde haar handen op zijn borst om steun te zoeken. Zijn hart bonsde onder haar handpalmen. Ze greep zijn overhemd vast, bang om haar evenwicht te verliezen.

Hij drukte zijn lippen vast op haar mond en zijn handen omvatten haar schouders. Verder maakten hun lichamen nergens contact. Op dat ogenblik voelde Cherish zich voor altijd met hem verbonden. Hier had ze op gewacht, van gedroomd, om gebeden – al haar voorbereiding, al haar gehoorzame geduld van de afgelopen jaren vonden hun vervulling in dat ene moment van contact tussen handen en lippen.

Het volgende ogenblik begreep ze dat ze Sietzes zelfbeheersing ten onrechte voor ongevoeligheid had aangezien. Hij kuste haar zoals ze zelfs in haar stoutste dromen niet had durven denken. Hij kuste haar op een manier waarover ze haar flirtende vriendinnen nooit had gehoord. Dit was geen beleefd zoentje op de wang of een zachte streling van zijn lippen, zoals de eerste keer. Dit was veel intiemer dan alles wat ze zich ooit had voorgesteld. Na de eerste schrik gaf ze zich aan hem over, vastbesloten om alle barrières die tussen hen in stonden uit de weg te ruimen.

Zodra Sietze haar mond onder de zijne voelde, wist hij dat hij moest ophouden. Na een voorzichtige, kuise zoen zou hij zich terug moeten trekken. Maar hij kon het niet. Een aanraking, een vleugje van de zoete geur die ze bij zich droeg, een blik in die wijd open, onschuldige nevelblauwe ogen en het was met zijn zelfbeheersing gedaan. Als een droog stuk hout dat vlam vat, ontbrandden al zijn gevoelens. Hij voelde zich verteerd in een vuurzee die hij niet begreep en die hij zelf ook niet had aangestoken; en hoe hij hier weer levend uit moest komen, wist hij al helemaal niet. Maar niets van dat alles deed er nog toe.

Ze was als de lente – nieuw leven, hoop, warmte en licht overspoelden hem als een verpletterende vloedgolf. Ze fluisterde zijn naam en haar kleine handen legden zich tegen zijn wangen. Hij opende zijn ogen. Als een blinde probeerde ze zijn gezicht te lezen door haar vingertoppen langs zijn wangen, zijn slapen en zijn kaak te laten glijden. Hij sloot opnieuw zijn ogen toen ze zijn oogleden aanraakte en fluisterde in haar oor: 'Vertel me eens over al die aanbidders die je overal op het continent hebt achtergelaten... de prinsen en de graven... het zijn er vast tientallen.'

'Welke aanbidders?' antwoordde ze dromerig. 'Ik ben ze allemaal vergeten.'

Sietze grinnikte. Hij kon nog steeds niet geloven dat zij tweeën hier zo samen waren. Was dit echt Cherish die daar in zijn omhelzing stond? Opnieuw drukte hij zijn mond op de hare.

'*Cherish!* Wel alle donders!' Het gebrul van Tom Winslow deed hen elkaar loslaten. Voordat Sietze zich verder kon terugtrekken greep Cherish' vader hem bij zijn overhemd en rukte hem bij zijn dochter vandaan. Hij gaf Sietze een vuist-slag tegen zijn kaak, waardoor diens hoofd met een ruk naar achteren schoot.

Cherish gilde en greep haar vaders arm met beide handen vast. 'Papa, nee!' Maar opnieuw sloeg haar vader toe. Deze keer kwam de slag tegen zijn mondhoek en perste zijn tanden in zijn lip. 'Sietze, doe iets!' gilde Cherish. 'Papa, hou op!' Eindelijk smeet Winslow Sietze van zich af, met zo'n kracht dat deze een paar meter verderop op de vloer belandde. Snikkend klemde Cherish zich aan de arm van haar vader vast. 'Laat los,' schreeuwde hij tegen haar en schudde haar van zich af. Sietze kwam overeind om Cherish te bescher-men, maar daardoor trok hij opnieuw Winslows aandacht. 'Papa, u begrijpt er niets van! Wat bezielt u?' De tranen stroomden langs haar gezicht en ze stak beide handen naar hem uit.

'Drijf me niet tot het uiterste, kind. Ga naar huis, dan reken ik af met deze... deze...' Hij kon geen woorden vinden voor zijn afschuw en keek Sietze in plaats daarvan vol weerzin aan. 'Ga naar huis, Cherish.'

Cherish verroerde zich niet.

'Ga nu maar, Cherish,' zei Sietze zacht, terwijl hij het bloed wegveegde dat uit zijn mondhoek druppelde.

'Hou je kop!' brulde Winslow tegen hem.

Sietze zweeg, maar gaf Cherish nog een laatste knikje. Nog eens keek ze van haar vader naar Sietze, maar toen geen van beiden verder aandacht aan haar besteedde, liep ze lang-zaam de werkplaats uit.

De beide mannen bleven achter en Sietze, die Winslow recht aankeek, wist meteen dat dit het einde was.

'Ik kan je wel vermoorden! Als ik kon zou ik je nu meteen uit Haven's End verjagen, maar ik kan je alleen van mijn grond af sturen. Maak dat je wegkomt, nu!' In machteloze woede stak hij allebei zijn vuisten omhoog. 'Laat ik je hier nooit meer zien!'

Hij wendde zijn van haat gloeiende ogen van Sietze af en sloeg zijn handen voor zijn gezicht. Ongeloof en onbegrip klonken in zijn stem toen hij zei: 'En ik vertrouwde je nog wel. Ik liet je gewoon met Cherish omgaan, ik vertrouwde je bij mijn lieveling in de buurt...' Zijn stem brak en Sietze voelde zijn eigen hart ineenkrimpen bij de ontsteltenis van de oude man. Deze keek hem weer aan en maakte een weids armgebaar, alsof hij de hele werkplaats in een zwaai wilde omvatten. 'Alles heb ik je toevertrouwd, alles! Begrijp je wel? En wat is mijn dank? Een mes in mijn rug. Je pikt mijn enig kind in, mijn onschuldige meisje!' Opnieuw laaide zijn woede op en in zijn ogen brandde moordlust.

'Ik zei toch dat je op moest krassen? Eruit jij! *Eruit!*' Als een bezetene stormde hij op Sietze af en wilde zich op hem storten, maar Sietze wachtte de aanval niet af. Hij wist dat hij bij Cherish' vader geen enkele kans maakte en draaide zich om. Had hij niet geweten dat het zo zou aflopen?

Zo verliet hij de plaats die de afgelopen veertien jaar zijn thuis was geweest. Hij keek niet een keer om.

Blindelings liep Sietze naar de scheepswerf. Hij wist maar een plek te bedenken waar hij naartoe kon: zijn boot, zijn enige bezit.

'Ha, Sietze! Niet in de werkplaats?' riep Ezra hem vanaf de schoener toe. 'Alles kits? Wat is er gebeurd?'

Sietze keek de andere kant op, vervuld van een plotselinge schaamte. Niemand mocht weten dat hij zojuist als een zwerfhond de straat op was geschopt. Haastig liep hij de mannen voorbij. 'Ik ga even een eindje varen.'

Ezra wierp een blik op de lucht. 'Het ziet er wel een pietsie dreigend uit. Ik zou niet te ver gaan als ik jou was.'

Sietze moest hem gelijk geven. De bewolking was inderdaad dikker geworden. 'Nee, ik ga niet te ver.' Waar zou hij ook naartoe moeten, zonder geld of spullen? Het was nu te laat om daar nog aan te denken. Geen haar op zijn hoofd die eraan dacht om nu terug te gaan naar zijn kamer. *Zijn* kamer – wat een waanidee, dacht hij, terwijl hij zijn sloep naar het water trok en haar in de branding duwde.

Hij roeide naar zijn jacht en klom aan boord. Pas toen hij de haven uit was, op de oceaan, voelde hij zich vrij genoeg om na te denken over wat zich in de werkplaats had afgespeeld. Wat had hem bezield? Waarom had hij zich niet kunnen beheersen? Hij kende Cherish al veertien jaar. Waarom werd hij dan nu alleen al door haar aanwezigheid door zulke heftige emoties besprongen? Wekenlang had hij ertegen gevochten, hoe had het zich dan toch verder kunnen ontwikkelen? Wanneer had hij voor het eerst haar vrouwelijke vormen en haar verleidelijke maniertjes opgemerkt?

Want dat ze bewust met hem geflirt had, stond voor hem als een paal boven water. Misschien was zij helemaal niet bang voor haar vader. Ze onderschatte waarschijnlijk de bedenkingen die deze tegen Sietze als huwelijkskandidaat zou kunnen koesteren. Het kwam waarschijnlijk niet eens bij haar op, dat haar vader zich in dit opzicht tegen haar zou kunnen keren, gewend als ze was om altijd haar zin te krijgen.

Een dergelijk excuus had Sietze zelf niet. Hij had het wel beseft. Als Winslow niet eens had willen overwegen hem als vervanger voor zijn neef Henry aan te stellen, waarom zou hij dan ooit zijn zegen geven aan een verbintenis met zijn enige dochter? Maar ook al wist hij dit nog zo goed, toch had hij, Sietze, zo nodig met vuur moeten spelen. Hij had er al veel eerder een stokje voor moeten steken. Niet dat hij dat niet had geprobeerd, zei hij tegen zichzelf – hij dacht aan zijn 'gesprek' met Cherish. Maar ze had gereageerd als een verwend kind.

En was ze dat per slot van rekening ook niet? En hij was een idioot. Een stomme idioot die beter had moeten weten. Wat hem nu was overkomen, had hij dubbel en dwars verdiend. Als hij dan zo nodig vrouwelijk gezelschap wilde, dan waren er in het dorp toch knappe meisjes genoeg? Waarom oefende dan juist die ene die voor hem taboe was, zo'n onweerstaanbare aantrekkingskracht op hem uit?

Zijn boot scheerde over het loodgrijze water. Schuimvlokken spatten hem in het gezicht en de wind blies zijn haren naar achteren. Hij voerde de snelheid nog verder op. Hij moest iets doen nu, en in de strijd tegen de elementen een uitweg zoeken voor zijn woede, zijn machteloze ergernis en diepe wanhoop.

O, God! Waarom net nu? Ik heb hier niet om gevraagd! Waarom moest ze uitgerekend nu naar huis komen en zich ineens gaan inbeelden dat ze dol op me is?

Toen hij de uitputting nabij was, was zijn woede nog steeds niet tot bedaren gekomen. Hij trok het kielzwaard omhoog en legde aan in een beschutte inham. De wolken, die tot dan toe alleen gedreigd hadden, lieten de eerste druppels los op het moment dat hij zijn schip vastlegde boven de vloedlijn. Hij besefte dat hij waarschijnlijk de nacht hier door zou moeten brengen, met de boot als enige schuilplaats en een dekzeil als beschutting. Hij had vast wel bij Ezra of William mogen slapen, maar iets weerhield hem ervan om dat te gaan vragen. Hij voelde zich diep vernederd en had er geen behoefte aan dat jan en alleman zich met zijn gevoelsleven zou bemoeien. De gedachte dat zijn intiemste gevoelens als een lopend vuurtje door het dorp zouden gaan, deed hem huiveren van ontzetting.

Heb je het al gehoord van Sietze de Vries? Die stond de dochter van Winslow te zoenen! Kun je het je voorstellen? Zijn oogappel. Wat verbeeldde hij zich wel?

Alle degelijke dames zouden hoofdschuddend met hun tong klakken. *Zo zie je maar dat het niet verstandig is je huis voor een vreemde open te stellen. Wat is de dank voor al je moeite en opoffering? Een klap in je gezicht! Schande, Sietze!* Overal op straat, in de kerkbanken en over de toonbank zouden de beschuldigende ogen hem aanstaren.

Zijn maag rammelde en hij rilde in zijn dunne overhemd. Hij kroop het kleine kajuitje in, wikkelde zich in het dekzeil en legde zich neer voor de nacht. IJskoude regen kletterde op het dak.

11

Cherish deed de rest van de middag niets anders dan afwisselend huilen en dagdromen over Sietzes zoen. Steeds opnieuw betastte ze haar lippen; dan kon ze gewoonweg niet geloven wat haar was overkomen, tot de herinnering aan de onrechtvaardige reactie van haar vader haar opnieuw in huilen deed uitbarsten. De manier waarop hij Sietze had behandeld maakte haar misselijk. Ze wilde niets liever dan Sietze achterna rennen om de wond aan zijn kaak te verzorgen, maar ze wist heel goed dat haar vader elk contact tussen hen zou verhinderen. Eerst moest ze hem maar eens gelegenheid geven om af te koelen. Daarna kon ze een poging wagen tot een redelijk gesprek en hem vertellen dat ze echt van Sietze hield. Ze zou hem uitleggen dat het geen kortstondige bevlieging was, maar een oprechte liefde die al jarenlang bestond.

Iedere klap die Sietze had gekregen had ze in haar eigen lichaam gevoeld. Snikkend verborg ze haar gezicht voor de zoveelste keer in haar kussen, machteloos als ze was om Sietze in haar armen te nemen en voor hem te zorgen, hoe graag ze dat ook wilde.

Lieve Heer, u kent onze harten. Ik bid om uw ontferming. Wilt u alstublieft papa's hart vermurwen en maken dat hij tot rede komt. En zorg alstublieft voor Sietze zolang ik dat niet kan doen.

Ze bleef bidden, maar zodra ze weer aan Sietzes kus dacht, viel het haar zwaar zich op haar gebed te concentreren. Was dit dezelfde man als de kalme, gereserveerde, zacht- moedig plagerige Sietze die ze kende? Was dit haar Sietze? De man die haar in zijn armen had gesloten alsof hij haar wilde verpletteren? Was dit dezelfde man die haar een paar dagen geleden vermanend had toegesproken over haar flirtgedrag?

Ze sloeg haar armen om het kussen heen en rolde op haar rug. Ze verlangde alleen nog maar opnieuw in zijn armen te zijn. Het enige dat haar herinnering aan deze nieuwe Sietze bedierf was de manier waarop hij op haar vader had gerea- geerd. Ze moest haar best doen om de teleurstelling over zijn passieve houding weg te duwen uit haar gedachten. Hij had niets gedaan om zich te verdedigen, maar daar alleen maar gestaan en de klappen in ontvangst genomen.

Was dit dezelfde man die even daarvoor had bewezen over zulke hartstochtelijke gevoelens te beschikken? Hoe konden die twee persoonlijkheden in een en dezelfde mens verenigd zijn?

Toen ze de voordeur open hoorde gaan, stond Cherish op van haar bed. Haar vader was thuis. Ze waste haar gezicht met koud water en borstelde haar haren. Ten slotte streek ze haar jurk en schort glad en ging naar beneden.

Haar vader zat in zijn luie stoel in de voorkamer en staarde stilletjes voor zich uit, wat niets voor hem was. Zijn krant lag vergeten op het bijzettafeltje naast zijn stoel.

'Papa?' zei ze zacht.

Hij keek haar strak aan. 'Doe de deur dicht, Cherish.'

Ze gehoorzaamde, liep de kamer door en kwam voor hem staan.

'Ga zitten.'

Ze nam de stoel naast de zijne en klemde haar handen in elkaar.

Hij wreef over zijn gezicht, alsof hij niet precies wist hoe hij moest beginnen.

'Papa' – ze besloot hem tegemoet te komen door te vertellen wat ze voor Sietze voelde, maar hij stak zijn hand op. 'Niks zeggen, Cherish.' Na een korte stilte begon hij opnieuw: 'Cherish, ik kan gewoon niet uitleggen hoe ontzettend je me vandaag teleurgesteld hebt.'

Nieuwe tranen brandden in haar ogen. Hij klonk zo gedesillusioneerd. Weer wreef hij over zijn wang en plotseling viel haar op hoe grauw en moe hij eruitzag.

'Voelt u zich wel goed, papa?'

Hij keek haar veelbetekenend aan. 'Nee, Cherish.' Meteen wendde hij zijn ogen af, alsof hij haar aanblik niet kon verdragen. 'Ik heb er geen woorden voor wat het me gedaan heeft om je zo aan te treffen.'

'Maar papa, Sietze...'

Het noemen van die naam leek haar vader nieuwe energie te geven. 'Ik wil die naam in dit huis niet meer horen!'

Nu werd ook Cherish boos en ze ging staan. 'Papa, hoe kunt u dat nou zeggen? Krijg ik dan de kans niet eens om u te vertellen hoeveel ik van hem houd?'

Ook hij ging staan. 'Van hem houd? Van hem houd?' brulde hij. 'Heb je werkelijk de brutaliteit om nu nog verhaaltjes op te hangen over je genegenheid voor de een of andere nietsnut die op mijn werf werkt...'

'Een nietsnut?' schreeuwde Cherish even hard terug. 'Hoe durft u Sietze zo te noemen? Jarenlang heeft hij voor u gewerkt, wat zeg ik, zich afgebeuld. En wat heeft hij daarvoor teruggekregen? Complimenten? Een promotie? Een kans om ontwerpen te leren?'

Haar vader liet haar niet uitspreken. 'Wat hij van mij heeft gekregen?' Hij haalde wild een hand door zijn donkere haar en lachte bitter. 'Waar haal je de euvele moed vandaan om me te vragen wat die snotneus van mij heeft gekregen? Ik zweer je, ik zou hem kunnen vermoorden. Als ik hem ooit weer om je heen zie scharrelen... Als hij ooit nog eens naar je durft te kijken...'

'Papa! Het is echte liefde, ziet u dat dan niet?'

'Liefde!' donderde hij en zijn bruine ogen waren zwart van woede. 'Waag het niet dat woord in je mond te nemen!' En zachter: 'Na alles wat ik voor hem gedaan heb. Na alles wat ik voor jou gedaan heb. Ik zal niet toestaan dat je heel je opleiding en algemene ontwikkeling vergooit aan een scheepstimmerman die nauwelijks kan lezen. Je moet me beloven dat je voortaan elk contact met Sietze uit de weg zult gaan.'

Ze zei niets terug en dat leek zijn razernij weer aan te wakkeren. 'Anders stuur ik je weg, Cherish, daar kun je op rekenen. Dan ga je terug naar nicht Penelope, of nog verder weg, als dat nodig blijkt.'

'Papa, dat zou u toch nooit doen! U zou toch niet zo wreed kunnen zijn!'

'Drijf me niet tot het uiterste, kind. Jij zet vanaf nu die dwaze gedachten over Sietze uit je hoofd, heb je dat goed begrepen?'

Ze hadden geen van beiden in de gaten hoe hard ze aan het schreeuwen waren, tot er op de deur gebonsd werd. Tante Phoebe stak haar hoofd om het hoekje. 'Als jullie niet willen dat heel Haven's End van de ruzie meegeniet, dan kunnen jullie beter wat zachter praten.'

Winslow wierp zijn zus een woedende blik toe en hield zijn mond, al was het maar voor even. Cherish maakte meteen van de gelegenheid gebruik: 'Tante Phoebe, kunt u papa niet tot rede brengen? Hij kan me toch niet verbieden om Sietze te ontmoeten?'

'Dat kan ik wel en ik zal het doen ook! Ik heb hem al van de werf geschopt en als hij ook maar een voet over de drempel zet, doe ik aangifte van inbraak en huisvredebreuk.'

'Hoe kon u dat nou doen? Dit is zijn thuis. Al zijn bezittingen liggen in de werkplaats. Waar moet hij nu heen?'

'Hij kan wat mij betreft naar de hel lopen!' loeide Winslow.

Dit werd zelfs tante Phoebe te gortig. 'Thomas Winslow, beheers je! Cherish, jij kunt nu beter gaan, dan praat ik wel met je vader.'

Cherish rende het huis uit, naar de werkplaats. Ze moest Sietze zoeken. Maar de werkplaats was leeg. Ze ging de trap op, naar Sietzes kamer.

Op de drempel bleef ze even staan. Ze was nog nooit in zijn kamer geweest. Er leek niets weg te zijn. Langs de ene muur stond een smal ledikant, netjes opgemaakt. Aan een paar haken hingen wat kleren. Behoedzaam stapte ze naar binnen. Op de kast stonden een paar bootmodelletjes en er lagen een kam en een borstel. Ze trok voorzichtig een la open. Alles netjes opgevouwen, en in de tweede la eveneens.

Haar vader had hem niet eens de gelegenheid gegeven iets mee te nemen! Ontsteld drukte ze een vuist tegen haar mond. Nu pas werd haar duidelijk hoe diep haar vaders vooroordeel tegen Sietze eigenlijk zat. Toch hoopte ze tegen beter weten in nog steeds dat ze zich vergiste. Ze liep naar het enige raam dat het vertrek rijk was en keek naar de bedrijvigheid beneden op de werf. De mannen waren aan het werk alsof er niets was gebeurd. Sietze was nergens te bekennen.

Ze speurde of ze zijn boot zag, maar ook die was weg. Misschien had hij hem in de haven voor anker laten liggen. Ze moest het weten, dus zou ze naar beneden gaan en het de mannen vragen. Als zij van niets wisten, zou ze naar de haven lopen om zelf de boot te gaan zoeken.

Cherish voelde zich beter, nu ze een concreet plan had bedacht, en liep terug naar de deur. Daar wierp ze een laatste blik door de kamer. Een deel van haar wilde liever hier blijven om de geur in te ademen die opsteeg van zijn kussen en uit zijn kleren, en om de dingen aan te raken die hij deze ochtend nog in handen had gehad...

Tom Winslow beleefde een onrustige nacht en toen hij wakker werd, voelde hij zich een gebroken man. Hij kon het beeld van die parvenu, die met zijn smerige handen niet van zijn dochter af kon blijven, maar niet van zich afzetten. Iedere keer dat hij het weer voor zich zag, laaide zijn woede weer op – een alles verterende woede die hem lichamelijk ziek maakte.

Na een karig ontbijt, waar zijn maag desondanks tegen in opstand kwam, stond hij op de veranda aan de voorkant en staarde over de zeearm die grensde aan de tuin. Waarom kon zijn dochter – zijn enig kind, het licht van zijn ogen sinds de dood van zijn lieve Isabel – nou niet gewoon verliefd worden op die knappe Warren Townsend? Dat was tenminste iemand van degelijke, Engelse afkomst, goed opgeleid en in materieel opzicht in staat om Cherish het soort leven te bieden waarvoor hij haar had grootgebracht.

Op dit moment miste hij zijn vrouw meer dan ooit. Zij zou het hebben begrepen. Waarom moest ze ook van hem weggenomen worden?

Hij dacht weer aan Sietze. Wie was dat nu helemaal? De zoon van een stel straatarme immigranten, die niet eens een fatsoenlijke opleiding had gehad en in Haven's End niet thuishoorde. Heel anders dan zijn eigen geslacht – en dat van de Townsends trouwens ook – dat zich hier al ver voor de Revolutie had gevestigd. Hun voorouders hadden in de oorlog tegen de Engelsen nog gevochten op de *Margaretta*, tijdens de eerste zeeslag.

Winslow schudde zijn hoofd. Nog nooit was hij zo kwaad geweest als gisteren; zelfs niet wanneer een concurrent een contract voor zijn neus wegkaapte, of bij welke andere tegenslag dan ook. Bittere gal kwam in zijn mond en hij bedacht dat hij zijn woede beter in constructieve daden kon omzetten om te voorkomen dat hij erdoor verzwolgen werd. Hij merkte nu al dat het hem lichamelijk schade deed. Hij werd oud. Hij voelde zich niet lekker en in zijn borst was een stekende pijn, die hij toeschreef aan brandend maagzuur.

Wat stond er deze dag op het programma? Hij zou naar Hatsfield gaan, waar hij een paar mensen wilde opzoeken. Hij zou alles doen wat in zijn vermogen lag om te voorkomen dat Sietze werk vond op een werf hier in de buurt. Op die manier kon hij hem dwingen de streek voorgoed te verlaten. De afgelopen nacht had hij lang en ingespannen nagedacht om te bedenken wat hij zijn concurrenten over Sietze kon vertellen om duidelijk te maken dat hij niet geschikt was. Het moest wel overtuigend zijn. Iedereen was op de hoogte van Sietzes vakbekwaamheid en als bekend werd dat hij werk zocht, zouden ze hem onmiddellijk willen aannemen. Hij moest het doen voorkomen alsof zijn karakter niet deugde; een hint, een suggestieve opmerking moest voldoende zijn.

Tom Winslow verliet zijn huis als een man met een missie.

Met een pijnlijke nek en een stramme rug kroop Sietze uit zijn krappe slaapvertrek. Zijn kaak deed zeer en zijn lippen waren beurs op de plek die met Winslows vuist in aanraking was gekomen. Hoewel de regen halverwege de nacht was opgehouden, was het een troosteloze dag, een indruk die werd versterkt door de plassen vuil water in zijn boot. Hij pakte een blik en begon te hozen. Op dit moment had hij toch niets beters te doen. Hij was tot op het bot verkleumd en de honger veroorzaakte een doffe pijn in zijn maag, maar hij schonk er geen aandacht aan. Van het werken werd hij tenminste weer warm. Na een poosje stug doorwerken rekte hij zich eens flink uit om zijn rugspieren los te maken. Net op dat ogenblik klonk achter hem een schorre stem.

'Ahoi! Wat een regen vannacht, niet?'

De spreker leek stokoud. Hij had een kromme rug en zijn schrale hoofd met de grijze haardos was getooid met een kapiteinspet. Zijn grijze baard was minstens drie dagen oud.

Hij krabde erin, terwijl hij naar Sietze en zijn boot toe liep. Hij droeg een oude schipperstrui met gerafelde randen en gaten in de ellebogen. Zijn broek werd omhoog gehouden met een eind touw. Het geheel werd gecompleteerd met twee bemodderde laarzen, die knarsten op de stenen.

Sietze herkende hem meteen, hoewel hij de man nog nooit persoonlijk had gesproken. Niemand wist waar Tobias Tibbetts, de dorpsdronkaard, oorspronkelijk vandaan kwam. Niemand herinnerde zich wanneer hij zich na een leven lang varen in Haven's End had gevestigd. Maar iedereen wist dat hij zelden helemaal nuchter was en de neiging had eindeloos door te kletsen over zijn zeemansbestaan als iemand een praatje met hem aanknoopte.

'Goedemorgen,' groette Sietze.

'Prima weertje.'

Sietze kon het er niet mee eens zijn, dus zei hij maar niets.

De man bekeek de boot aandachtig, terwijl hij voortdurend in zijn grijze stoppels bleef krabben. 'Een best bootje, zo te zien.'

'Klopt.' Daar kon hij zonder meer mee instemmen.

Nu keek de man plotseling naar hem en er kwam iets van opmerkzaamheid in zijn waterige, blauwe ogen. 'Heb je d'rin geslapen?'

'Ja,' antwoordde hij zonder erbij na te denken.

De man snoof. 'Zin in een happie eten?'

Voordat Sietze kon bedenken hoe hij dit aanbod kon afslaan, draaide de man zich al om en schuifelde terug over het grindstrand. 'Kom dan effe een kop koffie drinken. Je ziet eruit of je 't gebruike ken.'

Sietze liet het hoosblik vallen, sprong uit de boot en volgde de man over een pad dat bijna helemaal schuilging onder het hoge gras waarmee het steile klif boven het strand begroeid was. Dwars door het weiland ging Tibbetts hem voor naar een hutje van asfaltkarton dat was opgetrokken in de beschutting van een bosje naaldbomen. Sietze stapte het krot binnen, maar deinsde onmiddellijk terug voor de stank die hem in het gezicht sloeg. Hij vroeg zich af hoe er zo'n bedorven lucht kon hangen in zo'n kleine ruimte, omringd door fris ruikend struikgewas en zeelucht. Het antwoord kwam meteen toen hij zijn blik door het overvolle vertrekje liet dwalen. De kamer zag eruit of er sinds de bouw nog nooit was schoongemaakt of opgeruimd. Overal lag troep. Stukjes metaal, oude, kapotte meubelen, vodden vol olievlekken, vuile borden, blikjes met etensresten, stapels kleren – er was geen plekje te vinden waar niet iets lag dat oud en vuil was. De stank werd zo mogelijk nog verergerd door de benauwde hitte die er hing, gevolg van het feit dat er een houtgestookt fornuis brandend werd gehouden, ook al was het zomer. Te midden van al die rommel ontdekte Sietze ook nog eens drie katten, die geluidloos hun weg zochten door de chaos.

Hij ademde een paar keer door zijn mond in en uit voordat hij achter de man aan verder het hutje binnen liep. Tobias veegde een paar oude kranten van een houten stoel. 'Ga zitten. Ik zet effe koffie.' Hij liet Sietze verder aan zichzelf over, scharrelde naar het ijzeren fornuis en greep de emaillen koffiepot die daarop stond. 'Ik ben effe weg om water te halen,' mompelde hij en liep de hut uit.

Terwijl het water op stond, rommelde Tobias tussen de spullen boven op een afgeladen buffetkast en joeg er in een moeite door twee katten vanaf. Hij pakte een gietijzeren koekenpan, nam een theedoek van de kast, veegde er het binnenste van de pan mee schoon en zette die toen op het fornuis. 'Ik zal wat spek voor je bakken. 't Mot hier ergens legge, want ik heb gister net een pond gekocht, en eieren ook. Als de katten d'r maar niet an hebben gezeten, maar volgens mijn had ik het juist goed opgeborgen.' Hij vond het spek en terwijl hij druk bezig was met het bereiden van het ontbijt praatte hij aan een stuk door.

'Jij ben toch die scheepsbouwer? Ik heb je wel 'es op de werf van Winslow gezien.'

'Dat klopt.'

'Heb je die schuit zelf gebouwd?'

'Ja. Ik heb haar sinds vorige zomer.'

De geuren van pruttelende koffie en knisperend spek begonnen de kwalijke lucht enigszins te verdringen. Zodra het bord voor Sietze werd neergezet, met de kop dampende koffie ernaast, vergat hij voor een ogenblik zijn omgeving en viel hongerig op het voedsel aan.

'Hier, nog wat toast d'rbij ook. Het brood was een beetje oud, maar ik heb het geroosterd op het fornuis en nou is het nog best te eten.'

Tobias ging tegenover hem zitten, waarvoor hij opnieuw een kat aan de kant moest duwen. Het beest rolde op de grond, maar kwam onverstoorbaar weer op haar magere poten overeind, zocht een ander comfortabel plekje en rolde zich daar lekker op.

Ze aten zwijgend. Toen ze klaar waren, leunde Tobias achterover en liet tevreden een dikke boer. 'D'r gaat niks boven spek met eieren na...' Hij maakte de zin niet af, maar stond op en zocht iets aan de andere kant van de kamer. Met een fles in de ene en een pluk pruimtabak in de andere hand kwam hij terug. Hij bood Sietze van allebei iets aan, maar deze schudde zijn hoofd.

Tobias goot de rum in zijn koffiekop, die nog half vol was. 'Dat maakt het helemaal af. Goed voor de bloedsomloop,' legde hij uit, maakte het zich gemakkelijk in zijn stoel en nam tevreden een slok.

Een beetje onzeker kwam Sietze overeind, met het bord in zijn hand. 'Is het goed als ik even de afwas doe?'

De oude man wuifde geruststellend met zijn hand. 'Tuurlijk. Doe of je thuis ben. Je ken hier ook wel pitten als dat nodig is.'

Sietze aarzelde. 'Dat is heel aardig aangeboden. Ik – ik werk niet meer op de werf.'

'Je hoeft mijn niks te vertellen. Ik ben in heel wat havens in

de goot wakker geworden na een nacht van dittem.' Hij
wees hoofdschuddend op de fles. 'En dan hadden ze al m'n
geld uit m'n zakken gejat. De drank heeft me te pakken,
jong. Ik ken d'r niet meer van buiten.' En hij nam een grote
slok direct uit de fles.

Sietze had wel graag gezegd dat hij niet zijn roes had uitgeslapen na een nacht van drinken en feesten, maar hij
bedacht dat het eigenlijk ook niet uitmaakte wat de oude
man van hem dacht. Door de rotzooi op de vloer baande hij
zich een weg naar de buffetkast, waarvan hij aannam dat die
als keuken dienst deed. Bij het tafereel dat hij daar aantrof
had hij het liefst onmiddellijk rechtsomkeert gemaakt. Overal
stonden stapels vuile borden en pannen. Het eten dat hem
kort daarvoor nog zo heerlijk had gesmaakt dreigde weer
omhoog te komen, toen hij dacht aan het bord waarvan hij
had gegeten. Voorzichtig zette hij het boven op een stapel
andere. Meteen kwam een van de katten die in de kamer op
onderzoek waren eropaf en snuffelde eraan. Blijkbaar viel
het in de smaak, want het dier likte gretig het overgebleven
eigeel en spekvet op.

'Honger?' vroeg Sietze en aaide over de schrale vacht. Hij gaf
de kat nog een paar stukjes spek extra en zette het bord op
de vloer. Het dier sprong lenig op de grond en zette daar de
maaltijd voort. Algauw voegden zich twee andere katten bij
hem en Sietze deed er nog wat voer bij. Daarna zocht hij een
grote pan en nam die mee naar buiten, naar de put. Eerst
maar eens water koken, dacht hij. Dat was tenminste een
begin.

Twee dagen lang was Sietze bezig met het schrobben van
vaatwerk en het aan kant maken van de hut, om een plekje
voor zichzelf in te ruimen. Al die tijd dacht hij na over zijn
situatie en uiteindelijk werd hem helder wat hem te doen
stond. Hij zou een baan moeten zoeken bij een andere
scheepswerf – er zat niets anders op.

Het duurde even voordat hij aan de gedachte gewend was; hij had ook zo lang bij Winslow gewerkt. Maar van welke kant hij de toestand ook bekeek, er leek geen enkele kans dat Winslow hem ooit zou terugnemen. Daarvoor was Cherish hem te kostbaar.

Nee, Sietze zou gewoon ergens anders van voren af aan moeten beginnen. Onder het schoonmaken en opruimen dacht hij hier verder over na. Hij boende potten en pannen en spoelde borden en bestek af met kokendheet water, en ondertussen rijpte bij hem het besef dat het tijd was om uit Haven's End te vertrekken. Hij waste het vuile beddengoed en hing de stinkende dekens aan een waslijn in de felle wind en probeerde ondertussen uit alle macht elke gedachte aan Cherish en elke herinnering aan hun omhelzing uit zijn hoofd te zetten.

Ten slotte kon hij in ieder geval slapen onder schone lakens en er zeker van zijn dat zijn eten op een schoon bord werd opgediend. Wat de rest van de hut betrof... Rondkijkend vanaf de sofa waarop hij een bed voor zichzelf had opgemaakt, haalde hij de schouders op. In de sofa zaten een paar gaten, waar ongetwijfeld ooit muizen in hadden genesteld. Voor muizen hoefde hij nu echter niet meer bang te zijn, want er liepen minstens vier katten rond die, voorzover Sietze kon nagaan, leefden van wat ze te pakken konden krijgen.

Van de andere kant van de hut kwam het gesnurk van Tobias. Hij lag op zijn rug, met zijn hoofd achterover alsof hij naar adem lag te snakken. Inmiddels had Sietze een aardig beeld van het dagelijks leven van deze man. Nadat hij zijn roes had uitgeslapen, stond hij op, scharrelde net genoeg eten bij elkaar om in leven te blijven en spoelde dat weg met een paar slokken rum. Daarna rommelde hij wat tussen zijn 'spulletjes' en op een gegeven moment, afhankelijk van het tij, ging hij op weg naar de inham om oesters te zoeken die hij vervolgens in het dorp verkocht. Met de nieuwe fles rum die hij meebracht naar huis, bracht hij de rest van de avond door. Sietze had aangeboden om eten te koken, maar Tobias had nooit zo'n behoefte aan eten.

Sietze draaide zich op zijn buik en keek neer op de vettige bekleding van de sofa. Hij vroeg zich af waar het meubelstuk vandaan kwam. Ooit was het beslist een pronkstuk geweest. Hij streek met zijn vinger langs het bloemetjespatroon van de brokaten bekleding. Tobias was een rasechte scharrelaar. Hij kwam zelden thuis zonder dat hij hier of daar iets had 'opgepikt', meestal uit het afval van andere mensen.

Weer moest Sietze de herinnering aan zijn laatste ogenblikken met Cherish uit zijn gedachten bannen. Waar zou ze nu zijn? Wat had ze gedaan nadat hij was vertrokken? Zou ze wel aan hem gedacht hebben?

Hij hield zichzelf voor dat vanaf morgen alles zou veranderen. Hij zou naar Hatsfield varen en daar werk gaan zoeken. Misschien zou hij haar in een verre toekomst weer kunnen ontmoeten, als hij erin slaagde om genoeg te verdienen, al waarschuwde hij zichzelf meteen dat hij die gedachte beter kon laten varen. Tegen die tijd zou ze allang met Townsend getrouwd zijn.

Hij had zijn spaargeld in zijn kamer achtergelaten, maar meende dat het daar voorlopig wel veilig lag. Niemand zou het zomaar kunnen vinden en misschien kon hij aan iemand vragen, iemand die hij vertrouwde, Cherish bijvoorbeeld – nee, bij haar moest hij uit de buurt blijven – om het geld voor hem te gaan halen. Maar dat kwam nog wel. De toekomst leek op dit moment heel ver weg.

Om de wanhoop te weerstaan dwong hij zichzelf in gedachten aan een scheepsontwerp te werken. Hij wist dat de berekeningen van lengte en diepte hem uiteindelijk de vergetelheid van de slaap zouden brengen.

'Hoe ging het?' vroeg Tobias vanuit zijn krakkemikkige schommelstoel op de al even krakkemikkige veranda. Hij had een krant van een week oud in zijn handen en kauwde kalmpjes op een dikke pluk pruimtabak. Sietze ging op het houten trapje zitten en staarde over de inham. 'Er is niks beschikbaar.'

'Ai, da's nou jammer.' De krant ritselde. 'Nou, je ken hier blijven zolang als je wilt. Misschien duikt er nog wat op.'

Hij keerde terug naar zijn krant en het werd weer stil. Sietze keek naar de overvliegende meeuwen die rondcirkelden boven de slikken op zoek naar aas. Al twee dagen zocht hij naar werk. Hij begreep er niets van. Hij dacht dat hij in al die jaren dat hij voor Winslow had gewerkt wel een zekere reputatie had opgebouwd.

De schommelstoel kraakte. Tobias kwam overeind. 'Ik ga maar 'es wat oesters zoeken. Man, waarom ga je niet mee? Ik mot hier nog een extra riek hebben.' Zo mompelend liep hij naar de achterkant van de veranda, waar een hele berg oud gereedschap lag. Sietze stond op het punt te weigeren, maar bij nader inzien leek het hem geen gek idee om wat geld te verdienen in plaats van hier maar te zitten piekeren.

Het bleek zwaar en moeizaam werk, waarvoor hij uren achtereen gebukt moest staan. Eerst dreef hij de riek in de weerbarstige, kleiachtige modder, waarbij hij moest oppassen de oesters niet te beschadigen. Vervolgens drukte hij het gereedschap naar voren en zocht in de openvallende gleuven naar oesters, met het risico dat hij zijn handen openhaalde aan de messcherpe randjes van gebroken schelpen of dat de bloedzuigers zich vastzogen aan zijn huid. Als hij even rechtop ging staan om zijn pijnlijke rug te strekken, zag hij Tobias een eindje verderop en dan verbaasde hij zich er weer over dat die uitgemergelde oude man dit elke dag maar weer kon doen met niet meer in zijn maag dan een paar happen eten en een heleboel rum. Een heel eind verder waren nog meer oesterzoekers bezig.

Op een van die momenten dwaalde zijn blik langs de bovenrand van de inham en plotseling tuurde hij ingespannen. Dat kon toch niet! Daar liep Cherish! Alleen al bij de aanblik begon zijn hart te bonzen. Met haar hand boven de ogen zocht ze de kustlijn af en haar vrolijk gekleurde rok wapperde om haar benen. Hij merkte dat ze hem ook had gezien; vanaf de hut kwam ze omlaag en zocht zich een weg naar de baai.

Hij verzette zich hevig tegen het verlangen dat in hem opsprong. Een ontmoeting had geen zin en zou de frustratie alleen maar verergeren. Hij verroerde zich niet en hoopte maar dat ze het op zou geven en naar huis gaan. Maar in plaats daarvan kwam ze vastberaden naar hem toe, met een knapzak in haar ene hand.

Met afkeer stelde hij vast dat zijn knieën begonnen te trillen toen ze dichterbij kwam. Was zij niet de oorzaak van al zijn narigheid? Hij boog zich weer over zijn riek en ook al voelde hij haar ogen op zich rusten, hij weigerde op te kijken.

Eindelijk was ze bij hem. 'Hallo, Sietze.'

Hij kwam overeind. Wat was ze mooi! Fris als de zeebries, in haar witte, met vergeet-mij-nietjes bespikkelde jurk. Met beide handen omklemde ze de knapzak die ze voor zich hield.

'Wat heb je daar?' vroeg hij, doelbewust zonder een groet, en wees met zijn kin naar de zak.

Haar glimlach verdween. 'Ik wilde je wat spullen brengen. Ik... eh...' Ze slikte. 'Ik heb Ezra gevraagd het een en ander in te pakken, net wat hij dacht dat je nodig zou hebben.'

Plotseling schaamde Sietze zich voor zijn botheid. 'Dank je wel. Maar je had het niet helemaal hierheen hoeven brengen.' Hij keek naar zijn bemodderde handen. 'Ik zal mijn handen even afspoelen.'

Ze schudde haar hoofd. 'Dat hoeft niet. Ik moet toch langs dezelfde weg terug, dan neem ik het wel mee.'

'Je had hier niet moeten komen.'

Ze slikte weer. 'Ik maakte me zorgen om jou.'

'Daar is het een beetje te laat voor.'

'Het spijt me erg van papa. Hij had je niet zo mogen behandelen.'

Hij glimlachte vreugdeloos. 'Je bedoelt zeker dat wij ons niet zo hadden mogen gedragen.'

'Ik schaam me anders niet voor onze kus. Jij wel?'

Hij keek de andere kant op, bang dat een blik in die nevelblauwe ogen zijn zelfbeheersing zou vernietigen. Hij richtte zijn ogen strak op de grijze modder die zijn laarzen bedekte en hield zichzelf voor dat zijn geploeter op deze vlakte juist te wijten was aan het feit dat zijn gevoelens voor haar hem zichzelf hadden doen vergeten; anders zou hij nu nog steeds aan een boot bezig zijn.

'Het was dom.'

'Maar Sietze, hoe kun je dat nou zeggen?' Ze fluisterde het bijna.

'Omdat ik hier tot mijn knieën in de prut sta en mijn leven' – hij wees met zijn riek naar de kust en kon even geen woord meer uitbrengen – 'mijn leven daar op de scheepswerf ligt. En door die ene – die ene stommiteit ben ik alles kwijt!' Woedend keek hij haar aan, even kwaad op haar als op zichzelf.

Ze keek smekend terug en hij wilde niets liever dan haar in zijn armen nemen en haar geruststellen dat het allemaal in orde zou komen, maar hij kon het niet. Zijn droom lag aan scherven en of ze dat nu leuk vond of niet, zij was daar de oorzaak van.

'Dus onze kus was een stommiteit?'

'Wat anders? Ben je tevreden dat je experimentje geslaagd is? Lekker de worst voor Sietzes neus laten bungelen en kijken of hij toehapt?' Hij probeerde haar bewust te kwetsen, en hij haatte zichzelf erom dat hij haar zelfs nu nog onweerstaanbaar vond. Ze perste haar lippen op elkaar alsof ze op het punt stond in huilen uit te barsten, maar hij kon zich niet langer inhouden. 'Nou, je hebt je zin. Ik ben net zo'n man als al die anderen die je her en der in Europa hebt achtergelaten. Je charmes laten mij niet koud. Je hoefde alleen maar aan het koordje te trekken en ik reageerde als een marionet.

Je hoefde maar met je vingers te knippen en Sietze danste naar je pijpen, net als je vader. Alleen is die niet zo gemakkelijk als je had verwacht. Deze keer geeft hij nou eens niet toe aan je grillen, hè?'

Ze deinsde achteruit, terwijl ze heftig haar hoofd schudde. 'Dat is niet eerlijk!' fluisterde ze. 'Ik was juist zo bezorgd toen ik ontdekte dat papa je had ontslagen. Ik heb je overal gezocht, maar niemand wist waar je naartoe was gegaan. Waarom heb je het me niet even laten weten?'

Hij schopte tegen een steen die vol zat met mosselen. Hij was niet gediend van haar bezorgdheid en meeleven. Hij was niet geïnteresseerd in haar gevoelens. Hij klampte zich vast aan zijn woede over haar onbedachtzaamheid. 'Het jou laten weten? Je bedoelt dat ik even langs had moeten komen en bij je aankloppen als de eerste de beste aanbidder? Zoals Warren Townsend, bijvoorbeeld?'

Ze schudde weer haar hoofd. 'Je had het toch wel tegen Ezra kunnen zeggen.'

'Alsof ik van tevoren wist waar ik naartoe zou gaan. Denk je dat ik een kant en klaar plan had of zo? "Als Winslow je ooit nog eens ontslaat, kun je bij die ouwe dronkelap van een Tobias wel om een slaapplaatsje bedelen." Geef hier,' en met een ongeduldig gebaar stak hij zijn hand uit naar de knapzak. 'Dat ding is veel te zwaar voor jou. En je komt hier bovendien onder de modder te zitten.'

Zonder nog een keer om te kijken liep hij van haar weg, ook al verwenste hij zichzelf om zijn opzettelijk grote stappen. Maar in zijn drang tot zelfbehoud wist hij maar een ding: hij moest zo snel mogelijk bij haar vandaan. Zorg dat ze een hekel aan je krijgt, zei hij tegen zichzelf. Dan help je haar om over haar bevlieging heen te groeien. Laat haar maar zien hoe je in werkelijkheid bent.

Ze zette het op een lopen om hem in te halen. 'Wat kan mij die modder nou schelen? Dat was ik er wel weer af.'

Hij keek over zijn schouder. Met haar ene hand hield ze haar rok op. Het was een heel eind terug naar het strand, over de glibberige, pokdalige modderbodem die bezaaid was met gebroken schelpen. De oesterzoekers hadden overal kuiltjes achtergelaten die zich met zeewater hadden gevuld. Eindelijk bereikten ze de rotsige kustlijn. Hij zette de knapzak neer en wachtte op Cherish. 'Nou, bedankt voor de spullen, maar nogmaals, je had niet moeten komen. Je vader heeft er geen doekjes om gewonden dat hij me op geen enkele manier bij jou in de buurt wenst.'

'Papa raakt die malle ideeën heus wel kwijt.'

'O ja?'

'Natuurlijk. Laat dat maar aan mij over.' Toen hij niets terug zei, maar haar sceptisch bleef aankijken, vroeg ze nieuwsgierig: 'Hoe is het om bij Tobias te wonen?'

'Anders dan bij je tante Phoebe, laten we het daar maar op houden.'

Ze giechelde. 'Ik heb je gemist.'

Weer wilde hij haar in zijn armen nemen. Zijn hand omknelde de riek. Had hij al niet genoeg schade aangericht? Maar het verlangen bleef knagen en tegelijkertijd voelde hij zich overspoeld door een groter en dieper verlangen dat hem nog meer angst aanjoeg – om door haar omhelsd en gekoesterd te worden.

Hij wendde zijn blik af. 'Ik kan beter teruggaan naar de slikken.'

'Hoe moet het nu verder met jou?'

Hij begreep dat ze het over zijn toekomst had. 'Ik ben werk aan het zoeken.'

'Bij een andere scheepswerf?'

Hij trok een grimas. 'Ja, maar nergens nemen ze nog mensen aan. Ik zal het verderop moeten proberen, verder bij Hatsfield vandaan.' De gedachte maakte hem nog somberder dan hij al was. De kille ontvangst die hem in Hatsfield ten deel was gevallen had zijn zelfrespect een flinke knauw gegeven.

'Dan moet ik daar ook op de een of andere manier terecht

162

zien te komen,' zei ze rustig. 'Misschien als onderwijzeres of als winkeljuffrouw.'

'Doe niet zo raar. Je kunt je vader en je thuis toch niet zomaar achterlaten...'

'O nee?' Ze deed een stap naar hem toe. Voordat hij haar kon tegenhouden, had ze haar handen al op zijn schouders gelegd.

'Cherish.' Hij hield zijn handen op. 'Je komt onder de modder te zitten.'

'Ik zei toch dat dat er wel weer af gaat.' Vlug plantte ze een lichte kus op zijn lippen.

'Laat dat, Cherish. Dit is geen spelletje meer.'

Ze trok zich van hem terug en haar ogen stonden koud. 'Hoe durf je? Ik speel helemaal geen spelletje!'

Hij zweeg. Met opeengeklemde kaken en gebalde vuisten streed hij tegen de begeerte die in hem opstond, toen ze zacht en zelfverzekerd tegen hem zei: 'Er komt een dag dat je me terug kust, Sietze de Vries.' Toen draaide ze zich om en liet hem staan.

Als ik jou ooit nog eens terug kus, zal ik niet meer kunnen ophouden, dacht hij, terwijl hij haar nakeek.

12

odra Cherish het huis binnen stapte, kwam Celia haar tegemoet rennen. 'Waar was je toch? Je tante heeft je overal lopen zoeken. Je vader...' Ze omklemde Cherish' arm.

'Wat is er? Wat is er met papa?'

'Hij is in elkaar gezakt.'

'Nee toch! Wat is er gebeurd?' Cherish greep de vrouw vast alsof ze de informatie uit haar wilde schudden.

'Dat weten we niet. Hij had net gegeten en zat de krant te lezen, toen je tante en ik allebei een enorme bons hoorden, alsof er iets viel. We renden naar de zitkamer en daar lag hij op de grond, en de kamerplant was omgevallen met standaard en al. We hebben Jacob eropuit gestuurd om dokter Turner te halen. Die zit nu boven. Je kunt beter meteen naar hem toe gaan, hij heeft naar je gevraagd.'

Cherish wachtte niet langer. Met twee treden tegelijk rende ze de trap op, naar de slaapkamer van haar vader. Daar bleef ze aarzelend staan, bang voor wat ze aan de andere kant van de deur zou aantreffen. Zachtjes klopte ze aan.

Haar tante deed open. 'O, wat ben ik blij dat je er bent. Heeft Celia je al verteld wat er gebeurd is?' Al pratend trok ze Cherish naar binnen. 'Je vader lijkt erg van streek. Probeer hem te kalmeren. De dokter zegt dat hij zich absoluut niet mag opwinden.'

Voordat haar tante nog meer aanwijzingen kon geven, stond Cherish al bij het grote hemelbed waarin haar vader lag. Hij leek kleiner geworden, nietig bijna. Cherish sloot haar ogen. *Lieve God, laat hem beter worden. Neem hem nog niet van ons weg. O Jezus, geef mij kracht.*

Dokter Turner, die over haar vader gebogen had gestaan, richtte zich nu op. 'Ah, Cherish, gelukkig dat je er bent. Je vader wil je zien. Kom maar hier.' Haar aarzeling ziende glimlachte hij haar toe, pakte haar hand en gaf er een geruststellend klopje op. 'Flinke meid. Laat je vader alleen maar even merken dat je er bent.'

Hij schoof bij het bed vandaan om ruimte voor Cherish te maken. Ze boog zich voorover en pakte de hand die op de deken lag. 'Papa.'

Hij opende zijn ogen en knipperde een paar keer toen hij haar zag. 'Cherish... Ik weet niet hoeveel tijd ik nog heb.' Zijn stem was niet meer dan een schorre fluistering.

'Sst, papa, zo moet u niet praten.'

Haar poging om hem te sussen maakte zijn onrust alleen maar groter. 'Je moet Sietze gaan zoeken.' Zijn donkere ogen keken haar smekend aan. 'Beloof me dat je hem hier zult brengen zodra je hem gevonden hebt.'

'Natuurlijk, papa.' Haar hart sprong op. Zou haar vader het weer goed willen maken? 'Ik ga hem meteen halen. Hoe voelt u zich verder?'

Dokter Turner tikte haar zachtjes op de schouder. 'Veel praten is nu te inspannend voor hem, kind. Laat hem maar slapen. Ik heb hem een slaapmiddel gegeven.'

Ze wendde zich af, maar haar vader riep haar nog achterna: 'Niet vergeten, hoor. Haal Sietze voor me... moet hem spreken.'

'Ik zal het doen, papa. Ik kom dadelijk met hem terug, dat beloof ik.'

In de gang vroeg ze aan de dokter: 'Wat is er nu precies gebeurd? Er was niets met papa aan de hand.'

'Alles wijst erop dat hij een hartinfarct heeft gehad, veroorzaakt door een trombose.' Ze keek hem niet-begrijpend aan en hij verduidelijkte: 'Zijn hart kreeg onvoldoende zuurstof, doordat er ergens een blokkade zat. Het is heel ernstig, want het hart is erdoor beschadigd en is op dit moment heel zwak.'

'Maar hoe dan? Waarom?' fluisterde Cherish, die de betekenis van de woorden van de dokter niet kon bevatten.

'Dat weten we niet. Wat we wel weten is dat dit bij een man van je vaders leeftijd niet ongebruikelijk is. Hij heeft volledige bedrust nodig en mag zich absoluut niet opwinden. Zijn hart moet de tijd krijgen om te genezen. De schade zal blijvend zijn, maar met Gods hulp zal het hart nog een tijdlang kunnen functioneren, als je vader zich rustig houdt. Maar hij lijkt op dit moment erg van streek over iets. Hij blijft maar naar Sietze vragen. Het is belangrijk dat we je vader hierin tegemoetkomen, anders bezorgt hij zichzelf nog een tweede...'

'Nee!' Cherish wilde de dokter niet de kans geven om de mogelijkheid zelfs maar te noemen. 'Ik ga Sietze al halen.'

'Maar waar is hij dan?' vroeg tante Phoebe scherp. 'Niemand heeft hem de afgelopen dagen gezien.'

'Hij logeert bij Tobias Tibbetts.'

'Wat zeg je?' Ze staarde Cherish aan.

'Het is echt waar. Hij kon nergens anders heen. Ik heb hem vandaag nog gesproken en ik ga er nu weer heen om hem te halen.'

'Laat Jacob dat doen. Jij bent veel te erg overstuur.'

Ze schudde haar hoofd en was al weg. 'Nee, ik ga zelf. Ik neem het koetsje wel.'

Ze joeg het paard over de stukgereden, stoffige weg tot ze opnieuw bij de inham was, die een paar mijl buiten het dorp lag – een geïsoleerde, eenzame plaats. Sietze en Tobias waren net terug van het strand en stonden zich bij de put te wassen. Sietze zag haar onmiddellijk en kwam naar haar toe. 'Cherish, wat doe je hier? Ik dacht dat ik duidelijk was geweest...'

Maar voordat hij haar nog meer verwijten kon maken, barstte ze los: 'Papa is in elkaar gezakt! Het is zijn hart. Dokter Turner is bij hem geweest. Hij vraagt naar jou, de hele tijd. Kom alsjeblieft mee, Sietze. Hij moet je iets zeggen. Hij denkt dat hij misschien...' Haar stem brak. 'Hij denkt dat hij misschien gaat sterven.'

Sietze wachtte niet op verdere uitleg. 'Ik ga mee, Cherish. Maak je maar geen zorgen. Het komt best in orde.'

'Hoe weet jij dat nou?' snufte ze.

Hij lachte haar bemoedigend toe. 'Om te beginnen is hij veel te kwaad op mij. Je zult het zien.'

Ze lachte door haar tranen heen.

Hij nam haar bij de hand en bracht haar zo naar het koetsje. Tijdens de terugrit vertelde ze hem alles wat ze wist. Hij stelde haar opnieuw gerust, terwijl zij heen en weer geslingerd werd tussen wanhoop bij de herinnering aan haar vader in bed en de troost die uitging van Sietzes arm tegen de hare en zijn rustige, kalmerende stem.

Toen ze bij het huis kwamen, was de dokter vertrokken. Tante Phoebe ging hen voor naar de slaapkamer. 'Hij blijft maar onrustig. Vraagt steeds naar jou, Sietze. Je kunt je beter met hem verzoenen.' Bij de deur wachtte ze even, voordat ze opendeed. 'Maar wat je ook doet, zorg dat je hem niet nog erger van streek maakt.'

Cherish wilde Sietze volgen, maar haar tante hield haar tegen. 'Dit is iets tussen hen tweeën. Je kunt hen beter even alleen laten.'

'Maar ik wil weten wat er gebeurt. Misschien zal papa Sietze om vergeving vragen voor wat hij hem heeft aangedaan.'

De deur ging met een onverbiddelijke klik achter Sietze dicht. 'Als dat gebeurt, hoor je het gauw genoeg. Kom mee en fris jezelf een beetje op. Wanneer Sietze weer weg is, kun jij een poosje bij je vader zitten.'

Zodra Sietze het schemerige vertrek was binnen gestapt, liep hij naar het bed dat het grootste deel van de kamer in beslag nam. Even stond hij zwijgend neer te kijken op de man die daar met gesloten ogen lag, en hij vroeg zich af wat hem nu te doen stond. Winslows gezicht was doodsbleek.

Zacht schraapte Sietze zijn keel en meteen kwam er beweging in het roerloze lichaam. 'Cherish, heb je hem al gevonden?' vroeg Winslow en opende zijn ogen. Het bleef een hele tijd stil en toen zei hij enkel: 'Sietze.'

'Ja, meneer,' zei Sietze, die van het ene been op het andere stond te wiebelen. Hij voelde zich slecht op zijn gemak, zo vlak bij de man die hem al had gekend toen hij nog een opgeschoten jongen was en die met eigen ogen had gezien hoe heftig zijn gevoelens voor zijn dochter waren.

'Kom eens hier, jongen.' Het spreken kostte hem grote moeite. Sietze schoof wat dichterbij. De ademhaling van de oude man was het enige geluid in de kamer. Hij worstelde om lucht, maar als hij die eenmaal met moeite naar binnen had gezogen, leken zijn longen te zwak om de zuurstof vast te houden. Met harde stoten kwam de adem weer naar buiten. 'Kom nog wat dichterbij.'

Sietze ging op de stoel zitten die naast het bed stond. 'Wat is er, meneer? Ik ben meteen gekomen toen ik het hoorde.'

Winslow had zijn ogen weer gesloten. Nu tikte hij met een vinger op zijn borstkas. 'Dat ouwe hart van me gaat het eindelijk begeven.'

'U wordt vast wel weer beter. U moet alleen rust houden.' Sietze wist niets anders te zeggen dan wat banaliteiten waarin hij zelf niet geloofde.

'Dat weet ik niet. Dat ligt in handen van mijn Schepper.' Weer ging een ogenblik voorbij waarin alleen de hijgende ademhaling klonk. 'Ik weet alleen dat ik hem niet onder ogen wil komen zonder dat ik een aantal dingen rechtgezet heb.'

Sietze wachtte af. Zou de oude man zijn verontschuldigingen aanbieden omdat hij hem eruit gegooid had? Maar de woorden die volgden deden hem verbaasd staan.

'Heb je al... geprobeerd om bij een andere werf werk te krijgen?'

Hij bloosde bij de herinnering aan de vernederende ervaring die dat voor hem was geweest. 'Ja, meneer.'

'Met resultaat?'

'Nee, meneer.'

'Dat dacht ik wel.'

Sietze fronste zijn wenkbrauwen. 'Hoezo?'

Winslow opende zijn ogen weer en keek hem zwijgend aan. 'Ik... ben alle werven in Hatsfield afgegaan nadat... ik jou had weggestuurd. Ik wilde er zeker van zijn... dat je daar geen werk zou krijgen.'

Sietze staarde hem aan, te geschokt om in woede uit te barsten.

'Ik heb allerlei suggestieve opmerkingen over je karakter gemaakt... genoeg om hen ervan te overtuigen... dat je niet te vertrouwen was.' Hij sloot zijn ogen weer alsof hij zijn krachten wilde sparen. 'Ik heb niet over Cherish gepraat. Alleen maar wat... hints gegeven. Gewetenloos... in staat om andermans ontwerpen te stelen... en ook klandizie... Begint voor zichzelf zodra zijn baas even niet kijkt.' Het spreken had hem uitgeput.

Sietze voelde het bloed in zijn slapen bonzen. Was dit nou het loon voor al die jaren waarin hij het beste van zichzelf voor Winslows bedrijf had gegeven? Hij zou onmiddellijk vertrekken, en die man en zijn huis voorgoed verlaten, zelfs definitief uit Haven's End weggaan.

Alsof hij zijn gedachten kon lezen zei Winslow, met nog grotere moeite dan eerst: 'Weet niet... hoe lang ik nog te leven heb. Wil... vergeving vragen. Weet dat ik fout zat. Kun je... me vergeven?'

Sietze wendde zijn ogen af van het witte gezicht van de man; hij wilde hem niet langer aankijken. Maar zijn oren kon hij niet sluiten voor de trage, zware ademhaling en uit zijn ooghoeken zag hij een hand onrustig over de deken tasten. Die hand kreeg zijn arm te pakken en klampte er zich aan vast. 'Je moet... me vergeven. Heb je onrecht gedaan. Dat spijt me heel erg, hoor je wel? Als God me nog spaart... zal het je vergoeden. Ik zal naar dezelfde werven teruggaan en alles herroepen.'

Sietzes hart was bitter. Allemaal loze beloften, dacht hij. Zoals het er nu uitzag, zou Winslow de komende nacht niet overleven. En als hij toch herstelde, wat zou zijn berouwvolle actie dan uithalen? Het kwaad was geschied. Het wantrouwen van de betreffende ondernemers zou er alleen maar groter op worden. Waarom zou Winslow eerst proberen hem, Sietze, kwijt te raken en vervolgens zijn concurrenten willen overhalen hem in dienst te nemen? En wat al helemaal boekdelen sprak, was het feit dat Winslow zelfs op wat zijn sterfbed leek te worden niet bereid bleek hem terug te nemen.

Sietze hield het niet langer uit. Hij ging staan, maar de oude man bleef zijn arm stevig vasthouden en zijn onrust nam toe. 'Alsjeblieft, Sietze. Zo'n spijt. Had het niet mogen doen...'

Ondanks zichzelf was Sietze geroerd door de toestand van de zieke. Waarschijnlijk zou deze al spoedig het tijdelijke voor het eeuwige verwisselen. Sietze boog zich over het bed en zei, zo overtuigend als hij maar kon: 'Goed, meneer Winslow. Ik... ik' – de woorden bleven hem in de keel steken – 'Ik vergeef u.'

Vreemd genoeg voelde hij zich plotseling opgelucht. Hij ging weer rechtop staan en herhaalde: 'Maakt u zich maar geen zorgen. Het is al goed, ik vergeef u.'

'Dank je, Sietze. Dank je wel.' De man ontspande en zijn handen kwamen tot rust.

Toen Sietze de slaapkamer uitkwam, zag hij meteen dat

Cherish al op hem stond te wachten, popelend om bemoedigend nieuws van hem te vernemen. Zijn hart kromp ineen bij het zien van haar witte gezichtje en haar ineengeklemde handen met het verfrommelde zakdoekje erin. Het zakdoekje was vast kletsnat, want haar ogen waren betraand. Ze durfde hem niet goed aan te spreken, zo bang was ze voor wat hij over de toestand van haar vader te melden zou hebben. In haar blik streden hoop en vrees om voorrang. Met moeite toverde hij een glimlach tevoorschijn en op dat moment leek het alsof ze zich niet langer in kon houden. 'Het is mijn schuld, hè?' jammerde ze.

Hij wilde niets liever dan haar troosten en daarom overbrugde hij de laatste meter die er nog tussen hen was en nam haar in zijn armen. 'Welnee, helemaal niet,' zei hij sussend in haar haren, terwijl zij lag te snikken tegen zijn borst. Hij omvatte haar hoofd met zijn ene hand en wiegde haar zacht heen en weer.

'Het komt vast wel goed. Alles komt weer helemaal goed,' fluisterde hij en streek haar haren glad. In een klein hoekje van zijn geest sprong de gedachte op dat de cirkel nu rond was: hij was terug in zijn oude rol, die van grote broer, raadsman en vriend, degene die uiteindelijk de verantwoordelijkheid droeg. Diep ademde hij de seringengeur van haar haren in, en hij wist dat die hem de komende nacht en alle nachten daarna zou blijven achtervolgen.

'Heeft papa... Heeft papa nog iets over ons gezegd?' bracht ze er met moeite uit, tussen twee snikken door.

Hij slikte en antwoordde: 'Nee. Hij wilde me alleen vergeving vragen omdat hij me ontslagen heeft. Dat was alles.'

Hij voelde hoe ze verslapte. 'O. Nou, daar ben ik wel blij om. Maar... denk je dat dat ook kan betekenen dat hij over ons van gedachten veranderd is?'

Zachtjes duwde Sietze haar van zich af, al liet hij haar nog niet los. Hij keek haar diep in de ogen. Het was belangrijk dat ze het zou begrijpen, zonder dat ze nog erger gekwetst zou raken. 'Dat weet ik niet. Ik weet wel dat hij op geen enkele manier van streek gemaakt mag worden. Het is zoals de dokter zegt: hij heeft absolute rust en stilte nodig.'

Ze knikte als een gedwee kind en hij trok haar opnieuw tegen zich aan. Hij kon de verleiding niet weerstaan om haar nog iets langer vast te houden en haar geur in te ademen, voordat hij haar definitief moest achterlaten.

13

$\mathcal{P}$ietze zat in het middenschip van de kerk, een flink eind bij de Winslows vandaan, maar toch nog dichtbij genoeg om goed zicht op Cherish te hebben. Hij was pas na aanvang van de dienst binnengekomen en zou proberen weer weg te glippen voordat de predikant zichzelf in de deuropening had geposteerd om alle kerkgangers te begroeten.

De dominee informeerde de gemeente over de ziekte van Winslow en deed voorbede voor hem. Nadat de collecteschaal was rondgegaan en een lied gezongen was, begon McDuffie: 'Het thema voor de verkondiging van vanmorgen is "Beproeving en tegenspoed".' Zijn blik leek alle aanwezigen in een keer te willen omvatten.

'Jezus heeft gezegd: "Jullie zullen het zwaar te verduren krijgen in de wereld." Wij zijn verdrietig en bezorgd wanneer een broeder wordt getroffen door tegenspoed, zoals nu het geval is met onze geliefde vriend en buur Thomas Winslow. Onze gedachten gaan uit naar zijn familie.' Hij glimlachte Cherish en haar tante vol hartelijk meeleven toe.

'Maar voelen we ons niet tegelijkertijd een klein beetje opgelucht, dat deze beproeving ons voorbijgegaan is? We weten heus wel dat we er uiteindelijk allemaal ooit aan moeten geloven, maar zijn we niet stiekem blij dat we deze keer buiten schot zijn gebleven? Hoe moet onze houding ten aanzien van beproeving en tegenspoed eigenlijk zijn? Laten we eens kijken wat Job ervan zegt: "Laat hij mij op een eerlijke weegschaal wegen, dan zal hij zien dat ik onschuldig ben." Niemand van ons vindt het prettig om op de proef gesteld te worden, of wel soms? Niemand van ons gaat voor zijn plezier "de vurige oven" in. Zeker, achteraf is het leuk om erover te praten. Zodra we eenmaal op een hoger geestelijk niveau zijn aangekomen, kunnen we er een mooi, romantisch verhaal over ophangen. Heb ik gelijk of niet?

Ik herinner me dat ik in mijn bijbelschooljaren vol enthousiaste plannen zat, vastbesloten om de hele wereld het Evangelie te verkondigen.' Hij grinnikte even. 'Maar zodra ik te maken kreeg met de harde realiteit van het pastorale werk, zong ik binnen de kortste keren een paar toontjes lager en van mijn aanmatigende houding bleef niet veel meer over. De herder kan nog zo overtuigd zijn van het doel waar de kudde heen moet, dat wil niet zeggen dat de kudde daar dan ook zonder meer heen wil.'

De predikant gaf nog meer voorbeelden uit zijn eigen leven en vertelde anekdotes over de beproevingen die hij had ondervonden bij de taak die God hem had opgedragen. Sietze vond het moeilijk om het verband met zijn eigen situatie te leggen, omdat hij zich nooit speciaal door de Heer voor het een of ander geroepen had gevoeld. Hij nam aan dat iedereen in zijn omgeving christen was, en hij zag het als zijn plicht om de zendelingen in vreemde landen te ondersteunen, de Tien Geboden te houden en anderen te behandelen zoals hij zelf behandeld zou willen worden.

Aan de andere kant gaf de preek van dominee McDuffie hem een ongemakkelijk gevoel. Misschien was hij wat overgevoelig geworden, sinds Winslow zijn leven ondersteboven had gekeerd. Zijn blik dwaalde naar Cherish, van wie hij net het achterhoofd kon zien. Ze droeg een leuke hoed en haar donkere haar golfde in een dikke paardenstaart over haar rug. Hij hoefde alleen maar even te kijken en het verlangen sloeg weer als een vlam door hem heen. Met moeite richtte hij zijn aandacht weer op de preekstoel.

Als deze preek was bedoeld om Cherish en haar tante te bemoedigen, dan vond hij het maar een raar soort bemoediging. McDuffie spoorde zijn gehoor aan om elke situatie en gebeurtenis aan te grijpen als een kans om iets van de Heer te leren. Sietze wreef zijn nek; een dergelijk advies irriteerde hem alleen maar.

'Ik zou u willen vragen het eerste vers van Romeinen 12 eens op te slaan.' Overal om Sietze heen klonk papiergeritsel en ook hijzelf pakte de zwarte Bijbel die naast hem lag. Het duurde even voor hij het genoemde bijbelboek had gevonden; hij wist alleen dat het in het Nieuwe Testament stond.

'Broeders en zusters, met een beroep op Gods barmhartigheid vraag ik u om uzelf als een levend, heilig en God welgevallig offer in zijn dienst te stellen...'

De rest van het vers ging aan Sietze voorbij; al bij het woord 'offer' was hij opgehouden met luisteren. De gedachte dat je jezelf ten offer moest brengen klonk hem bijna heidens in de oren. Het riep het verhaal op van Abraham die zijn zoon op een altaar ten brandoffer bracht om God tevreden te stellen op een vreemde, barbaarse manier. Dit was een heel andere God dan de God van de christenen zoals Sietze zich die voorstelde.

Hij stelde zich God liever voor als de goede herder, zoals Jezus, in een witte mantel, omringd door kinderen, met de armen uitgestrekt in een zegenend gebaar.

Tegen het einde van de preek drong dominee McDuffie er bij de mensen op aan naar voren te komen om hun leven opnieuw aan God toe te wijden – om zichzelf daadwerkelijk als 'levende offers' aan God te geven. Heel wat mensen, hoewel lang niet iedereen, stelden zich in een rij voor het altaar op, waar de dominee, zijn vrouw en de oudsten met

hen baden. Vanaf zijn zitplaats keek Sietze toe. De geïmpro-
viseerde gebedsdienst stak een stokje voor zijn plan om
ongemerkt voor de anderen uit de dienst te verlaten. Nadat
de dominee de slotzegen had uitsproken zat Sietze meteen
klem tussen de mensen die terug kwamen lopen van het
altaar en degenen die de kerkbanken uitschoven. Bij de
deur schudde McDuffie hem hartelijk de hand en greep
hem met de andere hand bij zijn arm. 'Hallo, Sietze. Hoe
gaat het met jou? 't Is erg, die toestand met Winslow, voor
jou vast ook. Hij moet wel als een vader voor je zijn. We
bidden voor jullie allemaal. Als ik iets voor je kan doen,
hoor ik het graag.'
Sietze trok zijn hand los, mompelde iets instemmends en
liep weg. Hij voelde zich een bedrieger. Winslows zoon?
Dachten de mensen soms dat hij op dit moment de scheepswerf draaiende hield? Wat moest hij dan zeggen? Dat hij
kampeerde in het krot van een dronkelap?
'Jij en Cherish moeten maar eens komen eten deze week.'
Sietze keek over zijn schouder naar de dominee. 'Ik zie nog
wel,' mompelde hij en liep vlug de stoeptreden af. Maar daar
werd hij weer aangeklampt door iemand die wilde weten of
zijn sloep al opschoot. Wat moest hij tegen al die mensen
zeggen? Dat hij niet meer op de werf werkte? Sinds Winslows
hartinfarct wist hij niet meer waar hij aan toe was. Het was
een ding dat de man hem om vergeving had gevraagd; maar
iets heel anders was of hij hem nu weer in dienst wilde
nemen. En zo ja, zou Sietze zelf dan nog wel terug willen?
Hij kwam er niet uit.
'Ik weet dat de sloep wel zo'n beetje af is,' zei hij tegen de
man. 'Kom anders morgen even naar de werkplaats om te
informeren.' Voordat hij zich uit de voeten had kunnen
maken, was Cherish al bij hem. 'Sietze, waarom kwam je niet
bij ons zitten?' In haar roze en witte japon zag ze er prachtig
uit; van haar sierlijke, witte handschoentjes tot de roesjes
langs de zoom op en top een dame.

'Ik maak niet langer deel uit van jullie huishouding,' antwoordde hij, gedempt om te voorkomen dat iemand hun gesprek zou opvangen. En voor ze kon reageren, vroeg hij erachteraan: 'Hoe gaat het met je vader?'

'Hij is nog heel zwak, maar hij heeft de nacht tenminste overleefd. Ik moet nu meteen terug.'

Hij knikte.

'Ik dacht dat papa...' Ze haperde. 'Papa had toch tegen je gezegd dat het hem speet?'

Hij draaide zijn hoed in zijn handen om en om. 'Jawel, maar hij heeft me niet gevraagd om terug te komen.'

Even sloot ze haar ogen. 'Waarom niet?' vroeg ze toen eenvoudig.

'Dat zul je hem zelf moeten vragen,' antwoordde hij, heel goed wetend dat dat toch niet kon zolang de gezondheid van haar vader zo fragiel was.

'Wat heeft hij tegen je gezegd?'

'Dat doet er niet toe. Het enige wat telt is dat hij zich van dokter Turner nergens druk over mag maken. Dus ook niet over mij.'

'Ik snap het.' Iemand riep een groet naar haar en ze beantwoordde die met een glimlach die op geen enkele manier verried dat ze iets anders voelde dan zondagse opgewektheid. Twee andere vrouwen klampten haar aan en informeerden uitvoerig naar haar vaders toestand.

'Volgens dokter Turner is hij nu stabiel, maar hij zal wel een poosje het bed moeten houden.'

'Goddank dat het beter met hem gaat,' zei de een, en legde haar wit gehandschoende handen in een biddend gebaar tegen elkaar. 'Het is toch wat,' zei de ander hoofdschuddend en klakte met haar tong. 'Zo'n gezonde, levenslustige man als je vader...'

'Ik denk dat hij te hard gewerkt heeft. Dokter Turner heeft tegen hem gezegd dat hij het kalmer aan moet gaan doen.'

Sietze liet geen oog van Cherish af, maar luisterde nauwelijks naar het gesprek. Ze had haar volle aandacht bij de oude dames en liet van haar eigen emoties niets blijken. Niemand die haar nu zag kon vermoeden wat ze het afgelopen etmaal had moeten doorstaan.

Hij wist hoeveel ze van haar vader hield. Nu hij haar zo stond te observeren, besefte hij ineens dat haar gezicht eigenlijk altijd opgewekt stond. Hij moest toegeven dat ze een echte dame was, met een vriendelijk en wellevend woord voor iedereen die haar pad kruiste. Alleen de mensen die haar na stonden hadden het voorrecht haar boos of verdrietig te zien of in een slecht humeur. En hij was een van die weinigen geweest, bedacht hij.

Toen de vrouwen eindelijk weggingen, vroeg Cherish aan hem: 'Kom je ook niet meer naar de werkplaats?'

Hij schudde zijn hoofd. 'Je vader heeft gezegd dat hij me goede referenties zal geven bij elke andere werf waar ik solliciteer.'

Weer werden ze onderbroken door een paar mensen die de kerk verlieten. Toen ze weer aandacht voor hem kon hebben, zei ze alleen: 'Laat het me weten als je iets gevonden hebt, goed?'

Dat kon hij haar wel beloven en dus knikte hij. 'Dat zal ik doen.' Hij stak zijn hand uit: 'Tot ziens, Cherish.'

Ze legde haar hand in de zijne en hij drukte hem stevig, maar zij was de eerste die zich afwendde.

Onderweg naar huis verlangde hij hevig naar vroeger. Zou het niet heerlijk geweest zijn als hij net als toen met de Winslows mee had kunnen gaan om bij hen de zondagse maaltijd te gebruiken? En om dan daarna met Cherish in de schommelbank op de veranda te praten over van alles en nog wat? Over de preek van vanmorgen, bijvoorbeeld? Hij had haar kunnen vragen wat zij ervan meegenomen had. Had zij het misschien, net als hij, een beetje extreem gevonden wat de dominee zei? Vast niet, want zij was wel naar voren gegaan. Betekende dat dat ze de aansporing van de

predikant ter harte had genomen, of alleen maar dat ze vandaag speciale behoefte aan voorbede had? Hij zou het nu
nooit weten.

Hij zuchtte en slofte de lange, stoffige weg naar Lupine Cove
af om met Tobias een boterham te gaan eten.

De hele week kwamen de buren in afgedekte schalen eten
brengen. Na de zoveelste samengestelde maaltijd zat Cherish
aan haar vaders bed en las hem voor uit de bijbel.

'Cherish?'

'Wat is er, papa? Moet ik iets voor u halen?'

'Heb je Sietze nog gezien?'

'Nee, sinds zondag niet meer.'

'Is hij niet teruggekomen naar de werf?' Uit zijn stem bleek
niet meer dan een vage belangstelling.

'Nee.'

'Ik zou hem graag nog eens spreken. Zou je Jacob willen
vragen om hem te gaan halen?'

Haar hart sloeg op hol. Misschien was hij van gedachten veranderd. Maar ze zei slechts: 'Goed, papa.'

Toen Sietze werd binnengelaten, zat Tom Winslow rechtop
in bed, gesteund door een aantal kussens. 'Hallo, Sietze,'
groette hij.

'Dag, meneer Winslow,' groette Sietze terug. Hij was meteen
gekomen toen hij geroepen werd. 'U ziet er al veel beter
uit.'

'Dank je. Ik had niet gedacht dat ik het zou halen. Ga zitten,
wil je?'

Sietze gehoorzaamde. Hij vroeg zich af wat Winslow van
hem moest. Had hij nog niet genoeg gedaan?

Het bleef een poosje stil. Ten slotte zei Winslow: 'Je weet
hoe kwaad ik op je was.'

'Ja, meneer.'

'Dat is de enige reden voor mijn handelwijze. Ik wilde absoluut niet dat je ergens werk zou vinden waardoor je nog steeds in Cherish' buurt zou zijn.'

'Het geeft niet, meneer. Dat is allemaal verleden tijd,' zei Sietze, die zich heel goed realiseerde hoe zwak Winslow nog was.

De man bewoog zijn lippen alsof hij moeite had de juiste woorden te vinden. Sietze probeerde een manier te bedenken om hem te kalmeren, maar Winslow vervolgde alweer: 'Cherish zou de beste man van het district kunnen krijgen. Sta haar niet in de weg, Sietze.'

'Dat zou ik nooit doen, meneer.'

Alsof Sietze niets had gezegd, ging Winslow verder: 'Ik heb haar altijd het beste van het beste gegeven... Een opleiding, de beste die er voor geld te krijgen was, een wereldreis... Ze is aan kwaliteit gewend. Sta haar niet in de weg, Sietze, alsjeblieft!'

'Het was niet mijn bedoeling haar het hof te maken, meneer Winslow. Ik heb niets gedaan om haar voor mij te winnen, dat zweer ik. U moet me geloven, ik heb me er juist hevig tegen verzet.'

Winslow keek hem zwijgend aan en knikte ten slotte met moeite. 'Ik geloof je. Maar je bent toch voor haar gevallen, of niet soms? Ik kan het in je ogen zien en ik hoor het aan je stem. Je kon er niets aan doen. Ze is nu eenmaal een bijzonder meisje. Ik weet ook wel dat ze koppig en onstuimig is. Als zij zich iets in haar hoofd gezet heeft, dan zal ze haar willetje proberen door te drijven. Ik neem je niets kwalijk, jongen. Ze is precies haar moeder. Toen ik die voor het eerst zag, was ik ook meteen verkocht.' Hij glimlachte bij de herinnering.

'Ze was mooi, niet alleen uiterlijk, maar ook vanbinnen... net als Cherish. Het straalt gewoon van haar af. Ik begrijp heel goed dat het onmogelijk voor je was om Cherish te weerstaan toen ze terug kwam uit het buitenland en regelrecht de werkplaats binnenwalste. Je vond haar ongetwijfeld adembenemend, net als ik haar moeder indertijd.'

Hij werd weer ernstig en keek Sietze met gefronste wenk-brauwen aan. 'Maar jij bent een stuk ouder dan zij. De ver-antwoordelijkheid rust op jouw schouders.'

Sietze schoof op zijn stoel heen en weer bij deze woorden, die wel de echo leken van wat zijn eigen geweten hem voortdurend voorhield.

'Jij en ik, Sietze, wij zijn maar een paar eenvoudige scheeps-bouwers. Niks meer dan een stel timmerlui met simpele behoeften. Geef ons een bootontwerp en wat hout en we zijn gelukkig. Maar Cherish is anders. Ze heeft iets van de wereld gezien. Ze is knap, intelligent en levenslustig. Ze kan alles krijgen wat haar hartje begeert. Ze denkt dat het haar gelukkig zou maken als ze de rest van haar leven in de werkplaats bezig kon zijn. Maar zou jij haar in zo'n klein wereldje willen opsluiten – het enige dat je haar te bieden hebt?'

Bij iedere zin voelde Sietze zich kleiner worden. De woor-den hamerden in zijn ziel en vonden daar erkenning.

'Als je echt om haar geeft, gun je haar dan niet veel meer – de dingen die een welgesteld man haar kan geven? Is dat niet het leven dat ze verdient? Ik heb alles gedaan wat in mijn vermogen lag om haar daarop voor te bereiden. Nu is voor haar het moment gekomen om een dergelijk leven ook te gaan leiden. Zou jij Cherish dan willen vastketenen in je eigen beperkte wereld? Dat wil je toch niet, zoon!'

De benaming sneed Sietze door de ziel. Hoe kon Winslow hem nu aanspreken als zoon – iets wat hij tot nu toe nooit had gedaan – juist nu hij dit grote offer van hem vroeg?

Ze keken elkaar vast in de ogen. Inwendig worstelde Sietze met zijn verlangens die zo intens waren dat hij ze nog nooit onder woorden had kunnen brengen. Winslows blik was begripvol, maar tegelijk onverzettelijk.

'Nee, meneer,' antwoordde Sietze uiteindelijk, verbaasd dat die twee eenvoudige woorden hem zo zwaar vielen. Wat

Winslow tegen hem had gezegd was niet nieuw voor hem. Hij had het al vaak genoeg tegen zichzelf gezegd, zij het niet zo gedetailleerd. Maar diep in zijn hart had deze wetenschap geleefd sinds Cherish na haar afwezigheid van twee jaar opnieuw de werkplaats was binnengewandeld. Waarom was het dan zo moeilijk dit te aanvaarden uit de mond van iemand die ook van Cherish hield en alleen maar uit was op haar bestwil?

Zodra hij Winslows kamer uit kwam, liep Cherish naar hem toe.

'Wat had mijn vader?'

Hij keek haar recht in de ogen. Omwille van haar vaders gezondheid moest hij openhartig tegen haar zijn. 'Hij wil niet dat wij elkaar nog zien.'

Nadat Sietze vertrokken was, zat Cherish bij haar vader tot hij sliep. Ze liet niet merken dat ze op de hoogte was van zijn gesprek met Sietze. Toen hij in slaap gevallen was, verliet ze het vertrek en ging naar de veranda. De bomen stonden vol in blad en hier en daar schemerden de tere witte bloesems van de wilde perenbomen tussen het groen. Het leek wel alsof in deze junimaand alles tegelijk in bloei stond, van rozen tot seringen, alsof bomen en planten wisten hoe snel de zomer weer voorbij zou zijn.

Een gevoel van diepe eenzaamheid overviel Cherish. Het deed haar verdriet haar vader zo kwetsbaar te zien. Nog maar een paar dagen geleden had hij zo gezond en flink geleken en nu was hij zo hartverscheurend zwak. Maar hoe zwak hij in lichamelijk opzicht ook was, geestelijk en emotioneel was hij er nog veel erger aan toe. Hij maakte een verloren indruk.

Ondanks haar verdriet worstelde ze echter ook met ergernis over zijn houding ten aanzien van Sietze. Hoe kon haar vader zo onredelijk zijn? Alles in haar schreeuwde om een tegenactie van haar kant, ook al wist ze met haar gezond verstand dat haar vader dat in zijn toestand niet kon hebben. Maar ze moest er met iemand over praten. Daarom greep ze haar parasol en zei tegen tante Phoebe dat ze een poosje weg zou zijn.

Haar doel was de pastorie. Het stond nog te bezien of ze dominee McDuffie en zijn vrouw alleen zou treffen en dus oefende ze alvast op een nietszeggende glimlach waarmee ze de eventuele andere bezoekers zou moeten begroeten. Maar toen ze aanklopte, leek het stil in het huis.

'Hallo, Cherish!' Met een brede glimlach trok Carrie McDuffie haar naar binnen.

'Sorry dat ik zo onaangekondigd kom binnenvallen.'

'Onzin. We waren toch al van plan je eens uit te nodigen, eigenlijk al vanaf dat je terug bent. Hoe gaat het met je vader? Arlo wilde straks nog even langskomen voor een kort bezoekje.'

'Dat zal hij fijn vinden. Ik heb hem alles verteld over de preek van afgelopen zondag en daar leek hij van te genieten.'

'Dat klinkt goed.' Carrie ging haar voor, de gang door, naar de achterveranda. 'We zaten daar net te bekomen van het eten en de bloemen te bewonderen.'

'Wat is het hier mooi en vredig,' zei Cherish, toen ze de beschutte veranda op liepen.

'Hallo, Cherish,' begroette dominee McDuffie haar en kwam uit zijn schommelstoel overeind.

'Blijft u toch zitten. Ik kwam alleen maar even gedag zeggen.'

De predikant negeerde haar opmerking, en schudde haar hartelijk de hand. 'We bidden steeds voor jullie. Geef de moed niet op.'

Ze glimlachte en ging in de stoel zitten die Carrie haar wees. 'Zeg juffrouw Cherish eens gedag, Janey.' Het vijfjarig dochtertje van het echtpaar zat met haar pop op de verandatrap. Cherish glimlachte naar haar. 'Hallo, Janey.'

'Dag, juffrouw Cherish,' zei het meisje en stak haar pop omhoog. 'Dit is Eliza.'

'Dag, Eliza.' Cherish pakte het porseleinen handje beet. 'Hoe gaat het met jou?'

'Heel goed, dank u, juffrouw Cherish. Ik hoop dat u een fijn bezoek zult hebben in de pastorie.'

'Dank je, vast wel.'

'Vooruit, Janey, laat juffrouw Cherish eens rustig met papa praten.'

'Maar mama, ik wil graag visite met haar spelen.'

Haar moeder nam het meisje bij de hand. 'Dat begrijp ik. Weet je wat? Wij komen straks nog even terug, en dan kunnen we gezellig met haar praten en misschien een glaasje limonade drinken. Wat vind je daarvan?'

Cherish keek hen na. Het was al duidelijk te zien dat er een nieuwe McDuffie onderweg was. Mevrouw McDuffie was een gezegend mens met haar liefhebbende man en dochter, een tweede kind op komst, en een prachtig huis omringd door bloemen.

'Houd jij het nog een beetje vol?' De zachte stem van de dominee verstoorde haar gedachten. Ze zuchtte en keek hem met een triest glimlachje aan. Ze had zich flink willen houden en de indruk willen wekken dat ze haar beproeving onder ogen zag met het gelovige vertrouwen waarover hij in zijn preek had gesproken. Maar toen ze zijn meelevende blik zag, sprongen de tranen in haar ogen. Ze perste haar lippen op elkaar en keek de andere kant op, naar de tuin. De kleuren van de uitbundig bloeiende bloembedden liepen allemaal door elkaar tot ze niets anders zag dan een troebel groen-roze-lila landschap.

'Huil maar eens lekker uit, dat geeft niks,' zei de dominee zacht. Na een poosje reikte hij haar een witte zakdoek aan, die ze dankbaar aannam. 'Ik was niet van plan hier een potje te komen brullen. Daar is het een veel te mooie dag voor.'

'Je kunt hier komen brullen zo vaak je maar wilt. Ik zorg wel dat er een zakdoek klaarligt.'

Ze lachte een beetje beverig, droogde haar ogen nog eens af en snoot haar neus. 'Nou is het wel mooi geweest met al dat zelfmedelijden.'

'Wil je erover praten?'

'Ach, dominee, waar moet ik beginnen?'

'Ik neem aan dat je je zorgen maakt over je vader.'

Ze beet op haar lip. 'Dat is niet het enige.' Ze keek op haar handen die nog steeds krampachtig de zakdoek beet hielden. 'Het is mijn schuld dat zijn hart het begaf.'

'Hoe kom je daar bij?' vroeg hij rustig.

'Ik heb hem vreselijk van streek gemaakt.'

'Wat heb je dan voor afschuwelijks gedaan? Je bent nauwelijks lang genoeg thuis om nu al in de problemen te zijn.'

'Dat denkt iedereen, of niet soms? "Cherish gedraagt zich altijd zo keurig. Haar familie kan trots op haar zijn",' aapte ze de mensen na. 'Maar ik ben alleen maar tot de ontdekking gekomen dat het er vanbinnen helemaal niet zo keurig uitziet.'

Toen kwam het hele verhaal eruit. Ze vertelde hem alles van de gevoelens die ze voor Sietze had gekoesterd zolang ze zich kon herinneren. Ze vertelde van Sietzes terughoudendheid en zijn capitulatie, en de heftige reactie van haar vader.

'Ik had nooit gedacht dat papa er zo op tegen zou zijn dat er tussen Sietze en mij iets zou groeien.' Ze snikte opnieuw. 'Het is toch iets heel natuurlijks? Ik ben min of meer in de werkplaats opgegroeid, en hij was altijd in de buurt. Sietze is uitstekend in staat om de werf over te nemen, wanneer papa... wanneer papa te oud wordt.' Bij die gedachte begonnen haar tranen opnieuw te vloeien, want die dag leek maar al te dichtbij.

'Maar in plaats daarvan heeft hij Sietze van de werf gejaagd. En wie weet hoe lang hij in bed moet blijven. Hij heeft in ieder geval de komende weken voortdurende zorg nodig, en wie zal dan in die tijd de zaak draaiende houden?' Ze keek in het vriendelijke gezicht van McDuffie, zonder overigens een antwoord van hem te verwachten.

Hij leek dat aan te voelen, want hij reageerde niet meteen. Wel pakte hij zijn grote, versleten bijbel, opende die bij het Evangelie van Matteüs en las een gedeelte dat Cherish goed kende, over de lelies in het veld. Hij besloot met: 'Maak je dus geen zorgen voor de dag van morgen, want de dag van morgen zorgt wel voor zichzelf.' Toen deed hij het boek weer dicht.

'Zullen we bidden?' Hij nam haar handen in de zijne, boog zijn hoofd en sloot zijn ogen. Zijn kalme stem bracht Cherish langzamerhand tot rust. Hij bad om herstel voor haar vader en om verzoening tussen hem en Sietze. Hij bad ook of Sietze de weg mocht vinden die God voor hem had uitge-stippeld. En ten slotte bad hij voor Cherish zelf.

'Schenk haar uw genade, Heer, dat ze hier doorheen mag komen. We weten dat u met dit alles een bedoeling hebt, en dat alle dingen meewerken ten goede voor hen die u lief-hebben, die u volgens uw voornemen geroepen hebt.'

Na het gebed keek hij haar een poosje nadenkend aan. 'Het valt niet mee om van iemand te houden, vind je wel?'

Ze knikte. 'Ik had nooit verwacht dat het zo moeilijk zou zijn. Volgens mij heb ik altijd al van Sietze gehouden, vanaf de eerste dag dat ik hem zag. Kan een kind van vijf verliefd worden?'

'Een kind van vijf kan liefhebben.'

'Hoe meer ik 1 Korintiërs 13 lees, hoe slechter ik me voel. Ik schiet zo tekort in echte liefde. Sinds ik terug ben heb ik mezelf in duizend bochten gewrongen om ervoor te zorgen dat Sietze me zou zien staan – zou merken dat ik een vrouw geworden ben – maar hoe meer ik daar mijn best voor deed, hoe kinderachtiger ik me gedroeg... En nu dit. U vindt waar-schijnlijk, net als Sietze trouwens, dat ik niet verantwoorde-lijk kan zijn voor de toestand van mijn vader, maar u hebt niet gezien hoe hij die dag in de werkplaats was. Ik heb hem nog nooit zo razend meegemaakt. Het kan niet anders, of zijn hart heeft daarvan te lijden gehad.'

'Je weet dat in de bijbel staat dat de liefde van Christus door de heilige Geest in onze harten is uitgestort.'

Ze knikte; ook deze tekst kende ze wel.

'Als je daar nou eens goed over nadenkt, zul je ontdekken hoe de liefde die in 1 Korintiërs wordt beschreven je deel kan worden. En dan wil ik je nog iets vragen.' Hij stak een hand op. 'Je hoeft me niet meteen antwoord te geven, want dat antwoord is niet eenvoudig.'

Haar hart begon sneller te kloppen toen ze de vaste blik zag waarmee hij naar haar keek. Ze kende die blik wel. Nu kwam er een geloofsvraag die haar niet zou bevallen.

'Zou je bereid zijn – echt van harte bereid – om in de situatie zoals die er nu ligt tussen jouzelf en Sietze en je vader, Gods wil te aanvaarden?'

Ze likte zenuwachtig over haar lippen. 'U bedoelt of ik het blijmoedig zal accepteren als het niet Gods wil is dat Sietze en ik samen verder gaan?'

'Precies.'

'Ik heb de Heer gebeden om in mijn – in onze levens zijn volmaakte wil te doen. Maar sindsdien krijg ik voortdurend tegengestelde signalen en dat maakt me opstandig,' zei ze treurig.

Hij glimlachte begrijpend. 'Als je jezelf echt aan de Heer hebt overgegeven, zal hij je de weg wijzen. Hij weet hoe je bent, hij kent je zwakheden en hij zal zijn werk daar doorheen doen. Je moet op hem wachten en geduld oefenen.'

Ze trok haar neus op. 'Ik ga nog eens een gloeiende hekel krijgen aan dat woord.'

'Doe dat maar niet. Het is een prachtig woord. "Wie hoopt op de HEER krijgt nieuwe kracht: hij slaat zijn vleugels uit als een adelaar, hij loopt, maar wordt niet moe, hij rent, maar raakt niet uitgeput".'

Gesterkt en met nieuwe moed verliet Cherish de pastorie.

Het lezen van de Schriften had haar er bij bepaald dat ze een geestelijke strijd te voeren had, die ze alleen op haar knieën kon winnen, door geduldig te wachten op het volmaakte werk dat de Heer zou doen.

14

*D*rijfnat van het zweet schrok Sietze wakker. Hij had het gevoel of hij zou stikken in de benauwde, stinkende hut en gooide de lakens en dekens van zich af. Aan de andere kant van de kamer klonk de moeizame ademhaling van Tobias. Sietze verstopte zijn hoofd onder zijn kussen om het gereutel niet te hoeven horen.

Zijn droom stond hem nog levendig voor de geest. Hij had Cherish in zijn armen gehouden en probeerde nu vergeefs dat beeld weer kwijt te raken. Hij moest en zou haar uit zijn hoofd zetten. Denk aan je belabberde toestand, zei hij streng tegen zichzelf.

Dagelijks was hij op zoek naar werk, maar tot nu toe zonder resultaat. Het leek wel alsof iedereen hem plotseling als een paria beschouwde en zo langzamerhand was hij de wanhoop nabij. Hij had altijd zelf de kost verdiend en was nooit van een ander mens afhankelijk geweest.

Voor hij het wist lag hij weer koortsachtig te piekeren, wetend dat hij de rest van de nacht zou liggen woelen en draaien in een vergeefse poging de verkwikkende vergetelheid van de slaap terug te vinden.

De volgende ochtend liet Sietze de katten naar buiten, nam zelfs niet de moeite een kop koffie te zetten, maar ging onmiddellijk op weg naar het dorp, met achterlating van een vredig snurkende Tobias. Tot dan toe had hij het dorp gemeden. Liever zocht hij werk in de stadjes in de buurt. Maar telkens als hij er langs liep, leek de visverwerkingsfabriek aan de kade hem te wenken. Het was wel het laatste wat hij wilde: zichzelf verlagen door in die fabriekshal te gaan werken. Van scheepsbouwer tot fabrieksarbeider. Hij schopte tegen de stenen op de weg. De vertrouwde woede om het geleden onrecht steeg opnieuw in hem op, maar kon geen uitweg vinden. En dat zou zo blijven ook, want op wie anders kon hij boos zijn dan alleen op zichzelf?

Hij keek omhoog naar de lucht, die bleekblauw achter de groene bomen stond, de belofte van een koesterend warme dag. Ook al was het pas zes uur in de ochtend, het was toch al helemaal licht.

Hij zou kwaad kunnen zijn op God, die hem gemaakt had. Die hem al op jonge leeftijd zijn ouders en zijn thuis had afgenomen... maar hij kon het niet. Diep vanbinnen had Sietze het gevoel dat hij zijn verdiende loon kreeg. Hij had iets verkeerd gedaan en daarvoor werd hij nu gestraft.

Vastberaden stapte hij door de hoofdstraat. Zelfs op dit vroege uur waren er al vissers op pad, onderweg naar de haven, klaar om uit te zeilen. Vriendelijke begroetingen klonken over en weer.

'Hé, Sietze, wat doe jij hier zo vroeg?'

Hij hief groetend zijn hand, maar bleef niet staan voor een praatje.

'Hoe gaat het met Winslow?' vroeg een ander.

'Beter,' antwoordde hij, zonder zijn pas te vertragen. In een ruk liep hij door naar de fabriek. Haven's End had maar een visverwerkingsbedrijf, en dat was pas verleden jaar geopend, tegelijk met een heleboel andere langs de kust. Er werd haring ingeblikt voor de visconservenindustrie.

Toen Sietze het gebouw binnen stapte, sloeg de vislucht hem tegemoet. Die was hier nog pregnanter dan buiten op de kade. De fabriek, een grote, vochtige, hoge hal, stroomde al vol met arbeiders, onder wie veel Portugese en Ierse immigranten.

Nou ja, per slot van rekening kwam hij zelf ook uit een immigrantenfamilie, bedacht hij. Zijn ouders hadden in Friesland gewoond, voordat zij het grote water waren overgestoken. Hij vroeg naar de bedrijfsleider en werd verwezen naar een zijdeur die toegang gaf tot een kantoortje. Vijf minuten later bond hij zich een zwart, waterbestendig schort voor dat tot zijn voeten reikte en werd hem een plaats toegewezen aan een lange tafel. Daar stonden nog veel meer mensen, eender gekleed als hijzelf, die haring schoonmaakten en in stukken sneden voor een derde van het salaris dat hij bij Winslow had verdiend.

Hij bande alle gedachten uit zijn geest, en dacht alleen nog maar aan het werk dat voor hem lag. Hij had overleefd toen hij als twaalfjarige noodgedwongen het ouderlijk huis had moeten verlaten, hij had overleefd toen Winslow hem op straat had gezet – hij zou ook dit wel weer overleven. Hij zou zijn doel bereiken. Het zou misschien wat langer duren, maar zijn droom zou in vervulling gaan.

Toen Sietze thuiskwam voelden zijn benen door het lange staan als rubber. Daarbij had hij kramp in zijn vingers doordat hij met de ene hand de haring en met de andere het mes had moeten vasthouden. De huid van zijn handen was rood en gerimpeld na al die uren in het zoute water. Hier en daar had hij zich met het scherpe mes verwond en zijn hele lichaam stonk even erg naar vis als de fabriekshal zelf.

Hij liep meteen door naar de bron om water te putten voor een bad. Tobias was nergens te bekennen. Het vuur was uitgegaan, dus moest Sietze het opnieuw aansteken. Hij schopte zijn smerige laarzen uit en zodra het water maar een beetje lauw was, vulde hij de tinnen tobbe die buiten aan een haak aan de muur hing. De katten draaiden miauwend om hem heen en gaven voortdurend kopjes.

'Sorry, ik heb geen vis voor jullie bij me. Het ruikt misschien wel zo, maar ik heb alles in de stoomvaten achtergelaten.'

Toen hij zijn kleren uitgooide, zag hij met afschuw dat de schubben eruit regenden. Het schort bood niet voldoende bescherming tegen de miljoenen schubben die hij had afgeschraapt. Vlug stapte hij het bad in en schrobde zichzelf van top tot teen af. Net toen hij zijn hoofd in het water duwde om de laatste schubben uit zijn haar te spoelen, vloog de deur met een klap open.

'Ha, Sietze, ben jij daar?' Tobias praatte met dubbele tong en rekte zijn schrale nek om Sietze beter te kunnen zien.

'Klopt,' antwoordde die kortaf. De inbreuk op zijn privacy irriteerde hem, gewend als hij was aan de eenzaamheid van de werkplaats wanneer hij die 's avonds voor zichzelf alleen had.

'Stoor je maar niet aan mij.' De oude man maakte een handgebaar in zijn richting en liep op onvaste benen naar zijn schommelstoel. 'Badder maar gewoon door. Ik ga hier effe lekker zitten. Ben een beetje duizelig...'

De schommelstoel kraakte onder zijn gewicht. Zuchtend beëindigde Sietze zijn bad, maar niet na zich nog een laatste keer afgespoeld te hebben. Knarsetandend stelde hij vast dat er nog steeds schubben uit zijn haar in het vuile badwater vielen.

Hij wikkelde een tot op de draad versleten handdoek om zich heen en sjorde de tobbe naar de deur. Een plotselinge ingeving deed hem omkijken naar Tobias die al schommelend uit het raam zat te kijken. 'Zou je het prettig vinden als ik een bad voor je klaarmaak?' De kwaliteit van de lucht in het vertrekje zou er beslist door verbeteren.

'Welnee, jong. Bedankt voor het aanbod, maar ik ga nooit in bad.'

'Dat dacht ik al.'

Sietze trok schone kleren aan, kamde zijn natte haren achterover en begon zich zo langzamerhand weer een beetje mens te voelen. Van een zij spek die hij onderweg naar huis had gekocht sneed hij een paar plakken af en zette die op het fornuis te bakken. De restjes deed hij in een bord voor de katten, die er onmiddellijk op af kwamen.

'Zin in eten?' vroeg hij aan Tobias.

'Neu.' De man mompelde iets en zocht in zijn zak naar zijn tabak. Al gauw mengde de geur van een rokende pijp zich met die van gebakken spek. Sietze brak ook nog een paar eieren boven de pan. Terwijl die lagen te stollen, deed hij zijn werkkleren in de tobbe en spoelde ze grondig uit. Hij hing ze buiten aan de lijn, waar ze in de eeuwige zeewind hingen te wapperen, en hij hoopte maar dat ze de volgende dag droog zouden zijn.

Hij sneed brood en zette zich aan de maaltijd. Echt honger had hij niet, maar hij wist dat hij moest eten om op krachten te blijven. Iedere gedachte aan morgen duwde hij van zich af. Hij wist uit ervaring dat hij beter bij de dag kon leven. Stevig at hij door.

Even later stond Tobias op uit de schommelstoel en kwam naar de tafel geschuifeld. 'Het ruikt net as in de schoener, als we gevist hadden bij de Grand Banks. In de kombuis stond altijd een lekker warm ontbijt voor ons klaar, voordat we met de sloep aan wal gingen.'

'Heb jij bij de Grand Banks gevist?'

'Zekers.' Hij kneep een oog dicht en krabde in zijn grijze baardstoppels. ''Es effe kijken, dat mot in de zomers van '61 en '62 geweest zijn. De vissersvloten hadden mensen tekort, alle jongelui waren opgeroepen voor de oorlog.'

'Mijn vader viste ook bij de Grand Banks.'

Tobias keek hem onderzoekend aan. 'Je meent 'et. Ken ik 'em gekend hebben?'

'Dat denk ik niet. Zijn boot is in '61 vergaan. Dat was de *Laurie Ann*.'

Tobias knikte traag. 'Die naam ken ik me wel herinnere. 't Is

zonde, dat is het. D'r zijn daar een hoop goeie lui verzopen.'
'Ja.' Sietzes vader was een van hen geweest.
'Hebbie zelf ook bij de Grand Banks gevist?'
'Nee. Ik ben meteen als leerling op de werf van Winslow gekomen.'
'Ik ben als jochie al naar zee gegaan. Heb m'n eigen opgewerkt tot matroos.' Tobias leunde achterover op zijn houten stoel en zijn ogen stonden dromerig. 'Wat een tijd was dat – een hard leven, zekers, maar een best leven ook. Ach ja.' Hij trok hevig aan zijn pijp.
'Heb je weleens op een klipper gevaren?' informeerde Sietze belangstellend. Soms wilde hij dat hij eerder was geboren, zodat hij op die enorme, rankgebouwde schepen had kunnen varen.
'Nou en of! In '53 zat ik op de *Flying Cloud* tijdens de race met de *Hornet*.' Hij grinnikte. 'De *Hornet* was twee dagen eerder uit New York vertrokken dan wij, maar mooi dat we d'r inhaalden! We deden d'r honderdvijf dagen over naar 'Frisco en hebben al die tijd niet een keer een zeil gereefd of de bezaan opgerold. De *Hornet* versloeg ons met een voorsprong van ongeveer veertig minuten, maar uiteindelijk had zij toch honderdzes dagen voor het tochie nodig gehad.' Tobias lachte kakelend bij de herinnering en sloeg met zijn vlakke hand op tafel. 'D'r is heel wat afgewed op die beide schepen. Maar we benne niet lang in 'Frisco gebleven, net lang genoeg om te lossen en ballast in te nemen, en weg waren we weer, naar China om thee te gaan halen.'
Sietze duwde zijn lege bord van zich af en zette zich in luisterhouding.
'Een andere keer deed ze de reis rond Kaap Hoorn in negenentachtig dagen en eenentwintig uur. Volgens onze kap'tein was de enigste goeie manier om te zeilen zoveul mogelijk zeilen hijsen en die zo lang mogelijk laten hangen. Soms hing d'r wel tweeduizend vierkante meter zeildoek boven ons hoofd.'

'Je zult bij Kaap Hoorn heel wat ruw weer meegemaakt hebben.'

'Het kon er vuil tekeergaan. Op een keer verloor ons schip de masten, en toen moesten we een paar dagen in Valparaiso blijven. En nog haalden we 'Frisco in honderddertien dagen.' Hij grijnsde. 'En toen ging het grootste deel van de bemanning er van tussen, naar de goudvelden.'

'Had je zelf geen zin om goud te gaan wassen?'

De oude man zoog zijn lippen naar binnen door het gat waar zijn voortanden hadden gezeten. 'Neu. Na een paar dagen op de vaste wal had ik alweer heimwee naar de zee. Het was een hard leven. Bij weer en wind in het want klimmen en ik heb nooit meer gebeurd as vijftien dollar in de maand.' Weer die grijns. 'Na een paar dagen passagieren was ik 'et weer kwijt ook. An wijn en vrouwen.'

'Ben je nooit getrouwd?'

Tobias schudde langzaam zijn hoofd. 'Ik was getrouwd met de zee. En in de havens heb je de gewillige vrouwtjes voor het uitkiezen. Ik heb vrouwen gehad over de hele wereld, van China tot Portugal en alles d'r tussenin.' Met de steel van zijn pijp krabde hij langs zijn kaak. 'Neu, een getrouwde matroos, da's niks gedaan.'

Het gesprek keerde terug naar de schepen. 'Dat waren nog 'es tijden. Slanke schepen met een scherpe boeg, en kap'teins die wisten hoe ze alles d'r uit konden halen wat erin zat.' Hij schraapte afkeurend zijn keel. 'Heel iets anders dan die enorme, plompe vrachtschepen van nu. Dat lijken wel wastobben – geen enkel zeil meer, alleen nog een motor die de hele haven onder de stoom zet. Geef mijn maar een klipper.'

Sietze stond van tafel op en zette zijn bord in de afwasteil. De kortstondige geestdrift die het verhaal over de klippers bij hem teweeg had gebracht verdampte alweer en maakte plaats voor een vage neerslachtigheid. Waren de dagen van de zeilvaart echt definitief voorbij en daarmee de dagen van de beroemde scheepsontwerpers – zoals McKay en Webb en

andere grote namen uit de scheepsbouw? Was hijzelf domweg te laat geboren?

Cherish kwam de slaapkamer in om te kijken hoe haar vader
het maakte. De dokter gaf hem nog steeds slaapmiddelen
om ervoor te zorgen dat hij voldoende rust nam, maar op dit
moment was hij wakker. Hij glimlachte toen hij haar zag.
'Fijn om je te zien, lieverd.'
'Kan ik iets voor u doen, papa?' vroeg ze met een opgewekte
glimlach, terwijl ze op de rand van het bed ging zitten.
'Je glimlach doet me meer goed dan alle pillen en drankjes
die dokter Turner me voorschrijft,' zei hij, wijzend op de
potjes en flesjes op zijn nachtkastje.
'Hij wil alleen maar dat u beter wordt.'
'Ik voel me ook al een stuk beter.'
'Nou, u moet in elk geval nog een poosje langer rust houden,' zei ze en streek de sprei glad.
'Maar ik weet niet of de scheepswerf het nog veel langer
zonder toezicht kan stellen. Hoeveel dagen heb ik al versla-
pen?'
'Een paar. Maar dokter Turner is niet te vermurwen: hij staat
erop dat u zich de komende weken absoluut niet inspant.'
Zijn gezicht betrok. 'En de werf dan? Word ik geacht vanuit
mijn bed toe te kijken hoe de hele zaak naar de haaien gaat?'
'Papa, u weet best dat ik in staat ben de verantwoordelijkheid op me te nemen totdat u zelf weer kunt gaan.'
Hij perste zijn lippen op elkaar en keek de andere kant op.
'Was Henry maar zo fatsoenlijk geweest om hier te blijven. Ik
neem aan dat we hem niet kunnen vragen om tijdelijk terug
te komen. Misschien moet ik er toch maar eens met tante
Phoebe over praten...'
'Papa! Heeft u nou niet gehoord wat ik zei? En ik dan? Denkt
u nou echt dat ik geen idee heb van wat er op de werf
omgaat? Ik zou toch best voor een paar weken de leiding
kunnen nemen? U bent tenslotte in de buurt. Als ik iets niet

weet, kan ik het u altijd vragen en ik kan aan het eind van elke dag rapport uitbrengen.'

Hij gaf nog steeds geen antwoord, maar begon met zijn vingers op de sprei te trommelen, zodat ze wel begreep dat hij zich weer begon op te winden.

'Het voornaamste is toch dat u weer beter wordt, papa,' zette ze rustig haar pleidooi voort. 'U weet best dat u zich geen zorgen moet maken over de gang van zaken op de werf. Wie kan die nu beter in de gaten houden dan uw eigen dochter?'

'Weet je zeker dat Henry niet zou willen komen?'

'Papa, hij heeft een baan. Hij kan toch niet zomaar alles uit zijn handen laten vallen om hier te komen?'

'Ik wou maar dat...'

'U wou maar wat?'

'Ik wou maar dat jij al getrouwd was met iemand als Warren Townsend. Dan zou je man de honneurs kunnen waarnemen zolang ik nog niet volledig hersteld ben.'

'Papa! Wat heeft Warren nou voor verstand van de scheepsbouw?'

'Hij heeft verstand van zakendoen. Hij is oprecht en eerlijk. Zijn vader denkt erover ook in de scheepsbouw te gaan. Een verbintenis tussen onze beide families heeft zeer zeker voordelen.'

Alleen de ernstige waarschuwing van de dokter hield haar van een antwoord terug. 'Tsja, papa, ik ben nog niet met meneer Townsend getrouwd, dus zou u het in de tussentijd dan alleen met mijn expertise willen wagen?'

Nu keek hij haar eindelijk aan en hij glimlachte. 'Ik weet dat je probeert te helpen. Goed dan, ga maar naar de werf en controleer wat de mannen aan het doen zijn. De sloepen zouden inmiddels klaar moeten zijn. Die kunnen dus afgeleverd worden en dan moeten de betalingen geïnd. Er zijn ook nog wat achterstallige betalingen, daar moet je ook achteraan. De rest kan nog wel wachten. Als we uitleggen dat ik ziek ben, dan willen de bank en de andere crediteuren vast nog wel een poosje geduld oefenen...'

Ze zag zijn bezorgdheid weer groeien. 'Goed, papa, ik zal ervoor zorgen. Vanmiddag kom ik terug om verslag uit te brengen. Kan ik nog iets voor u halen voor ik wegga?'

'Nee, dank je wel, liever. Je woorden over Townsend hebben me erg gerustgesteld.'

Ze fronste. 'Welke woorden?'

'Dat je *nog* niet met hem getrouwd bent. Laten we hopen dat het niet te lang meer duurt, vind je ook niet?'

Hij sloot zijn ogen en opnieuw slikte ze haar reactie in. Ook al hield ze veel van haar vader en wilde ze alles voor hem doen, ze vond nu dat hij haar op een oneerlijke manier onder druk zette. Door zijn toestand kon ze het zich niet veroorloven verzet te bieden.

Op de werf aangekomen ontdekte Cherish dat slechts de helft van de mannen aan het werk was. 'Niemand weet precies wat hij moet doen,' legde Ezra uit. 'Is de werf tijdelijk gesloten of wil meneer Winslow dat we gewoon doorwerken?' Een beetje onzeker en schuldbewust keek hij naar de in aanbouw zijnde schoener. 'Ik heb geprobeerd de arbeiders aanwijzingen te geven, maar ze zitten allemaal in de rats over hun toekomst.'

'Dat begrijp ik heel goed,' zei ze met een geruststellende glimlach. 'Nou, dan heb ik goed nieuws. Papa heeft de leiding aan mij overgedragen totdat hij weer mag opstaan.' Voordat de oude man lucht kon geven aan zijn verbazing, voegde ze er op zakelijke toon aan toe: 'Zou je de mannen bij elkaar willen roepen? Dan zal ik ze toespreken.'

Terwijl Ezra met zware tred naar de schoener liep en de order doorgaf, bad ze in stilte om het benodigde overwicht. Een paar minuten later had zich een groot aantal verweerde, geharde mannen om haar heen verzameld.

'Goedemorgen, heren,' begon ze met haar beste kostschooluitspraak, hoewel ze inwendig beefde als een rietje. 'Ik wil jullie allemaal bedanken voor het geduld en de toewijding die jullie de afgelopen dagen hebben betoond, terwijl mijn vader aan bed gebonden was. Ik weet dat jullie in grote onzekerheid verkeren, maar eerst wil ik jullie meedelen dat mijn vader volgens dokter Turner een goede kans maakt op herstel, onder voorwaarde dat hij nog een paar weken volledige bedrust houdt.

Mijn vader heeft voor die periode de leiding van de werf aan mij overgedragen. Ik zal elke dag aan hem rapport uitbrengen en dan zal hij mij vertellen wat er de volgende dag gedaan moet worden.' Ze glimlachte naar hun ernstige gezichten, waarop niets te lezen viel. Voordat ze de orders voor die dag kon geven, vroeg er een: 'Hoe zit het dan met Sietze?'

Ze slikte, van haar stuk gebracht. Wat moest ze nu zeggen?

'Wanneer komt hij terug?'

'Waar is hij eigenlijk heen?' kwam een ander ertussen.

Ze schraapte haar keel. 'Sietze en mijn vader hebben vorige week, eh..., wat onenigheid gehad, maar jullie kunnen ervan uitgaan dat dat inmiddels is opgelost.'

'Wanneer komt hij dan terug?' hield de vragensteller vol.

'Zo snel mogelijk.' Ze keek naar haar schoenpunten terwijl ze dit zei, maar toen ze hen daarna weer aankeek, lag er een stralende glimlach op haar gezicht. 'Laten we ondertussen hard aan het werk gaan en ervoor zorgen dat we op schema blijven. Ezra, zou jij me willen laten zien wat jullie vanmorgen hebben gedaan?' Met die woorden sloot ze de bijeenkomst en vervolgens liep ze samen met Ezra een rondje om de in aanbouw zijnde scheepsromp.

Later die ochtend zat ze in haar vaders kantoor. Ze sloeg het ene na het andere grootboek open en bestudeerde de cijferkolommen. Hoe langer ze ermee bezig was, hoe ongeruster ze werd. Het kwam haar voor dat de uitgaven de inkomsten overtroffen. Omdat ze hier op dit moment haar vader niet mee durfde lastigvallen, zou ze zelf moeten zien te ontdekken hoe groot de maandelijkse lasten van de scheepswerf precies waren.

Was Sietze maar hier! Zelfs de arbeiders waren van slag door zijn afwezigheid – hoeveel te meer zijzelf! Ze had het hen wel graag willen vertellen, maar ze mocht nu geen enkel teken van zwakheid tonen of suggereren dat er iets niet in de haak was. Dus boog ze haar hoofd boven de papieren en bad om genade.

Ik begrijp er niets meer van. Waarom moest papa nu ziek worden? Waarom kan Sietze niet hier zijn om de zaak in de tussentijd over te nemen? Waarom begrijpt papa nou niet dat dat de beste oplossing zou zijn? Waarom is hij zo blind als het om Sietze gaat? Waarom kan hij niet inzien dat Sietze en ik bij elkaar horen?

Geef mij kracht. Wilt u geven dat ik even met Sietze kan praten, dat ik hem even kan bezoeken, hem in de ogen kijken en weer tot rust komen door zijn nabijheid.

Ze moest haar gedachten een halt toeroepen, om te voorkomen dat ze opnieuw overstuur zou raken. Ze concentreerde zich op de boeken, hoewel de kriebelige cijfertjes haar voor de ogen dansten. Voordat ze helemaal tot zichzelf was gekomen, werd er op de deur geklopt.

'Hallo, mag ik binnenkomen?'

'Warren!' Verbaasd keek ze naar de knappe jongeman die om het hoekje gluurde. 'Wat doe jij hier nou, Warren?' Vlug veegde ze met de punt van haar zakdoek langs haar ogen.

'Ik kom even langs. Ik heb het net gehoord, van je vader.' Hij kwam binnen en liep naar haar bureau. 'Hoe gaat het nu met hem?'

Cherish ging staan. 'Al wat beter, maar hij moet nog wel een tijd in bed blijven.'

'Blijf toch zitten. Ik wilde je alleen maar even mijn meeleven betuigen en vragen of ik je misschien ergens mee kan helpen. Als mijn familie of ikzelf iets kunnen doen, moet je het vooral laten weten.'

'Ga even zitten, dan,' zei ze en nam zelf ook weer plaats. 'Bedankt voor het aanbod, dat is echt heel attent van je. Iedereen doet zo zijn best. De buren brengen eten en allerlei mensen komen langs om papa te bezoeken.'

'Wat is er eigenlijk gebeurd?'

Ze staarde naar het geopende boek op haar bureau en vertelde voor de zoveelste keer het verhaal dat ook haar vrienden en buren te horen hadden gekregen. Nu ze het ook aan Warren vertelde, besefte ze opnieuw dat het strikt genomen niet de hele waarheid bevatte. Wat had ze op de zondagsschool ook alweer geleerd? Dat je ook kon liegen door dingen weg te laten. Nog steeds liep ze rond met een enorm schuldgevoel, hoewel haar gezond verstand haar vertelde dat zij niet voor haar vaders ziekte verantwoordelijk gehouden kon worden.

'Papa heeft te hard gewerkt. Dokter Turner zegt dat hij het kalmer aan moet gaan doen,' besloot ze tam, terwijl ze in gedachten haar razende vader weer voor zich zag nadat hij haar met Sietze had betrapt.

Warren schudde zijn hoofd. 'Dat zeg ik nou ook voortdurend tegen mijn vader, maar luisteren, ho maar.' Er viel een wat ongemakkelijke stilte tussen hen en Cherish had het gevoel dat hij nog meer wilde zeggen. Maar hij zei enkel: 'Je moet de groeten van Annalise hebben.'

'Dank je. Zeg maar tegen haar...' Ja, wat eigenlijk? Dat ze haar spoedig weer hoopte te ontmoeten? Dat was gewoon niet waar. 'Zeg maar dat alles wel snel weer bij het oude zal zijn.' O ja?

'Ze wilde vandaag eigenlijk mee, maar dat moet dan maar de volgende keer.'

'Dat zou leuk zijn. Wil je blijven eten, trouwens?' Ze keek op haar horloge. 'Lieve help, het is ook al etenstijd. Ik had tante Phoebe willen helpen, maar de tijd is zo hard gegaan!'

'Als het niet te veel moeite is, eet ik graag mee. Ik zou graag je vader even begroeten, als hij in staat is mij te ontvangen.'

'Dat zal hij beslist waarderen.' Cherish kon wel in de grond zinken bij de gedachte hoe enthousiast haar vader zou zijn als zij met Warren zijn kamer binnenkwam.

Toen Warren weer vertrok was het al halverwege de middag. Cherish' verlangen naar Sietze was steeds sterker geworden en nu ze Warren had uitgezwaaid werd het haar te machtig. Ze zette haar hoed op, greep haar parasol en riep naar haar tante: 'Ik ben even naar het dorp! Ben zo terug!'
Haar tante keek op van haar naaiwerk. 'Goed. Je hebt de afgelopen dagen toch al veel te veel binnen gezeten. De zon zal je goed doen.'
Cherish vloog bijna de weg af, met het gevoel alsof ze voor een korte tijd respijt had gekregen. Het was een prachtige dag. De lucht was heel lichtblauw door het felle zonlicht, aan de appelbomen sprongen de eerste witroze knoppen open en de bloesems van de wilde aardbeien legden een wit tapijt over het gras. Ze haalde diep adem en zoog de zoete geuren, vermengd met de altijd aanwezige prikkelende zee-lucht, in haar longen.
Van Celia had ze gehoord dat Sietze tegenwoordig in de vis-fabriek werkte. Ze kon het nauwelijks geloven en hoopte maar dat het een loos gerucht zou blijken. Zou ze voor de zekerheid eerst langs de fabriek gaan of meteen de lange wandeling naar Tobias maken?
Met een werktuiglijke glimlach groette ze de bekenden die ze tegenkwam. Ze arriveerde bij de kades en toen ze de laat-ste op rij naderde, vertraagde ze haar pas. Daar stond het haveloze, grijshouten gebouw. De hoge, slanke schoorsteen spuwde dikke stoomwolken uit. Op de nok van het dak zat een rij zeemeeuwen. Mannen, vrouwen en kinderen liepen af en aan, stuk voor stuk bezig met een bepaald onderdeel van het productieproces.
In het havengebied stonk het altijd en overal naar vis, maar zo vlak bij de fabriek was die lucht zo mogelijk nog door-

dringender. De arbeiders wierpen achterdochtige blikken op het naderende meisje. Ze tilde haar rokken een beetje op om ze te beschermen tegen de slijmerige plankieren en opende de deur.

Binnen was het warm en vochtig door de reusachtige kookvaten die langs de ene zijde van de hal stonden. Aan de andere kant stonden lange tafels, met rijen jongens en mannen eraan, elk met een berg vis voor zich. De arbeiders droegen lange schorten en ontdeden de vissen met hun mes van kop en schubben. Aarzelend bleef ze staan. Een verstikkende hitte en stank sloegen haar in het gezicht. Voordat ze verder kon gaan, maakte een man zich uit de menigte los en kwam op haar af.

'Wat kan ik voor u doen, juffrouw?'

'Ik ben op zoek naar... eh...' Stel je voor dat ze verkeerd ingelicht was! 'Naar Sietze de Vries.'

De man draaide zich om naar de tafels en loeide: 'De Vries!' Alle blikken richtten zich op haar en meteen zag ze ook Sietze, die eveneens opkeek van zijn werk. 'Er is hier iemand voor je.'

Cherish' hart begon te bonzen toen hun ogen elkaar ontmoetten. Hij keek haar een seconde lang aan, voordat hij zijn mes neerlegde en zijn plaats bij de tafel verliet.

'Je krijgt een minuut,' waarschuwde de man hem. Sietze knikte. Zodra de man zijn hielen gelicht had, zei hij: 'Laten we naar buiten gaan.' Hij keek even naar zijn met visslijm besmeurde handen en omdat hij zo gauw niet iets had om ze aan af te vegen, hield hij de deur heel voorzichtig voor haar open. Buiten gekomen dompelde hij zijn handen in een ton met water en droogde ze daarna af aan een voddige lap die daar aan een spijker hing. Pas toen keek hij haar vol aan. 'Wat is er aan de hand?' vroeg hij zonder verdere plichtplegingen. 'Gaat het niet goed met je vader?'

Cherish slikte haar ontgoocheling weg. Ze had beter niet kunnen komen. Ze vond het afschuwelijk Sietze zo aan te treffen – als een fabrieksarbeider die iedere minuut van zijn tijd aan een ander moest verantwoorden.

'Je hebt de voorman gehoord,' waarschuwde hij. 'Ik heb niet veel tijd.'

'Dat weet ik. Het spijt me. Het gaat niet om papa, hij is aan de beterende hand.'

'Wat is er dan?' De kilte in zijn stem sneed Cherish door de ziel.

'Ik... ik wilde je alleen maar even zien.'

Hij keek de andere kant op. 'Nou, je hebt me gezien. Tevreden?'

Zijn bitterheid stuitte haar meer tegen de borst dan de weerzinwekkende stank die van hem afsloeg.

'Nee.' *Ik heb je nodig*, had ze willen zeggen, maar hij straalde zoveel onverbloemde vijandigheid uit, dat haar onderlip begon te trillen.

'Nou, je went er maar aan. Dit is mijn nieuwe baan, tot ik iets beters gevonden heb, tenminste.'

'Het spijt me. Sietze, ik... ik wilde wel dat je terug kon komen op de werf.'

Er flikkerde iets in zijn grijze ogen. 'Heeft je vader je gestuurd?'

Ze kon niet tegen hem liegen. 'Nee. Maar de werf heeft je nodig.'

Hij lachte schamper. 'Jammer dan. Hij zal het toch zonder mij moeten stellen.'

'Sietze.'

Weer keken zijn grijze ogen in de hare, maar toen ze verder niets zei, vroeg hij: 'Wat wilde je zeggen?'

'Heb een beetje geduld. Ik weet zeker dat ik papa kan overhalen om je weer terug te nemen.'

'Ik denk erover om te solliciteren bij de scheepswerf van Calais. Ze bouwen daar nog vierkant getuigde schepen. Misschien kunnen ze nog een extra timmerman gebruiken.'

Aan zijn ogen zag ze dat hij vastbesloten was. Niets van wat ze nu nog zei, zou hem op andere gedachten brengen. Maar ze vertikte het om te laten merken hoe wanhopig zijn woorden haar maakten. Ze rechtte haar schouders en stak haar kin omhoog. 'Dan zal ik een manier moeten vinden om ook in Calais te komen.'

Hij schudde zijn hoofd. 'Volgens mij is het hoog tijd dat jij wakker wordt en de werkelijkheid onder ogen ziet.'

'Nee, Sietze. Degene die de werkelijkheid onder ogen moet zien, ben jijzelf.'

'Nou, ik weet anders heel goed waar ik aan toe ben.'

Daar had ze geen antwoord op.

'Ga naar huis, Cherish. Zorg goed voor je vader.' Hij klonk dodelijk moe en de verslagenheid in zijn stem maakte haar woest. Ze deed een stap achteruit en toen hij geen aanstalten maakte om haar tegen te houden, draaide ze zich met een vaag groetend handgebaar om. 'Dag, Sietze. Neem me niet kwalijk dat ik je gestoord heb.'

'Cherish.'

Hoopvol keek ze om.

'Gaat het wel?' Dat was de oude Sietze weer – zorgzaam en gevoelig.

Nee! Ze had het wel willen schreeuwen, maar in plaats daarvan mompelde ze: 'Niks gaat meer sinds jij weg bent.' Dat zou hij toch niet verstaan boven het gekrijs van de meeuwen uit.

Sietze keek haar na toen ze de kade af liep. Met alle vezels in zijn lichaam wilde hij haar achterna, maar plotseling merkte hij dat de andere arbeiders hem nieuwsgierig in de gaten hielden. Zijn blik gleed langs zijn smerige schort en hij balde zijn vuisten. Wat had hij haar ook te bieden?

Had ze nou echt gezegd dat niets meer ging sinds hij was weggegaan? Wat had ze daarmee bedoeld? Waren er problemen op de werf? Ging het wel goed met haar? Wie had er nu eigenlijk de leiding?

Hij prentte zichzelf in dat het zijn zorg niet langer was, maar de onzekerheid bleef knagen. Hij bleef staan, net zolang tot Cherish' gestalte niet meer was dan een stipje op de stoffige weg die het dorp uit liep.

'De Vries! Aan de slag!'

'Ja, meneer,' mompelde hij en ging de fabriekshal weer in.

Pas toen Cherish weer thuis was en naar haar kamer was gegaan, kwamen de tranen los die haar al die tijd hoog hadden gezeten. Ze nam niet eens de moeite haar hoed af te zetten en haar fraaie zomerjurk uit te doen, maar plofte op haar bed en huilde tranen met tuiten.

Na een poosje klopte er iemand op haar deur.

'Cherish, ben je daar?' Het was tante Phoebe. Cherish gaf geen antwoord, maar drukte haar natte gezicht in haar kussen. Haar tante deed de deur open en kwam bij haar bed staan, maar zelfs toen keek ze niet op. Uiteindelijk voelde ze het bed veren.

'Wat is er gebeurd, lieverd?'

'*Alles!* O tante Phoebe, waarom heeft papa Sietze ontslagen? Waarom mag ik niet van hem houden? Ik... ik ben hem net op gaan zoeken en hij doet zo raar, net alsof hij me... h-haat, alsof het allemaal mijn schuld is. En soms denk ik dat ook. Waarom kan papa Sietze niet accepteren?' Ze barstte opnieuw in snikken uit, hikkend en stotterend van ellende.

Haar tante wachtte zwijgend tot Cherish eindelijk rustig werd. Het meisje kwam overeind en begon naar een zakdoek te grabbelen, en tante Phoebe trok haar eigen zakdoek uit haar schort en gaf hem aan haar. Cherish snoot haar neus en streek het haar uit haar gezicht. Daarna haalde ze de hoedenspelden uit haar hoed en zette die af.

'Waarom is papa toch zo koppig? Ik weet niet wat hij die middag tegen Sietze heeft gezegd, maar sinds die tijd gedraagt Sietze zich alsof hij me nooit meer wil zien. Wat moet ik nu doen?' Ze smeet met een wild gebaar de hoed door de kamer.

'Jij hebt met lachen of huilen altijd je zin bij hem gekregen, maar geen van beide zal hem dit keer vermurwen. Bovendien mag je die middeltjes niet eens gebruiken. Dokter Turner zegt dat hij zich nergens over mag opwinden.'

Haar tante stond op van het bed en streek de sprei glad. 'Ik stel voor dat je je gezicht wast en je haar kamt en je eindelijk eens gaat gedragen als de verstandige jongedame die je door je opvoeding zou moeten zijn. Ik weet dat je het kunt. Als je je nuttig wilt maken, kom je maar naar de keuken, dan kun je met het avondeten helpen. Morgen moet ik naar Hatsfield. Het gaat niet zo goed met mijn nichtje Miriam, sinds Patrick is gestorven. En nu de man van Celia ook ziek is, zul jij morgen voor het diner moeten zorgen. Denk je dat je daarvoor inmiddels genoeg geleerd hebt?'

De woorden van haar tante waren als een plens koud water in Cherish' verhitte gezicht. Ze kwam overeind en liep naar haar klerenkast. 'Ja, tante Phoebe, ik zal me uitstekend kunnen redden,' zei ze door haar opeengeklemde tanden. Ze had kunnen weten dat ze van haar tante weinig meeleven zou ondervinden.

Desondanks volgde Cherish haar adviezen op en daarna voelde ze zich al beter. Misschien had de huilbui haar wel goed gedaan. Ze wierp nog een laatste blik in de spiegel, rechtte haar schouders en stak haar neus in de lucht. Ze zou doen wat tante Phoebe had gevraagd en het smakelijkste zondagse diner bereiden dat ooit in Haven's End was opgediend. Haar tante zou trots op haar kunnen zijn.

En hoe lang het ook zou duren, ooit zou ook Sietze trots op haar zijn.

15

*T*oen Sietze die avond thuiskwam van de fabriek was hij te moe om zich te wassen of iets te eten. De moedeloosheid drukte zwaarder op zijn schouders dan de zwaarste scheepsbalk ooit zou kunnen doen. Hij liet zich in het gras achter Tobias' hutje zakken en bleef daar lange tijd zitten.

God, wat wilt u van mij? vroeg hij en toen schoot de preek van dominee McDuffie hem weer te binnen.

Stel uzelf als een levend offer in zijn dienst. Sinds die preek was hij de woorden van de tekst niet meer kwijtgeraakt. Ze waren een soort refrein gaan vormen, dat meezong op het ritme waarmee zijn mes de schubben van de glibberige vissenlijven schraapte. Het had hem een aantal dagen gekost om dat ritme te pakken te krijgen en in die tussentijd had hij zich door zijn onhandige geklungel heel wat keren in de vingers gesneden. Maar inmiddels lag zijn productie op een redelijk niveau, al was hij nog steeds niet zo vlot als de ervaren werkers en waren zelfs sommige van de jongens nog sneller dan hij.

De bijbeltekst bleef echter in hem rondzingen en hoe irritant hij het ook vond, er was geen ontkomen aan. Zoals bij opkomend tij iedere rotsgleuf en rotsholte volloopt met water, en de schorren en de slikken onderlopen, zo sijpelden de woorden zijn gedachten binnen.

God, wat wilt u van mij? vroeg hij nogmaals. *Ik ben geen zendeling, geen begaafd spreker. Ik heb geen talenten... behalve dan voor het uitzoeken en bewerken van hout. Dat is alles wat ik kan, ik ben nergens anders goed voor.* Hij keek naar zijn handen. *En wat heb ik nu aan dat talent?*

Ten slotte ging hij toch maar een bad nemen. Net toen hij het vuile water wilde weggooien, zag hij dominee McDuffie door het ongemaaide gras ploeteren, op weg naar de hut. Sietze kreunde inwendig. Hij was al te uitgeput om maar aan eten te denken, en de strijd om zijn lichamelijk overleven kostte hem al energie genoeg. En nu zou hij ook nog op het geestelijke front slag moeten leveren!

Hij hing de wastobbe aan de haak en bleef daar op McDuffie staan wachten.

'Goedenavond, jongeman.'

''n Avond, dominee.'

McDuffie schudde hem stevig de hand en zijn helderblauwe ogen lieten hem geen moment los. 'Ik heb je in de kerk gemist.'

Sietze keek van hem weg. 'Er is het een en ander veranderd in mijn leven.'

De dominee knikte. 'Dat zie ik, ja. Maar weet je, juist als ons leven een bepaalde wending neemt, of dat nu ten goede of ten kwade is, is het zaak om dicht bij de Heer te blijven. En toch hebben we meestal de neiging het tegenovergestelde te doen.'

Sietze wist niet wat hij hierop moest zeggen, dus haalde hij zijn schouders op.

'Mag ik misschien even binnenkomen?'

'Ik weet niet of ik u dat kan aanraden.'

McDuffie glimlachte. 'Waar is die ouwe Tobias eigenlijk?'

'Hij slaapt.'

'Ik ben al een tijd niet bij hem geweest. De laatste keer joeg hij me weg met zijn geweer en de keer daarvoor was er geen touw aan zijn verhalen vast te knopen.'

'Zijn hart zit anders op de goede plaats.' Sietze zou de oude man die hem had laten delen in alles wat hij had altijd dankbaar blijven.

'Dat is zo. Maar waarom blijven we dan niet gewoon buiten zitten? Het is een prachtige avond.'

'Prima.' Sietze keek om zich heen en zijn blik viel op een stapel oude kratten. 'Laten we deze bij het water zetten, dan hebben we door de wind ook geen last van de vliegen.'

Dominee McDuffie sloeg naar een van de zwarte insecten en grinnikte. 'Een uitstekend idee.' Hij pakte een van de kratten.

'Pas op waar u loopt. Sommige vloerplanken zijn kapot.'

'Bedankt voor de waarschuwing.' McDuffie stapte over een gebroken plank heen en volgde Sietze naar het grasveld vanwaar ze een mooi uitzicht hadden over de inham.

'Dit moment van de dag is toch altijd weer heerlijk, vind je ook niet?' zei hij, toen ze hun kratten neerzetten. Met een tevreden zucht, alsof het een luxe fauteuil was, liet hij zich erop zakken.

'Dat zal wel,' antwoordde Sietze. Hij keek naar de vaalblauwe lucht die bijna ongemerkt overging in het zilvergrijs van de zee, de horizon vrijwel onzichtbaar.

'Zo, jongeman, dus jij zou graag met Cherish Winslow willen trouwen?'

Sietzes mond viel open en toen hij McDuffie verbluft aankeek zag hij pretlichtjes in diens ogen dansen. Het antwoord bleef hem in de keel steken en hij richtte zijn blik weer naar de zee. Want wat wilde hij eigenlijk echt?

'Ik heb toch niets te willen,' zei hij na een poosje. 'Ik ben mijn baan kwijt – mijn beroep zelfs. Bij Winslow moet ik uit de buurt blijven, en bij zijn dochter al helemaal.' Hoe zou hij McDuffie kunnen uitleggen dat zijn liefste wens een eigen scheepswerf was? Het was maar een bescheiden verlangen;

groot hoefde de werf niet te zijn, als hij er maar boten kon bouwen. Maar de vervulling van die droom leek nu verder weg dan ooit.

McDuffie grinnikte alleen maar, wat Sietze nog bozer maakte. 'Ja, lach maar. U hoeft niet in zo'n stinkend krot te wonen en u zit ook niet elke dag opnieuw onder de vissendarmen.' Woest haalde hij een hand door zijn haar. 'Als ik thuiskom, zitten de schubben overal, zelfs in mijn haar en onder mijn nagels. Ik was me net zolang tot ik denk dat ik ze allemaal kwijt ben, en dan vind ik ze nog.'

'Waarom kom je niet een tijdje bij ons wonen?' McDuffies ogen schitterden niet meer, hij leek nu volkomen ernstig.

'Wat zegt u?'

'Kom een poosje bij ons wonen, bij zuster McDuffie en mij, totdat je besloten hebt wat je gaat doen.'

'Maar – maar dat kan toch niet.'

'Waarom niet?'

Sietze stond met de mond vol tanden. 'Nou, omdat... eh... U hebt toch zelf een gezin... en verplichtingen enne... Ik ben geen familie of zo...' Hij zocht wanhopig naar meer argumenten, terwijl de dominee kalm afwachtte. 'En bovendien, hoe weet u eigenlijk dat ik te vertrouwen ben?' besloot hij verbitterd.

'Je bent mijn broeder in Christus,' zei McDuffie eenvoudig. 'Een hechtere familieband bestaat niet.'

'Maar ik voel me helemaal niet als uw broeder in Christus,' zei Sietze eerlijk. 'Ik voel me op dit moment niet eens een goed christen.'

McDuffie grinnikte. 'Je maakt me nieuwsgierig. Wat noem jij "een goed christen"?'

Weer wist Sietze niets te zeggen. 'Dat weet ik niet precies,' begon hij ongeduldig en hij veegde met zijn handpalmen langs zijn broekspijpen. 'Iemand die goed is voor anderen, die de Tien Geboden naleeft en elke zondag naar de kerk gaat.'

McDuffie schaterde. Sietze keek geërgerd en vroeg zich af wat er zo grappig was.

'Wat dacht je van deze definitie: "Een christen is iemand die het verzoenend werk van zijn Heer en verlosser Jezus Christus heeft aangenomen"?'

Dat was Sietze te ingewikkeld. 'Luister eens, dominee, ik wil u niet beledigen of zo, maar ik heb een zware dag achter de rug en ik kan alleen nog maar denken aan vissenschubben en aan wat ik vanavond zal eten.'

De dominee leek helemaal niet beledigd, maar bleef volkomen kalm. Hij klopte Sietze op de schouder. 'Ik wil je nog een ding vragen voor ik vertrek. Heb je ooit de Heer Jezus als je redder en de Heer van je leven aangenomen?'

'Nou, ik weet dat hij onze verlosser is. Ik ben mijn hele leven naar de zondagsschool geweest, ik heb de bijbel gelezen. Ik weet dat hij door God is gestuurd om aan het kruis te sterven voor de zonden van de mensheid.'

'Dat klopt. Maar Sietze, ken je hem ook als je eigen, persoonlijke verlosser? Heb je hem aangenomen en geloof je dat hij de prijs heeft betaald voor jouw zonden? Is hij de Heer van je leven? Maak je al je beslissingen ondergeschikt aan zijn wil? Wijd je je dag aan hem toe, voordat je 's ochtends naar de fabriek gaat? Onderwerp je je aan hem, telkens als je het liever op zou willen geven?'

De dominee gaf Sietze geen kans om te antwoorden, maar ging staan en pakte de krat op. 'Ik laat je nu rustig eten, maar denk er nog eens over na. De uitnodiging om in de pastorie te komen logeren blijft gewoon staan. Je kunt komen op elk moment van de dag of de nacht.' Hij gaf Sietze een hand en die liep zwijgend met hem mee terug naar de hut. Daar zetten ze de kratten tegen de zijkant van de krakende veranda, tussen alle andere roestige en halfvergane voorwerpen.

'Tot morgen in de kerk,' waren de laatste woorden van de dominee. Hij zwaaide nog een keer en verdween langs het met gras begroeide pad. Sietze stond hem na te kijken tot hij hem niet meer zag.

De Heer van zijn leven? De uitdrukking gaf hem een onbehaaglijk gevoel. Het deed hem te veel denken aan die andere, dat hij zich als een levend offer in Gods dienst moest stellen. De woorden hadden een dreigende klank, alsof er voor een mens geen enkele speelruimte overbleef zodra hij zich gewonnen had gegeven. Sietze wist zo net nog niet of hij iets dergelijks wilde overwegen.

Cherish blies de loshangende lokken uit haar gezicht. Alles aan haar voelde warm en plakkerig aan, en de tranen zaten alweer gevaarlijk hoog in haar keel. Ze was bezig een kip te vullen met een mengsel van broodkruim, gezouten varkensvlees en rauwe eieren. Haar handen zaten onder het vet. Weer las ze het vodje papier, maar haar tante had echt niet meer opgeschreven dan: 'Vul de kip en plaats hem in de oven om te garen.'

Met een driftig gebaar ging ze met haar onderarm langs haar voorhoofd. Gek werd ze van dat haar dat maar steeds naar voren viel. Ze veegde haar handen af aan het schort dat vanmorgen nog zo vlekkeloos wit was en probeerde zich alle kippen die ze tante Phoebe had zien roosteren voor de geest te halen. Waarom had ze al die keren ook niet beter opgelet?

O, ja! Een koordje had ze nodig, dat was het. Ze moest de kip dichtbinden voor hij de oven in ging. In een la scharrelde ze een koordje en een schaar op en daarna werkte ze weer ijverig door. De klok tikte onverdroten verder; veel tijd om op te ruimen voor ze naar de kerk ging was er niet meer. 'Zo moet het maar goed zijn,' zei ze tegen de plompe, opgebonden kip. Ze legde hem in de braadslee en zette die in de oven.

Nu de aardappels. Ze zou ze nu alleen koken en pas na de kerk tot puree stampen, dan had ze nog tijd voor het brooddeeg. Omdat ze tante Phoebe daarmee al zo vaak had geholpen, verwachtte ze op dat gebied geen moeilijkheden.

Ze had net de aardappels geschild en opgezet, samen met de laatste winterpenen, en stond de boter in het meel te snijden, toen er op de keukendeur geklopt werd. Wie kwam er nu in vredesnaam zo vroeg op bezoek, op zondag nog wel? Met een vlugge blik op haar besmeurde schort en haar met meel bestoven handen riep ze: 'Binnen.'

Voor de zoveelste keer was Sietze wakker geschrokken uit een droom over Cherish. Het laatste wat hij daarin had gezien was de uitdrukking op haar gezicht toen ze voor hem stond op de kade bij de fabriek. Ze zag er een beetje verloren uit, maar tegelijk zag je dat ze dapper probeerde te zijn. Wat had ze hem willen vertellen?

Slecht op zijn gemak kleedde hij zich aan en prutste voor Tobias en zichzelf een ontbijt in elkaar. Zijn hardvochtige houding van gisteren speet hem nu, maar hij had ook nooit gewild dat ze hem daar zou opzoeken. Wat moesten de dorpelingen, bij wie hij toch een soort reputatie genoot als getalenteerd scheepsbouwer, er wel niet van denken dat hij zich verlaagde tot loondienst in de fabriek?

Toch liet de gedachte aan Cherish zich niet verdrijven en nadat hij gegeten en opgeruimd had – voorzover je in die rotzooi van opruimen kon spreken – liep hij al vroeg de deur uit met de bedoeling voor kerktijd nog vlug even bij de Winslows langs te wippen. Hij kon even op ziekenbezoek gaan, als Winslow hem tenminste wilde ontvangen. Dat was geen voorwendsel om Cherish stiekem te bezoeken of zo. Hij wilde geen splijtzwam tussen Winslow en zijn dochter zijn, maar in het voorbijgaan kon hij haar dan zijn excuses aanbieden voor zijn gedrag van gisteren.

In een schoon, maar ongestreken overhemd en jasje trad hij de langwerpige schuur binnen die toegang gaf tot de keukendeur. Hij klopte hard om het bonzen van zijn hart te overstemmen, in de verwachting de stem van Celia of mevrouw Sullivan te horen, maar tot zijn schrik was het Cherish die iets terugriep. Hij opende de deur.

De aanblik die de keuken bood deed hem terugdeinzen. De anders zo smetteloze ruimte zag eruit alsof er een heel leger van koks in tekeer was gegaan. De tafel, het aanrecht en alle werkbladen stonden vol potten, pannen, trommels en schalen. Bij de tafel in het midden keek Cherish hem geschrokken aan. In niets leek ze op de modieuze verschijning die ze anders op zondag altijd was. De slordige vlecht op haar rug zat vol meel en haar gezicht glom van het zweet. Ze had haar mouwen tot boven de ellebogen opgerold en haar handen waren wit bestoven.

'Sietze! Wat kom jij hier doen?'

In hevige innerlijke tweestrijd stond hij op de drempel. Ja, wat kwam hij hier eigenlijk doen?

'Ik... ik kwam voor je vader... om te zien hoe het met hem gaat.'

'O.' Vergiste hij zich of was ze teleurgesteld? Ze wreef met de rug van haar hand over haar voorhoofd en boog zich weer over de schaal die voor haar stond. 'Het gaat al beter. Aardig dat je even langs kwam,' zei ze stijfjes.

Hij merkte wel dat ze niet van plan was hem binnen te nodigen en daarom weifelde hij nog even, voordat hij de hitte van de keuken in stapte. Hij friemelde aan de hoed die hij in zijn handen had, dubbend wat hij nu moest doen. Was ze boos op hem? Ze had er zeker reden toe.

'Kan ik je ergens mee helpen?' vroeg hij ten slotte.

Ze keek weer op, met dezelfde geschrokken uitdrukking in haar ogen als daarnet. 'Nee hoor. Ik red me best. Waarom loop je niet even bij papa langs? Hij is wakker.'

'Waar is je tante?'

'Ze moest naar haar nicht in Hatsfield, die onlangs haar zoon verloren heeft.'

'En Celia dan?'

'Haar man is ziek.'

Van het fornuis klonk een luid gesis. Een pannendeksel begon te klepperen en het water borrelde over de rand. Ze schoten allebei toe. Sietze was er het eerst en greep de pan bij het oor, maar liet meteen weer los. 'Au!' Cherish nam een pannenlap en haalde de pan van het vuur, deed de deksel eraf en zette hem weer terug.

'Heb je je gebrand?' vroeg ze bezorgd, met een blik op zijn vuurrode handpalm.

'Nee, het gaat wel,' zei hij, beschaamd over zijn onhandigheid. Hij voelde haar ogen op hem rusten en keek op. Haar nevelblauwe irissen schitterden geamuseerd en een lach krulde haar lippen. De humor van het moment kreeg ook hem te pakken. Hij voelde zijn mondhoeken trekken en plotseling barstten ze los in een onbedaarlijke lachbui. Toen ze eindelijk uitgelachen waren, veegde Cherish met de punt van haar schort de lachtranen uit haar ogen.

'Voorzichtig, je krijgt meel in je ogen.'

Toen ze zag hoe stoffig haar schort was, begon ze opnieuw te schateren en hij lachte mee, terwijl hij haar zijn eigen schone zakdoek gaf. 'Da-hank je wel,' hijgde ze toen ze haar ogen had gedroogd en weer een woord kon uitbrengen. 'Heb ik meel op mijn gezicht?'

Hij kon zich niet inhouden, maar legde zijn vingertoppen onder haar kin en bekeek haar gezicht van heel dichtbij. Haar wangen gloeiden, haar ogen schitterden en haar lippen glansden als rijp fruit. Hij dacht niet meer na, maar noemde haar bij het koosnaampje dat hij haar als jongen zelf had gegeven. 'Cherry.'

De glimlach bestierf haar op de lippen. Ze wendde haar gezicht af en zijn hand viel slap neer. 'Nee, je gezicht is helemaal schoon,' zei hij tam.

'Dank je,' zei ze schor.

In de verte luidden de kerkklokken. Haar ogen gingen wijdopen van schrik. 'O, nee! Ik moet me nog verkleden, en ik ben hier nog niet half klaar.' Haar blik ging naar haar vieze schort en de chaos in de keuken.

'Wat moet er nog gebeuren?'

'Ik moet de broodjes nog bakken, en... en de tafel dekken... en papa iets te drinken brengen.'

Hij pakte haar bij de elleboog en duwde haar met zachte dwang naar de deur. 'Ga jij je nou maar verkleden, dan zal ik... eh...' Hij probeerde iets te bedenken waarmee hij haar van dienst kon zijn. 'Weet je wat, ik zal de tafel dekken en vragen wat je vader nodig heeft. Of ik je kan helpen met de broodjes weet ik eigenlijk niet.'

Ze giechelde. 'Die kan ik nog wel doen als we terug zijn uit de kerk.'

Bij de deur van de eetkamer gingen ze uiteen, maar ze draaide zich nog een keer om. 'Dank je wel, Sietze. *Dank je wel.*'

Hij knikte alleen maar, een dikke prop in zijn keel toen hij de dankbaarheid in haar ogen las. Maar hij dacht aan de woorden waarmee Winslow hem op zijn verantwoordelijkheid had gewezen en wendde zich af.

Ze liepen samen naar de kerk, en Jacob liep met hen mee. Sietze richtte zich uitsluitend tot de oude man, hoewel hij zich voortdurend van Cherish' aanwezigheid bewust was. Ze liep aan de andere kant naast hem met haar hand in de holte van zijn elleboog.

Ze had zich in recordtijd opgefrist en omgekleed en was er desondanks in geslaagd de indruk te wekken alsof ze de halve ochtend aan haar toilet had besteed in plaats van tien minuten. Er was geen spoortje meer te ontdekken van alles wat ook maar aan de keuken deed denken. Haar huid glansde als die van een porseleinen pop, haar japon was vlekkeloos en volmaakt gesteven, en niemand zou vermoeden dat die in kanten handschoentjes gestoken handen daarnet nog onder het brooddeeg hadden gezeten.

Achter in de kerk bleef Sietze even talmen. Hij wilde eigenlijk daar gaan zitten, maar Cherish trok hem zachtjes aan zijn arm en hij had de moed niet om zich tegen haar te verzetten. Hij hield zichzelf voor dat het door de aanwezigheid van Jacob niet echt zou lijken alsof hij en Cherish een paar vormden. Maar toen dominee McDuffie met zijn preek begon, werd Sietze zo door de boodschap gegrepen dat hij al zijn gepieker voor het moment vergat.

'Sommigen onder u hebben misschien hun vragen bij bepaalde gebeurtenissen in hun leven. Het kan zijn dat u God verwijten maakt, of dat u eenvoudig in diepe wanhoop opziet naar de hemel en u afvraagt waarom God niets van zich laat horen. Wat is hij met u aan het doen? Maar ik zeg u vanochtend dat God toch tot u spreekt. In Job 33:14 lezen we: "God antwoordt wel, op meer dan één manier, alleen merkt de mens het niet op".'

Met gebruikmaking van allerlei bijbelteksten bouwde de dominee vervolgens zijn betoog op, soms vermanend, soms overredend, tot hij plotseling iets zei waardoor Sietze overeind schoot.

'Kan het zijn dat God probeert de afgoden uit uw leven uit te roeien?' De predikant keek met een glimlach de gemeente rond. '"Wat, afgoden? In mijn leven? Ik ben toch geen heiden. Ik kniel toch niet voor Baäl." U kunt behaaglijk achterover leunen in de veronderstelling dat u al die ondeugden waar uw buurman nog steeds last van heeft allang hebt overwonnen. U drinkt niet, u rookt niet, u slaat uw vrouw niet. Over wat voor afgoden hebben we het dan? Over welke geheime zonden? We zijn toch allemaal godvrezende mensen hier in dit dorp.'

'De apostel Johannes waarschuwt ons: "Kinderen, wees op uw hoede voor de afgoden." En dan heeft hij het tegen gelovige mensen zoals u en ik.'

Hij zweeg even om zijn woorden goed te laten doordringen en opnieuw galmde het Sietze in de oren: *Stel uzelf als een levend offer in zijn dienst.* En meteen drong de vraag zich glashelder aan hem op: was zijn liefde voor de scheepsbouw soms ook een afgod geworden?

Geen sprake van! Zijn hele wezen kwam onmiddellijk tegen de gedachte in opstand en hij weigerde er verder bij stil te staan. De predikant sprak inmiddels over de dood van Jezus aan het kruis ten behoeve van ieder gemeentelid afzonderlijk en stelde hun de vraag wat zij met dat geschenk hadden gedaan.

Bij het uitgaan van de kerk zette Sietze alle gedachten die de preek bij hem had opgeroepen uit zijn hoofd en begroette de mensen links en rechts. Hij had een paar benauwde ogenblikken verwacht, als hij moest uitleggen waarom hij niet langer op de scheepswerf werkte maar in de visfabriek, maar Cherish was hem telkens voor. Hangend aan zijn arm zei ze tegen iedereen die hen aansprak: 'Sietze is net voor mijn vader ziek werd bij ons weggegaan. Hij had natuurlijk geen idee hoe hard we hem nodig zouden hebben. Maar ja, hij heeft besloten dat hij het hogerop wil proberen, net als mijn neef Henry.' Ze keek vol bewondering naar hem op. 'Hij wacht alleen nog op bericht uit Calais. Ik weet zeker dat we daarvandaan binnenkort wel iets zullen horen over zijn vernieuwende ontwerpen.'

Misschien dachten de mensen het hunne van deze verklaring, maar als dat zo was lieten ze het in ieder geval niet merken. Tegenover Cherish' charme en wellevendheid konden ze ook weinig anders. Sietze was diep onder de indruk van de sociale vaardigheid waarmee ze hem bekwaam door de gevaarlijke stroming loodste. Ze bracht het onderwerp als eerste ter sprake, net voor iemand anders het zou doen, en begon over iets anders zodra ze klaar was met haar uitleg, of haar toehoorders die nu slikten of niet.

Met een vrolijke lach en een laatste schertsende opmerking zwaaide ze ten slotte iedereen gedag en ging als eerste het hek uit, geflankeerd door Jacob en Sietze. 'Anders wordt het eten koud,' verklaarde ze de haast. 'Tante Phoebe is er niet en ik moet drie hongerige mannen te eten geven, dus treuzelen is er niet bij.'

'Ik kan beter naar Tobias gaan,' zei Sietze, toen ze bij het tuinhek van de Winslows waren gekomen. Maar Jacob keek hem stomverbaasd aan. 'Blijf je dan niet eten?'

Hulpeloos keek Sietze van de een naar de ander. Cherish zei niets, maar de blik in haar ogen blies zijn droom over haar nieuw leven in. Hij wilde maar al te graag mee, maar zou hij daardoor niet in een onhoudbare situatie verzeild raken?

'Je zou nog een keer bij papa langs kunnen gaan,' stelde Cherish rustig voor.

'Goed dan,' knikte hij. 'Tobias zit toch niet te wachten; ik kan best wat langer wegblijven.'

Gedrieën liepen ze het tuinpad op en binnengekomen liet Cherish hen onmiddellijk in de steek om de broodjes te gaan bakken en het gebraad in de oven te controleren.

Ongeveer drie kwartier later riep ze hen voor het diner. De tafel, die ochtend door Sietze gedekt, zag er uitnodigend uit. Cherish had er nog een boeket seringen op gezet. De kip verspreidde een verrukkelijke geur. Daarnaast stond een zilveren schaal met een enorme berg aardappelpuree erop, en een eindje verderop een soortgelijke schaal met dampende wortelen. Over de broodjes lag een sneeuwwit servet. Een schotel ingemaakte vruchten verrijkte het kleurenpalet met een diep paars.

Jacob bracht een dienblad voor Winslow naar boven en daarna zetten ze zich samen aan de maaltijd. 'Zou jij willen voorgaan in gebed, Sietze?' vroeg Cherish. Ze bogen hun hoofd en dankten voor het eten. 'Het lijkt me een goed idee, Sietze, als jij het vlees snijdt. Zou je me de schalen willen aanreiken, dan kan ik de groente en de aardappels opscheppen.'

Hij pakte het vleesmes met het zilveren handvat, zich scherp bewust van het feit dat dit eigenlijk Winslows taak was. Hij voelde zich een indringer.

Hoe aanlokkelijk het eten er ook uitzag, het haalde het niet

bij een maaltijd die door mevrouw Sullivan was klaargemaakt. De kip was droog, er zaten klonten in de aardappelpuree, de broodjes waren te hard en de wortels smaakten
een beetje aangebrand.

Sietze zei er niets van, maar at stevig door, dankbaar dat hij
eens iets anders kon eten dan zijn dagelijkse rantsoen
gebakken eieren, spek en bonen uit blik. Maar Cherish legde
haar vork neer. 'Het spijt me, jongens. Ik geloof niet dat het
erg smakelijk is.'

'Juist wel, juffrouw Cherish, het is precies goed,' reageerde
Jacobs schelle stem onmiddellijk.

Ze glimlachte verdrietig. 'Nee, echt niet.' Ze stond van tafel
op; haar bord was nog halfvol. 'Nou, gelukkig is het dessert
wel door tante Phoebe gemaakt. Er is nog wat taart over van
gisteren. Als jullie me even willen excuseren, dan haal ik
voor jullie elk een stuk.'

Sietze zorgde ervoor dat hij zijn bord helemaal leeg at, en hij
merkte dat Jacob hetzelfde deed.

'Arme meid,' mompelde Jacob. 'Ze doet zo d'r best sinds
Winslow ziek is. Hij heeft haar zelfs de leiding over de werf
gegeven, en dat voor zo'n jonge blom.' Hij schudde zijn
hoofd. 'Waarom ging je eigenlijk weg, Sietze, net toen we je
niet konden missen?'

Sietze wurgde het laatste stukje taaie kippenvlees door zijn
keel, kreeg een hoestbui en nam een slok thee voor hij antwoord gaf: 'Winslow en ik waren het over een paar dingen
niet eens.' *Eigenlijk maar over een ding.*

'Nou, kunnen jullie dat niet effe rechtbreien, al is het maar
tot hij de boel weer ken overnemen? Al mot ik nog zien dattie ooit weer de ouwe wordt. Dokter Turner denkt dat z'n
rikketik zijn beste tijd heeft gehad en d'r elk moment mee
kan uitscheien. Hij zou voor onze ogen morsdood neer kunnen vallen.'

De ontnuchterende opmerking deed Sietze terugdenken aan
het asgrauwe gezicht van Winslow die ochtend. Omdat hij

niet wilde nadenken over wat er eventueel kon gebeuren – en al helemaal niet over wat dat voor Cherish zou betekenen – duwde hij zijn stoel naar achteren, pakte zijn bord en stond op. 'Ik breng de borden wel even naar de keuken,' zei hij. Jacob, die gewend was aan tafel door de vrouwen bediend te worden, maakte geen aanstalten om hem te helpen. Sietze zette Jacobs bord boven op die van hem en ging de eetkamer uit.

De keuken zag er nog steeds uit alsof er een orkaan doorheen was geraasd. Cherish stond midden in de chaos, met een keurig opgemaakt dienblad in haar handen. Er stonden gebaksschoteltjes op, en een porseleinen koffiepot met bijpassende kopjes en schoteltjes. Ze lachte een beetje weemoedig. 'Hopelijk maakt dit het diner een beetje goed, hoewel ik niet helemaal voor de koffie insta. Ik hoop dat hij niet gekookt heeft.'

'Het eten was prima,' zei Sietze kalm. 'Mijn kookkunst kan er in ieder geval niet tegenop.'

Ze beantwoordde zijn glimlach. 'Als je die van mij nog eens wilt – of durft – uitproberen, ben je te allen tijde welkom. Maar waarschijnlijk krijg je de volgende keer weer kost van tante Phoebe.'

Hij schraapte de borden schoon en zette ze in de gootsteen.

'Dat hoeft niet, hoor,' zei ze. 'Ga maar weer naar binnen, dan krijg je je taart.'

'Ik kom zo,' antwoordde hij, haar verzoek negerend. Toen hij terugkwam in de eetkamer, zag hij dat ze de tafel aan het afruimen was in plaats van samen met hen koffie te komen drinken. Dus zei hij: 'Ga zitten, jij. Ik help je straks wel met opruimen.'

'Onzin. Ik heb je niet uitgenodigd om je daarna met de rommel op te schepen.'

'Als je nu niet gaat zitten, kom ik je meteen helpen.'

Ze keek hem scherp aan, zag dat hij het meende en ging zitten. 'Goed dan.'

'De koffie is uitstekend,' merkte Jacob op, smakte met zijn lippen en leunde behaaglijk achterover in zijn stoel.

'Nou, dan is een van de vijf gangen een succes. Een mens moet ergens beginnen,' antwoordde ze lachend.

Na het dessert ruimden Cherish en Sietze de tafel verder af, terwijl Jacob het lege dienblad van boven ging halen. Ondanks Cherish' protesten rolde Sietze zijn mouwen op en goot heet water in de afwasteil.

'Maak je maar niet druk,' zei hij tegen haar, 'ik begin hier behoorlijk slag van te krijgen.'

Ze merkte wel dat ze geen vat op hem kreeg en ging zelf dus maar de rommel in de keuken te lijf. Ze bracht hem alle vuile schalen en pannen, ruimde de etensresten op en schudde buiten het tafelkleed uit. Daarna pakte ze een thee-doek en kwam naast hem staan om de inmiddels hoog op-gestapelde vaat af te drogen.

'Hoe gaat het op de werf?' vroeg hij tussen neus en lippen door, terwijl hij een kopje uitveegde met een doek en het daarna afspoelde en ondersteboven neerzette om uit te lek-ken.

'O, best,' antwoordde ze.

Hij keek naar haar, maar ze ontweek zijn blik en leek alle aandacht nodig te hebben om het glas in haar hand op te wrijven.

'Zijn de sloepen al afgeleverd?'

'Ze komen ze morgen halen.'

Hij pakte het volgende kopje uit de gootsteen.

'En de schoener?'

'Ik heb de mannen toegesproken en Ezra zal proberen hen aan het werk te houden, zodat we op schema blijven.' Ze zette het glas op tafel en pakte een ander. 'Ik heb papa beloofd dat ik elke middag verslag zal doen en dan geeft hij me de orders voor de volgende dag.' Ze aarzelde. 'Ik weet niet wat ik wel en niet moet vertellen. Dokter Turner heeft alle opwinding pertinent verboden.'

'Luister eens, als ik nu eens even met je vader ging praten? Als hij het goed vindt, kan ik na mijn werk langskomen en de mannen nog een paar uur met de schoener helpen.'

Nu keek ze hem wel aan. 'Waarom zou je dat doen na alles wat papa je heeft aangedaan?'

Hij slikte. Hij wist maar al te goed dat hij het alleen voor haar zou doen en voor niemand anders. Schouderophalend draaide hij zich om, greep een pan waarin de aardappelpuree nog zat vastgekoekt en plonsde die in het water. 'Ik ben zo lang op de werf geweest. Ik denk dat ik het gewoon moeilijk vind om het werk los te laten.'

'De werf mist jou ook.'

Hij keek haar zijdelings aan. Ze had het niet over haarzelf. 'Vind je het prettig als ik dit met je vader bespreek?'

Het duurde heel even, maar toen glimlachte ze hem voorzichtig toe. 'Ik zal voor je bidden als je straks naar boven gaat.'

Haar woorden deden hem weer aan de kerk denken, en hij fronste zijn wenkbrauwen.

'Wat is er?' vroeg ze meteen.

Hij schrobde verwoed over de binnenkant van de pan. 'Die preek van vanmorgen – vond je die niet een beetje overdreven?'

Ze dacht even na. 'Nou, nee. Dominee McDuffie is een echte herder. Volgens mij is het zijn grootste wens dat zijn kudde op de weg van de Heer gaat.'

Nog steeds had Sietze al zijn aandacht bij de pan. Haar antwoord voldeed hem niet.

'Vind jij van jezelf dat je God dient zoals van je verwacht mag worden?' vroeg hij, terwijl hij de pan uitspoelde.

'Nee,' antwoordde ze meteen en ze klonk duidelijk geamuseerd. 'Dat is weleens anders geweest. Vlak nadat mama was gestorven zocht ik God met mijn hele hart, en op een avond maakte hij zijn aanwezigheid heel duidelijk aan mij kenbaar. Ik had vurig gebeden dat hij me zou laten zien dat hij echt bestond, en toen voelde ik dat hij er was, gewoon in mijn eigen slaapkamer. Toen wist ik dat hij me nooit zou "begeven of verlaten", zoals de bijbel ons belooft. En het troostte me en stelde me gerust, te weten dat mama bij hem was en dat ik haar terug zou zien.

Daarna begon ik oprecht geïnteresseerd te raken in alles wat met het kerkelijk leven te maken had. Ik luisterde met aandacht naar de preken en het onderwijs van dominee McDuffie. Hij was toen nog maar net hier. En ik begon te begrijpen hoe iemand zich met hart en ziel aan zijn roeping kon geven.'

Sietze keek haar bevreemd aan. 'Waarom heb je me dat soort dingen nooit verteld?'

Ze kleurde en haalde haar schouders op. 'Geen idee. Jij leek helemaal op te gaan in je werk op de werf en ik ging naar kostschool. Ik dacht dat ik het jou toch niet uit zou kunnen leggen. Misschien was ik een beetje bang dat je niet onder de indruk zou zijn van mijn ervaring en dat daardoor de waarde ervan voor mijzelf ook zou verminderen. Daarom heb ik het voor mezelf gehouden. Ik heb het alleen aan dominee McDuffie en zijn vrouw verteld.'

'En nu?'

'Wat bedoel je?'

'Nou, je weet wel, ben je nog steeds zo... zo toegewijd?'

Ze staarde naar de handvol zilveren bestek die ze aan het afdrogen was. 'Dat dacht ik... tot afgelopen zomer. Ik heb ontdekt dat ik op een bepaald moment mijn eerste liefde heb verloochend en dat het evenwicht in mijn leven is zoekgeraakt. Ik weet niet hoe of wanneer dat begonnen is – eerst had je de strenge regels van de kostschool, daarna moest ik de feestjes van nicht Penelope opluisteren en vervolgens me in Europa zien te handhaven.'

'Maar jij bent een goed mens. Je bent een voorbeeld voor het hele dorp. Iedereen spreekt er met bewondering over, dat je zo'n dame bent geworden.'

Hij bloosde van zijn eigen woorden, maar ze leek het niet te merken.

'Waarom heb ik dan ondertussen het stiekeme vermoeden dat al mijn prestaties niet meer waard zijn dan een stel vuile vodden, om met Jesaja te spreken?'

Zwijgend maakten ze de vaat verder af. Sietze had nooit gedacht dat Cherish twijfels kon hebben over haar leven als christen. Toen hij de laatste pan omgekeerd op het aanrecht zette zei hij lachend: 'Ik heb nooit beseft wat een zondags diner voor vier personen eigenlijk inhoudt. Ik dacht dat er nooit een eind aan die afwas zou komen. Het leek wel alsof je alle potten en pannen uit de kast had gehaald.'

'Zo zag het er vanochtend zeker uit, toen jij binnenkwam.' Haar gezicht betrok. 'Zoveel werk voor zo'n pover resultaat. Het spijt me echt dat ik niet beter kook.'

Ze stond zo dicht bij hem dat hij haar had kunnen aanraken. 'Dat hoeft niet. Geloof me nou maar, het was stukken draaglijker dan wat ik 's avonds klaarmaak en de keuken zag er ook netter uit dan die van Tobias. Als ik het daarmee vergelijk, heb ik nooit van mijn leven zulke heerlijke kip en aardappelpuree gegeten. En vergeet de koffie niet. Je hebt gehoord wat Jacob zei. De lekkerste die hij ooit had geproefd, en hij zou nooit tegen jou liegen.'

'Hou op, Sietze, anders ga ik nog iets stoms doen, zoals huilen. Het lijkt wel of ik tegenwoordig niet anders meer doe.' Voordat hij kon vragen of dat echt waar was, trok ze de zeperige vaatdoek uit zijn handen en wrong hem uit. 'Geef die maar hier. Ik moet de tafel nog afnemen.'

Ze keerde hem de rug toe en begon met krachtige halen de tafel te boenen. Sietze keek nadenkend naar haar. Er was iets veranderd in haar houding ten opzichte van hem; het was heel subtiel en hij kon er niet precies de vinger op leggen. Het leek wel alsof ze een stap terug had gedaan, waardoor er nu een kleine kloof tussen hen gaapte. Dit was niet meer het meisje dat hem opzettelijk met haar lichamelijke

226

nabijheid het hoofd op hol had gejaagd, en zich onbevreesd en met haar hele hart voor hem had opengesteld.

Hij probeerde de teleurstelling van zich af te zetten en pakte de afwasteil. Als zij zich had teruggetrokken, was dat alleen maar beter. Iets anders was er toch niet mogelijk. Hij gooide het afwaswater weg in de tuin en toen hij terugkwam in de keuken, hing Cherish net de natte theedoeken op. De keuken zag eruit als om door een ringetje te halen, net zo smetteloos als wanneer mevrouw Sullivan thuis was.

'Je tante kan tevreden zijn,' merkte hij op.

Ze lachte. 'Dat geloof ik ook. Ze komt vanavond terug.'

'Nou, dan ga ik nu maar eens naar je vader.'

'Misschien kan ik beter eerst gaan om te zeggen dat je er bent.'

'Nee, dat hoeft niet. Ik kan hem alleen wel aan,' zei hij met een lichte grijns.

Er lag begrip in haar ogen, toen ze zei: 'Als je me maar vertelt wat hij heeft gezegd.'

'Vanzelf.'

Er viel niets meer te zeggen, maar toch maakte geen van beiden aanstalten de keuken te verlaten. Ten slotte haalde Sietze eens diep adem en liep naar de deur. 'Als ik met een uur niet terug ben, moet je alarm slaan.'

'In dat geval kom ik eerst zelf kijken.'

Ze keken elkaar nog eens aan – hij op de drempel, zij midden in de keuken. Zijn droom, waarin ze hem zo hard nodig had gehad, stond hem weer levendig voor de geest. Hij lichtte zijn hand een beetje op. 'Nou, tot zo dan.'

Ze knikte hem toe en hij ging.

Zachtjes klopte Sietze op de deurpost. De deur van de slaapkamer stond open en Winslow zat rechtop in bed. De man keek verbaasd toen hij hem zag, maar tot Sietzes grote opluchting brak er meteen een glimlach door op zijn gezicht.

'Kom binnen, Sietze, kom binnen. Pak een stoel. Kwam je even een babbeltje maken met een ouwe invalide man?'

Sietze ging naast het bed zitten. 'Ja, ik dacht, ik wip nog even langs. Vanmorgen was er niet veel tijd om u echt te begroeten.'

'Ik ben blij dat je langskomt. Ik begin er behoorlijk genoeg van te krijgen om hier zo opgesloten te zitten. Die ouwe dokter Turner houdt me hier vast als een gevangene, maar hij heeft beloofd dat ik voor de Vierde Juli weer op de been kan zijn, als ik me tenminste aan zijn orders houd.'

'Daar ben ik blij om,' zei Sietze. 'U ziet er al beter uit.'

Winslow grijnsde begrijpend. 'Dat was op de dag dat ik met een been in het graf stond. Ik heb het gevoel dat de Heer me gespaard heeft, maar niet zonder een waarschuwing.' Hij klopte op zijn borst. 'We zijn allemaal maar een hartslag van de dood verwijderd, en ik denk niet dat ik dat gauw weer zal vergeten.'

'Nee, meneer.'

Het gesprek liep dood. Sietze wist niet hoe hij over de scheepswerf moest beginnen. Zou Winslow niet denken dat hij op zijn vroegere baan zat te vlassen? Of dat hij probeerde een wit voetje bij hem te halen, en op die manier ook bij zijn dochter? Sietze wilde niet dat er bij wie dan ook bedenkingen over zijn motieven zouden leven – die bedenkingen had hij zelf al meer dan genoeg. Hij was al half en half van plan om niets te zeggen, naar Calais te vertrekken en nooit meer in Haven's End terug te komen. Maar iets hield hem aan zijn stoel gekluisterd.

'Ik heb aan je liggen denken.'

Geschrokken keek Sietze op. 'Is dat zo?'

De oude man knikte. 'Daarom was ik ook zo blij dat je kwam. Anders had ik Jacob gestuurd om je te halen. Niemand vertelt me hoe het met je gaat.' Hij keek strak naar de beddensprei. 'Wat heb je zoal gedaan sinds ik je vroeg van de werf te vertrekken?'

'O, van alles en nog wat.' Waarom vertelde hij nou niet gewoon waar hij op dit moment werkte? Maar de schaamte was te sterk en verlamde zijn tong.

'Je zult wel een beetje gespaard hebben.' In Winslows stem klonk opluchting door nu met Sietze alles in orde leek te zijn.

'Inderdaad, meneer, een beetje.'

'Prima, prima.' Zijn vingers plukten aan een losse draad in de sprei. 'Ik wil je nogmaals mijn verontschuldigingen aanbieden voor het feit dat ik toen mijn zelfbeheersing tegenover jou verloor. En ik had nooit naar de scheepswerven van Hatsfield mogen gaan, met de bedoeling om... Ik heb gezegd dat ik het je zou vergoeden, en dat zal ik ook doen, zodra ik dit verwenste bed uit mag.' Hij kneep het beddengoed in zijn knuisten tot een prop.

'Wind u nou niet op, meneer Winslow. Zoals ik zei, het gaat nu goed met me en ik heb ook wat spaargeld.' Sietze ging op het puntje van zijn stoel zitten en schraapte zijn keel. 'Ik – ik kwam eigenlijk ook langs om te zien of u op de werf misschien hulp kunt gebruiken... voorlopig, tot u weer op bent.'

Winslow was niet beledigd door het voorstel, zoals Sietze had gevreesd, maar op zijn gezicht brak juist een glimlach door. 'Ik kan je niet zeggen hoe opgelucht ik ben. Het was precies de reden waarom ik met je wilde praten.'

Nieuwe hoop sprong op in Sietzes hart. 'Echt waar?'

'Zeker. Ik weet dat ik niet het recht heb je dit te vragen, maar zou je willen overwegen een paar uur per dag te komen kijken hoe de mannen vorderen met de schoener? Ik zou je er natuurlijk voor betalen.'

Dus Winslow vroeg hem niet definitief terug te komen. Sietze slikte zijn teleurstelling weg. Dit was toch precies de regeling die hij zelf had willen voorstellen? 'Natuurlijk, dat zou ik graag doen. Dan kom ik na het avondeten. En u hoeft me niet te betalen,' voegde hij eraan toe. Van Winslow zou hij nooit meer een cent aannemen. Wat hij deed, deed hij alleen voor Cherish.

'Maar Sietze, natuurlijk betaal ik je ervoor. Je moet toch iets verdienen. Je kunt niet van de wind leven.' Hij grinnikte een beetje gemaakt, alsof al dit gepraat over geld hem nerveus maakte. Sietze schraapte zijn keel; hij kon maar het beste open kaart spelen, besloot hij. 'Ik heb een baantje in de haven, dus ik red me best. Daarom kan ik ook alleen de avonduren missen.'

'Dat begrijp ik. Waar werk je precies, als ik vragen mag?'

Sietze voelde zijn oren rood worden. Hij keek strak naar Winslows handen die hun rusteloze spel met de sprei gestaakt hadden. 'In de visfabriek.'

'O.'

'Het is maar tijdelijk,' zei Sietze haastig. 'Ik wilde mijn spaargeld liever niet aanspreken. Ik... ik denk erover om te solliciteren bij de scheepswerf in Calais.' Zo, dat had hij hardop gezegd – nu zat hij eraan vast.

Winslow knikte tevreden. 'Dat is een groot bedrijf. Veel groter dan dat van ons.'

Weer moest Sietze vechten tegen zijn verbittering. Betekende zijn lange staat van dienst dan zo weinig voor Winslow? 'Nou ja, ik ben er nog niet geweest. Ik heb nu niet zoveel vrije tijd.'

'Nee, dat spreekt vanzelf.' Winslow hoestte. 'Maar als je eenmaal zover bent, zal ik je een aanbevelingsbrief meegeven.' Hij had nog het fatsoen om beschaamd te kijken toen hij dit zei.

'Ik ga niet weg voordat u weer op de been bent.'

'Dat stel ik op prijs. Ik vind het vreselijk om je af te moeten staan, maar ik heb begrip voor je stap.' Hij glimlachte. 'Je bent net als mijn neef Henry: jong en ambitieus. En je hebt talent.'

Sietze had het gevoel of hij een klap in zijn gezicht kreeg. Winslow deed net alsof hij hem nooit had ontslagen. Het leek wel alsof hij zichzelf had aangepraat dat Sietze uit eigen vrije wil was vertrokken. Wat Sietze in zijn veertienjarig dienstverband voor het bedrijf had gedaan, was weggevaagd als de ribbels in het strand door een aanrollende golf.

16

*N*adat ze een hele middag druk bezig was geweest met het op orde maken van de werkplaats, ging Cherish naar huis, waar ze Warren Townsend trof die voor de tweede keer een bezoek kwam brengen. Ze ging hem voor naar haar vaders kamer en daar zaten ze met hun drieën bij elkaar. Tom Winslow vertelde Warren tot in de kleinste bijzonderheden over zijn hartaanval en voegde eraan toe: 'Ik ben altijd zo sterk als een paard geweest. Zo zie je maar, een mens weet nooit wat hem te wachten staat.' Hij zuchtte. 'Des te liever zou ik mijn enig kind getrouwd zien met iemand die beter voor haar kan zorgen dan ik.'

'O, papa, ik kan toch best voor mezelf zorgen!' protesteerde Cherish, diep beschaamd door de plotselinge wending in het gesprek.

'Je vader heeft gelijk. Het is heel gewoon dat hij je graag goed verzorgd wil zien.'

'Nou, op dit moment kan daar nog geen sprake van zijn. Ik ben tenslotte zijn verpleegster,' zei ze met een geforceerde lach, in een poging de aandacht van het onderwerp af te leiden.

'Hoe gaat het met jouw vader, Warren?' vroeg Winslow.

'O, goed, meneer. Hij had eigenlijk zelf willen komen, maar

hij dacht dat te veel bezoek niet goed voor u zou zijn. Maar ik moest van hem zeggen dat hij u zal bezoeken zodra het kan.'

'Zeg maar dat hij bij de eerste de beste gelegenheid moet komen. Ik voel me met de dag beter en de dokter zegt dat ik binnenkort in een stoel mag zitten. Als het zo doorgaat, loop ik op de Vierde Juli weer rond.'

'Dat is goed nieuws. Ik weet zeker dat mijn vader dan morgen zal komen.'

'Jij moet vanavond maar blijven eten, vind je ook niet, Cherish? We kunnen hem toch niet naar Hatsfield terugsturen zonder iets in zijn maag, al is het maar een eenvoudig hapje?'

'Nee, papa, natuurlijk niet,' antwoordde ze en probeerde enthousiast te klinken. Ze doorzag heel goed wat haar vader aan het doen was en toch voelde ze zich minder en minder tegen zijn gekonkel opgewassen. De waarschuwingen van de dokter klonken haar nog te sterk in de oren. Maar wat kon ze dan doen om te voorkomen dat bij Warren een verkeerde indruk werd gewekt? Ze wilde hem op geen enkele manier aanmoedigen.

Naderhand zat ze samen met Warren op de veranda.

'Je vader heeft echt gelijk, hoor,' zei hij. 'Er moet iemand voor jou zorgen.'

'Ik heb mijn vader en tante Phoebe. En bovendien, zoals ik al zei, op mijn leeftijd heb je heus de zorg van een ander niet meer nodig.'

'Ik bedoelde ook niet dat je niet voor jezelf kunt zorgen.' Hij leunde naar voren in zijn schommelstoel. 'Ik denk gewoon dat de meeste vrouwen van jouw leeftijd graag willen trouwen en een eigen huishouding opzetten. Mijn zus zou dat maar al te graag willen, dat weet ik wel.'

'Het spijt me dat ik tegen je uitviel. Ik wil ook helemaal niet beweren dat ik zoiets nooit zou willen. Maar het lijkt wel of mijn vader sinds ik weer thuis ben alleen nog maar probeert mij aan de man te krijgen.'

'Ik begrijp het. Dat doet me denken aan mijn eigen vader, en aan alle adviezen die ik voortdurend van hem krijg over hoe ik de zaak moet runnen.'

Ze glimlachten tegen elkaar en ze hief haar glas limonade. 'Op overbezorgde vaders! Dat ze een lang en gezond leven mogen hebben.'

Hij toostte met haar mee en zei toen: 'Dat is waar ook. Ik was van plan even bij de werkplaats langs te gaan om Sietze te spreken.'

Nee toch. Wat moest ze nu zeggen?

'Mijn vader was erg van hem onder de indruk.' Hij staarde in zijn glas. 'Mijn zus ook, trouwens.'

'Annalise?' vroeg ze en haar stem sloeg over. Ze had gehoopt dat het spreekwoord 'Uit het oog, uit het hart' ook in dit geval zou opgaan.

'Ja,' antwoordde hij. 'Ik weet niet of het netjes is dat ik erover praat. Ik respecteer haar gevoelens, maar volgens mij kan ik jou wel in vertrouwen nemen. Ze beschouwt je als een vriendin. Annalise en de heer De Vries hebben misschien maar een korte tijd in elkaars gezelschap verkeerd, maar ik weet dat Annalise diepe genegenheid voor hem heeft opgevat. En ik heb nooit eerder meegemaakt dat ze zich hechtte aan de een of andere jongeman. Ze was er altijd veel te bang voor.'

Hij schraapte verlegen zijn keel. 'Ik wilde voor mijn zus graag een gelegenheid scheppen om deze jongeman weer te ontmoeten en te zien of de eerste indruk heeft standgehouden. Ze zou zichzelf nooit opdringen.'

Cherish kromp in elkaar, bij de herinnering aan haar eigen gedrag. Ze perste haar lippen op elkaar en probeerde iets te bedenken om te zeggen.

'Neem me niet kwalijk, ik lijk wel een ouwe koppelaarster,' zei Warren. 'Ik heb nooit eerder op deze manier een goed woordje voor mijn zus gedaan. Maar Sietze heeft ook op mij een goede indruk gemaakt en, nou ja, ik houd van mijn zus...' Zijn stem stierf weg.

Haar hart ging naar Annalise uit. Hoe kon ze nou haar broer duidelijk maken dat de kans bestond dat Sietzes hart niet vrij was? Ook al had Sietze haar afgewezen, toch meende Cherish dat ze aan Warren verplicht was in ieder geval eerlijk voor haar eigen liefde uit te komen. Ze kuchte en wilde net van wal steken, toen Warren begon te grinniken. 'Mijn vader loopt met hem weg. Als hij ooit besluit bij de werf weg te gaan, dan zou hij zo een baan bij ons bedrijf kunnen krijgen. Je wist toch dat vader van plan is een eigen scheepswerf te beginnen?'

Cherish staarde hem aan en de woorden bestierven haar op de lippen.

'Sietze werkt niet meer op papa's scheepswerf,' zei ze toen zacht en lette scherp op Warrens reactie.

'O, nee? Waarom in vredesnaam?'

Ze ging met haar tong over haar lippen. 'Er rees een... een misverstand tussen papa en hem en toen is Sietze vertrokken,' legde ze uit en trad met opzet niet in details.

'Het moet wel een ernstig misverstand geweest zijn, dat Sietze daarom is vertrokken. Hij is toch al bij je vader in dienst gekomen als gezel?'

'Ja, inderdaad, maar papa heeft hem nooit beloond naar wat hij waard was. Hij zou het ver kunnen brengen... op een andere werf.' Ze hoopte maar dat Warren de hint zou oppikken.

Hij knikte. 'Vader zou hem onmiddellijk in de arm nemen als hij het wist.'

'Sietze is een fijne vent. Je vader zou bevoorrecht zijn als hij hem in dienst kon nemen. En... en de vrouw die zijn achting weet te winnen is een gezegend mens.' Ze staarde in haar limonade, zelf verbaasd dat haar stem zo kalm bleef. Uit niets bleek hoeveel moeite de woorden haar hadden gekost. 'Hij is nu nog in Haven's End, maar ik weet niet voor hoe lang nog. Hij heeft het erover gehad dat hij in Calais werk wil zoeken.'

'Nou, dan moet ik hem voor die tijd te pakken zien te krijgen. Zou je vader het niet vervelend vinden?'

'Nee. Ondanks hun meningsverschillen heeft papa hem heel hoog.' Ze aarzelde. Ze kon Sietze de kans die hem via de Townsends werd geboden niet ontnemen. Piekerend liet ze haar vingertoppen door de condensdruppeltjes aan haar glas glijden. Ze vertikte het om Sietze bij de visfabriek te kijk te zetten en ze wist niet of hij die avond naar de werkplaats zou komen. Zou Sietze kwaad zijn als ze Warren naar het hutje van Tobias stuurde?

'Je kunt hem na het avondeten waarschijnlijk aantreffen in een huisje achter de haven. Daar woont hij tijdelijk,' zei ze uiteindelijk en duidde Warren aan hoe hij de weg naar Tobias' krotje kon vinden.

Toen Warren vertrokken was stond Cherish over het gazon te staren, de armen om zichzelf heen geslagen. De zwoele bries voerde de geur van seringen met zich mee. Wat was het pijnlijk Sietze te moeten zien zoals hij er nu voor stond, zijn dromen verbrijzeld, en dan te weten dat al die tegenslag aan haar te wijten was. Ze hoopte maar dat ze met wat ze vandaag tegen Warren had gezegd een begin had gemaakt met het afbetalen van die schuld.

Tobias en Sietze waren net klaar met eten toen er geklopt werd.

'Wie ken dat nou weer wezen?' mompelde Tobias en slofte naar de deur.

'Wat mot je?' vroeg hij aan de lange man die op de drempel stond.

'Mijn naam is Warren Townsend. Ik vroeg me af of de heer Sietze de Vries hier soms verblijft.'

Sietze, die net de vuile borden in de gootsteen zette, draaide zich met een ruk om. Hij veegde vlug zijn handen af aan een oude lap en kwam ook naar de deur.

'Hallo. Was je op zoek naar mij?' vroeg hij achterdochtig.

'Inderdaad,' antwoordde Warren. Hij lachte opgelucht en stak zijn hand uit. 'Ik heb je overal gezocht. Voor m'n idee heb ik heel Haven's End drie keer gezien.'

'Ken je deze kerel?' wilde Tobias weten.

'Ja, hij is een... kennis van Tom Winslow. Warren, mag ik je Tobias Tibbetts voorstellen?'

'Aangenaam,' mompelde Tobias, terwijl hij de gladde hand van de jongeman omvatte met zijn knoestige, bruine vuist. 'Nou, ik heb nog effe wat te regelen. Ik laat jullie verders maar je eigen zaakjes opknappen.' En hij liep de deur uit.

Sietze wist zich niet goed een houding te geven. Moest hij Warren nu binnen vragen of zelf naar buiten gaan? Hij keek naar diens schone, onberispelijk gesteven pak en aarzelde, maar voor hij tot een besluit kon komen, vroeg Warren hem: 'Mag ik binnenkomen?'

'Natuurlijk.'

Nu Sietze het hutje door de ogen van Warren Townsend bekeek, zag het er nog vreselijker uit dan anders. Achter hem aan liep hij naar de enig bruikbare stoelen die het vertrek rijk was, en waar hij en Tobias zojuist nog op hadden gezeten. 'Ga toch zitten,' bood hij aan, en ontdekte net te laat het smerige vod dat Tobias op de zitting had gegooid. Voor hij het kon weghalen, had Warren het al gepakt. Sietze nam het snel van hem over. 'Neem me niet kwalijk,' mompelde hij en smeet het op een stapel oude kranten. 'Kan ik je soms koffie aanbieden?'

'Nee, dank je.'

'Ik heb gehoord dat je niet meer bij Winslow in dienst bent,' begon Warren, toen ze allebei zaten. Sietze staarde naar de bladderende verf van de tafel. 'Dat klopt.'

'Juffrouw Winslow heeft zich zeer lovend over je uitgelaten.'

Sietze keek onmiddellijk op, maar toen hij aan het gezicht van de man tegenover hem zag dat de opmerking geen bijbedoelingen had, wendde hij zijn blik weer af.

'Mijn vader heeft ook een gunstige indruk van je gekregen.'

'Nou, ik stel al die waardering op prijs, maar...'

'Vat het alsjeblieft niet verkeerd op.' Warren zweeg even en zei toen: 'Je moet de groeten van mijn zus hebben.'

Het bloed vloog Sietze naar de wangen en hij voelde zich in de verdediging gedrongen. 'De groeten terug,' antwoordde hij stijfjes.

Warren schraapte zijn keel. 'Ze heeft je gemist.'

Sietze schoof op zijn stoel heen en weer. De houten zitting voelde steeds minder comfortabel aan. Waar was Warren op uit? 'Juffrouw Townsend is erg vriendelijk,' zei hij zacht.

'Annalise is een bijzonder meisje. Je hebt haar waarschijnlijk niet lang genoeg meegemaakt om dat te kunnen beoordelen, maar ze heeft een goed hart en werkelijk gevoel voor humor. Bovendien heeft ze een uitstekende opleiding genoten.'

'Dat heb ik wel gemerkt. Doe haar vooral de groeten terug,' herhaalde hij en voelde zich ongelooflijk dom.

Townsend lachte kort en droog. 'Ik denk dat ik hier zit als de beschermende, oudere broer, die probeert vast te stellen of je de gevoelens van mijn zus beantwoordt.'

Perplex staarde Sietze hem aan. Wat had hij gezegd of gedaan waardoor deze man de indruk had gekregen dat hij in diens zus geïnteresseerd was? 'Neem me niet kwalijk, maar ik geloof dat u een verkeerde voorstelling van zaken heeft. Ik ken uw zus amper. We hebben elkaar maar een paar keer ontmoet. Je familie heeft mij de eer aangedaan me voor een weekend uit te nodigen. Ik vind je zus een keurige jongedame en ik acht haar hoog, maar koester geen gevoelens die een man zou moeten koesteren wanneer hij een vrouw het hof wil maken.'

Wist hij dan zo goed wat dat voor gevoelens waren? Hadden ze te maken met het vuurwerk dat losbarstte in zijn hart als Cherish hem ook maar met een vinger aanraakte?

'Het spijt me dat te horen,' zei Warren. 'En ik weet zeker dat het mijn zus nog meer zal spijten.' Hij ging staan. 'Sorry dat ik je gestoord heb.'

Sietze wuifde het excuus weg. 'Dat geeft niet. Juffrouw Townsend heeft geluk gehad met een broer als jij.'

'Nou, dat weet ik niet, hoor.'

Nu kwam ook Sietze overeind. 'Het spijt mij dat het verspilde tijd voor je is geweest om helemaal hierheen te komen.'

Warren grijnsde licht. 'Een tochtje naar Haven's End is nooit verspilde tijd.'

Sietze voelde een steek in zijn hart. Hij wist heel goed wat Warren naar Haven's End voerde. Was hij al bij Cherish geweest? Natuurlijk; hoe had hij anders kunnen weten waar Sietze te vinden was? Van Jacob had Sietze wel gehoord hoeveel bezorgdheid Warren had getoond gedurende Winslows ziekte en ook, dat hij bij de familie had gedineerd. De wetenschap was voor Sietze alleen maar de zoveelste bittere herinnering aan de wereld waarin Cherish thuishoorde.

'Mijn vader heeft veel respect voor je,' zei Warren, terwijl Sietze hem vergezelde naar de deur. 'Hij heeft je weliswaar maar een paar keer gesproken, tijdens dat bewuste weekend, maar hij is een groot mensenkenner en herkent vakbekwaamheid als hij die tegenkomt. Hij voorspelt je een grootse toekomst, op voorwaarde dat je de juiste werkgever treft.'

Sietze zweeg.

'Als hij het oog op iemand laat vallen, dan zal hij die persoon alles geven wat hij maar wil, om hem in dienst te kunnen krijgen.' Zijn groene ogen keken Sietze doordringend aan.

'Mocht je ooit ontdekken dat je gevoelens voor Annalise meer dan vriendschappelijk zijn, dan is je kostje gekocht. Mijn vader zou je een eigen scheepswerf geven.' Hij wachtte even. 'Ik zou je dit niet vertellen als ik zelf niet veel waardering voor je had. Daarvoor houd ik teveel van mijn zus.'

Sietze verroerde zich niet. Zou Townsend hem echt een eigen scheepswerf geven als hij naar de hand van Annalise zou dingen en met haar zou trouwen? De vervulling van zijn droom leek binnen handbereik. Een krankzinnige seconde lang dacht hij te begrijpen wat Jezus had doorgemaakt toen de duivel hem de hele wereld aanbood, als hij maar voor hem zou knielen en hem aanbidden. Maar hij verwierp het idee onmiddellijk als godslasterlijk. Wie dacht hij wel dat hij was om zich zomaar met de Zoon van God te vergelijken?

Het beeld liet zich echter niet verdrijven. Wat was de prijs die hij voor dit verleidelijke aanbod zou moeten betalen?

Zijn ziel. Het schoot als een bliksemstraal door zijn gedachten.

'Heb je me wel gehoord? Wat vind je ervan?' vroeg Townsend hem rustig.

Sietze schudde met zijn hoofd alsof hij probeerde wakker te worden uit een benauwde droom. 'Je vader is erg royaal.'

'Voor zijn kinderen doet hij alles. En mijn zus is erg bijzonder.'

'Dat weet ik,' antwoordde Sietze.

'Je hoeft niet meteen antwoord te geven.'

'Meneer Townsend,' begon Sietze formeel, wetend dat zijn reactie hen beiden verdriet zou doen, 'ik betreur het erg. Ik wilde dat ik meer voor uw zus kon voelen dan hoogachting en bewondering.'

'Dat zijn anders edele gevoelens. Ze zouden zich in de loop van de tijd kunnen verdiepen.'

Niet wanneer het beeld van een ander in je ziel gegrift staat.

Hardop zei hij: 'Maar niet voldoende. Doe me het genoegen je vader te vertellen dat ik zijn aanbod zeer op prijs stel, maar dat ik op dit moment op een plek zit die goed voor me is.'

'Als hulpje op de werf?' vroeg Warren sarcastisch. 'En zelfs dat ben je nu toch niet meer?'

Hij keek Sietze medelijdend aan en diens kaak verstrakte.

'Mijn vader onderzoekt altijd de antecedenten van mensen in wie hij belang stelt. Hij weet dat je onder de scheepsbouwers een goede naam hebt. Hij heeft gesprekken gevoerd met de eigenaren van schepen waaraan jij hebt gewerkt.

Hoe lang wil je nog schepen bouwen die door anderen zijn ontworpen? Bevelen opvolgen, hakken en zagen en schuren en schilderen? Droom je er nooit van je eigen ideeën op papier te zetten en te zien hoe ze worden uitgewerkt?'

De woorden waren als dolkstoten in Sietzes hart. Stuk voor stuk sloegen ze de spijker op zijn kop.

'Zoals ik al zei, je hoeft niet meteen te beslissen.' Warren zette zijn hoed op. 'Maar wacht niet te lang. En als je eenmaal nee hebt gezegd, zal mijn vader het aanbod niet herhalen.'

Sietze slikte en knikte.

De ander leek zijn worsteling aan te voelen, want hij zei: 'Je bent een goed mens, Sietze, en oprecht. Het zou me erg spijten als je het aanbod van mijn vader afwijst. Maar stel dat je dat doet, zou je me dan wel een persoonlijke gunst willen bewijzen door Annalise eens op te zoeken? Als een soort afscheid? Ze hoeft nooit te weten dat ik met je gesproken heb.'

'Dat is goed.'

Hij keek Townsend na, toen die over het overwoekerde pad wegliep, en dacht na over alles wat er zojuist was gepasseerd.

Waarom gebeurde dit juist nu? Juist op het moment waarop hij zich begon af te vragen of zijn liefde voor schepen en scheepsbouw soms sterker was dan zijn liefde voor de Heer?

Waarom, Heer? schreeuwde zijn hart.

Warrens woorden echoden nog na in zijn oren. *Je bent een goed mens, Sietze, en oprecht.*

Oprecht? Goed?

Of was hij gewoon een middelmatige, dwaze Don Quichotte?

17

&r werd op de deur van de werkplaats geklopt en toen Cherish opkeek, zag ze achter de glazen paneeldeuren het silhouet van een man. Een beetje verbaasd kwam ze overeind en opende de deur.

'Goedemorgen,' zei de man en lichtte zijn hoed. 'Stanley Morrow is de naam. Ik kom namens de Hatsfield Bank.'

'Komt u verder, meneer Morrow,' zei ze en duwde de deur wijd open. 'Wat kan ik voor u doen?'

'Ik heb een afspraak met meneer Winslow.'

'Het spijt me, maar de heer Winslow moet op dit moment het bed houden,' en ze vertelde kort en bondig wat er was voorgevallen.

'Het spijt me erg dat te horen,' zei de bezoeker, maar hij gedroeg zich zo ijzig en formeel dat ze er haastig aan toevoegde: 'Maar hij herstelt voorspoedig en we verwachten dat hij binnenkort weer op de werf kan zijn.' De houding van de man gaf haar een onbehaaglijk gevoel.

'Met wie heb ik eigenlijk het genoegen, als ik vragen mag?' vroeg hij na een korte stilte.

'Ik ben zijn dochter, Cherish Winslow.'

'Aangenaam kennis met u te maken, juffrouw Winslow. En wie... ahum... wie draagt de verantwoordelijkheid over de werf, nu uw vader handelingsonbekwaam is?'

'Mijn vader is niet handelingsonbekwaam. Ik breng hem dagelijks verslag uit.'

'O. Dus hij heeft nog wel de leiding over de werkzaamheden?'

'Die heeft hij voorlopig aan mij overgedragen,' zei ze zelfbewuster dan ze zich voelde.

'Aha.' Hij trok een leren map tevoorschijn. 'De aanleiding voor mijn bezoek is de lening die uw vader een tijd geleden bij onze bank heeft afgesloten.'

'Een lening?'

'Ja. Hij had in die periode wat extra geld nodig en dat hebben wij voor hem geregeld, op basis van in de toekomst te verwachten winst, waarvan hij de lening hoopte terug te betalen.' Hij spreidde een aantal documenten voor haar uit op tafel. 'U kunt het hierin allemaal nalezen.'

Ze bestudeerde de papieren nauwkeurig. Wat het meest in het oog sprong was de hoogte van het bedrag – tweeduizend dollar – en de datum – 30 juni 1875. Ze keek op naar de man in zijn zwarte pak.

'Wat houdt dit in?' vroeg ze.

'Dat de betalingstermijn aan het einde van deze maand afloopt.'

'Maar u kunt toch op grond van de ziekte van mijn vader wel uitstel verlenen?' Haar gedachten gingen razendsnel, maar ze wist heel goed dat haar vader een dergelijke geldsom niet op zijn bankrekening had staan. Ze had al eerder vastgesteld dat de inkomsten bij de uitgaven achterbleven en dat het verschil werd aangezuiverd uit het spaargeld, maar in het licht van deze lening leek dat ineens een armzalig bedragje.

'Een bank heeft niet de gewoonte uitzonderingen te maken op grond van ziekte. Als we dat deden, konden we de zaak wel sluiten.' Weer zo'n strakke glimlach.

'Ik begrijp het.'

Meneer Morrow ging staan. 'Ik laat dit ene document maar

hier,' zei hij en veegde de rest weer in zijn map. 'U kunt het met uw vader bespreken en als die nog meer vragen heeft, moet u maar even bij ons langskomen zodra het u gelegen komt. Een goede dag verder, juffrouw Winslow.'

'Goedemiddag,' zei ze afwezig en liet hem uit. Daarna ging ze aan het bureau zitten en bekeek peinzend het blad papier dat voor haar lag. Wat zat hierachter?

Ze kreeg een plotselinge ingeving, maar verwierp die onmiddellijk, bang dat ze de gedachte niet meer kwijt zou raken. De datum van de lening viel samen met het begin van haar reis naar Europa. Nee, dat was ondenkbaar.

Ten slotte boog ze haar hoofd en begon te bidden om wijsheid.

De volgende dag zat ze na het ontbijt een poosje bij haar vader. Ze praatten over koetjes en kalfjes, maar ondertussen zocht ze voortdurend naar een opening om het onderwerp aan te snijden dat haar geen ogenblik uit de gedachten was.

'Papa,' zei ze ineens plompverloren, 'zijn wij geld schuldig aan de Hatsfield Bank?'

Hij keek van haar weg. 'Nou, ieder bedrijf is wel aan iemand geld schuldig.'

'Ja, dat weet ik, maar heeft u daar een lening uitstaan?'

'Daar moet jij je mooie hoofdje maar niet over breken. Als jij je zorgen gaat maken over de cijfertjes wil ik niet dat je je nog langer met de werf bezighoudt.'

'Papa, ik weet heus wel iets van boekhouden af en ik kan in de boeken zien dat we de laatste tijd telkens tekorten hebben. Maar gisteren heb ik bezoek gehad van een bankmedewerker en die vertelde dat u iets meer dan een jaar geleden een lening hebt afgesloten.'

De handen van haar vader begonnen onrustig over de sprei te dwalen. 'Ja, nou ja, en wat dan nog? De termijn is nog niet afgelopen. Het is ongepast dat ze zomaar komen binnenvallen en een jongedame met dit soort dingen belasten. Wat

244

denken ze wel? Ik denk er hard over om de bank te schrijven en een klacht tegen die klerk in te dienen.'

'Papa, maak u nou niet zo druk. Als ik had geweten dat u erdoor van streek zou raken, was ik er nooit over begonnen. Volgens meneer Morrow hebben we tot het eind van de maand de tijd om het te regelen.' Ze keek op haar handen die ineengeklemd in haar schoot lagen. 'Ik wilde alleen maar wat meer informatie.'

'Dit zijn precies de dingen die me 's nachts uit de slaap houden. Ik kan me helemaal niet permitteren om bedlegerig te zijn. Ik moet nodig op zoek naar nieuwe contracten. Als we meer orders krijgen is die lening in een mum van tijd afbetaald.'

'Ik begrijp het, papa,' suste ze.

Het was even stil. Toen raapte Cherish opnieuw al haar moed bijeen. 'Papa, waar had u dat geld eigenlijk voor nodig?' En toen hij geen antwoord gaf: 'Had het soms te maken met mijn reis naar Europa?'

Hij keek de andere kant op en bleef zwijgen.

'Ik dacht dat nicht Penelope voor de reis had betaald.'

Hij snoof. 'Penelope? Alsof zij iets voor een ander over zou hebben. Ik moest haar echt ompraten en haar ervan overtuigen dat je goed gezelschap zou zijn en haar op alle mogelijke manieren van nut kon wezen, voordat ze erin toestemde als je chaperonne op te treden.'

'O.' Ze keek op haar handen. 'U had anders geen geld hoeven lenen om mij een buitenlandse reis te laten maken. Ik was volmaakt tevreden geweest als ik thuis had moeten blijven.'

'Praat geen onzin. Het hoorde gewoon bij je opvoeding. Je moest je met opgeheven hoofd in de hogere kringen kunnen bewegen.'

'Ook zonder die Europese polijsting zou ik me nooit voor mezelf geschaamd hebben.'

'Ik wilde dat je je zou kunnen handhaven tussen mensen als

de Townsends, de Aarons, de Bradshaws en al die andere welgestelde families in Hatsfield. Neem nou die jonge Warren. Hij heeft als voordeel dat hij net als jij een reis over het continent heeft gemaakt. Het was mijn wens dat je je in gezelschap van mensen zoals hij op je gemak zou voelen en dat je ooit door een huwelijk zelf tot die kringen zou gaan behoren.' Hij slaakte een diepe, spijtige zucht. 'Ik had zo gehoopt dat jij en Warren het goed genoeg met elkaar zouden kunnen vinden om er een officiële verbintenis van te maken.'

'Maar, papa... ik heb toch al gezegd dat ik hem aardig vind, maar hij is niet, ik bedoel, ik mag hem graag, maar...' Haar stem stierf weg.

Hij glimlachte bitter. 'Maar je hebt je zinnen gezet op Sietze de Vries.'

'Je kunt liefde niet dwingen.'

Hij keek haar aan; zijn ogen stonden verdrietig. 'Je bent nog heel jong, lieverd. Het huwelijk kan heel moeilijk zijn, en zeker als er financiële problemen komen, wordt het er niet eenvoudiger op. Iemand kan op jonge leeftijd heel aantrekkelijk zijn, maar als er sprake is van grote verschillen in opvoeding en scholing, dan gaan na verloop van jaren de dingen die eerst zo aantrekkelijk leken juist ergernis wekken. Jij bent een intelligente en levenslustige jonge vrouw. Je hebt voorrechten genoten waar de andere meisjes hier alleen maar van kunnen dromen. Je staat vol belangstelling in het leven, je gaat graag met mensen om.'

Hij haalde met een hulpeloos gebaar de schouders op. 'Sietze is een fijne vent en een harde werker. Maar zijn toewijding en talent liggen slechts op een vlak. Bovendien bezit hij geen cent. Hij heeft geen familie en evenmin een erfenis in het vooruitzicht. Hij denkt alleen maar aan schepen bouwen en heeft geen belangstelling voor de rest. Ik huiver bij de gedachte alleen al dat jij voor je hele leven aan hem vast zou zitten. Cherish, ik ben volkomen openhartig geweest.

Kun je niet voor deze ene keer de wijsheid van mijn oordeel inzien en aanvaarden?'

Haar hart kromp ineen. Ze begreep heel goed wat haar vader bedoelde en ze wilde het wel uitschreeuwen dat hij het mis had. Hij kende Sietze niet echt, niet zoals zij hem kende. Nooit had ze een beter en trouwer mens ontmoet. Maar haar liefde voor haar vader weerhield haar van tegenspreken. Zijn redenering leek zo logisch, er was geen speld tussen te krijgen. Ze had altijd haar best gedaan om het haar vader naar de zin te maken en altijd respect gehad voor zijn inzicht en dus stond ze nu met de mond vol tanden tegenover zijn argumenten.

Hij had geen besef van de schade die hij bij haar aanrichtte door van haar te verlangen dat ze Sietze uit haar hoofd zou zetten voor iemand als Warren Townsend. Als een onneembare barrière stond daar die tweeduizend dollar tussen haar en haar geluk.

Die zondag zat Cherish met haar tante en Jacob in de kerk. Ze keek rond of ze Sietze ook zag, maar hij was er niet. Ze had zo gehoopt vandaag een glimp van hem te kunnen opvangen. Dan had ze hem uitgenodigd voor het eten, ter compensatie van het diner van vorige week. Dat zou toch geen kwaad gekund hebben? Maar hij was nergens te bekennen. Ze wist dat hij inmiddels na werktijd zijn opwachting maakte op de werf, maar zelf kon ze dan niet gaan. Om die tijd moest ze altijd haar tante helpen met het avondeten en de verzorging van haar vader.

Ze slikte haar teleurstelling weg en probeerde naar dominee McDuffie te luisteren. 'De preek van vandaag heeft als thema de belangrijkste vrucht van de heilige Geest,' begon die en wachtte even om zich van ieders aandacht te verzekeren. 'Het is de vrucht die in zijn romantische uitingsvorm van dichters en kunstenaars de meeste aandacht krijgt, maar slechts weinig mensen ontdekken wat God er werkelijk mee bedoelt. Ik heb het natuurlijk over de liefde, de *agape*.' De ogen van de dominee dwaalden over zijn gemeente en bleven op Cherish rusten. Op zijn engelachtige gezicht verscheen een brede glimlach en het scheen Cherish toe dat hij van plan was haar gevoelens voor Sietze publiekelijk aan een onderzoek te onderwerpen. Maar toen de dienst was afgelopen had ze het gevoel dat ze niet zozeer door de dominee of de gemeente ter verantwoording was geroepen, maar door God zelf. De ontdekkende kracht van zijn Woord was als een bliksemschicht ingeslagen in haar hart, en dwong haar haar eigen gedrag zonder vergoelijking onder ogen te zien.

Tijdens het diner zei ze niet veel. Ze gaf alleen antwoord op directe vragen en meteen na afloop van de maaltijd verdween ze naar de keuken om te gaan afwassen. Daarna sloeg ze een sjaal om en zei tegen tante Phoebe: 'Ik ga even een eindje wandelen.'

'Maar het is helemaal geen lekker weer! Het is vast erg vochtig met al die mist.'

'Dat geeft niks. Ik ga niet ver, alleen even de heuvel op.'

Met de heuvel bedoelde ze de glooiing achter het huis, waar het bos begon. Cherish liep de achtertuin door, langs de schuren en de ontluikende moestuin, en klom door het met rotsblokken bezaaide grasland omhoog naar de bosrand. Over een dik tapijt van dennennaalden ging ze het bos in. De rotspunten die boven het pad uitstaken gebruikte ze als voetsteunen en de geur van balsem en sparrenhout brachten de beroering in haar binnenste langzaam maar zeker tot bedaren. Het pad bleef maar stijgen en bij een splitsing koos Cherish de afslag die haar terugbracht naar de rand van het bos, waar haar favoriete uitkijkje was, een enorm, met mos overdekt rotsblok, met een holte die een ideale zitplaats vormde, en vanwaar je een prachtig uitzicht had over de hele streek. Cherish kon het huis zien en de weg, de haven met er omheen de witte huizen met hun puntige, zwarte daken, de kades die doorliepen tot ver in zee, geflankeerd door grote fabriekshallen. Het roerloze water, dat door de mist slechts vaag zichtbaar was, had dezelfde grijsgroene kleur als Sietzes ogen. Om de paar minuten hoorde ze de misthoorn loeien.

Ze ging boven op het blok graniet zitten. Het mos bood bescherming tegen het ruwe steenoppervlak. Ze trok haar knieën op en drapeerde de sjaal dichter om zich heen. In die houding dacht ze lang en diep na over de preek van die ochtend. De vergelijking met de goddelijke liefde, die werd omschreven als 'lankmoedig,' vervulde haar met schaamte over het feit dat ze haar gevoelens voor Sietze als liefde had willen betitelen. De *agape* was vriendelijk, niet jaloers, blufte niet en was niet opgeblazen; en ze kromp ineen bij de herinnering aan haar woede op die arme Annalise. De *agape* gedroeg zich niet zelfzuchtig; en ze kroop dieper weg in haar sjaal toen ze bedacht hoe ze zich aan Sietze had opgedrongen.

Liefde zoekt zichzelf niet, laat zich niet boos maken en rekent het kwaad niet aan...

De dominee had elk van die kenmerken de revue laten passeren en ze allemaal toegepast op de liefde van Christus voor zijn kerk. Hij had laten zien hoe deze liefde het vermogen bezat om spot en mishandeling te verdragen, en werd uitgestort om de liefde van de Vader te laten zien. Daarbij verbleekten haar eigen kinderlijke gevoelens en nu vroeg ze zich ernstig af of ze wel mocht zeggen dat ze Sietze echt lief-had, hoe lang ze ook al van hem had gehouden met alles wat ze had, en hoe geduldig ze ook had gewacht op het moment dat ze zichzelf als volwassen vrouw aan hem zou kunnen geven. Waren haar gevoelens het wel waard om lief-de genoemd te worden? Was die zogenaamde liefde niet puur een verlangen om haar zin te krijgen? Had ze de afge-lopen tijd niet geprobeerd om de omstandigheden naar haar hand te zetten? En had haar vader langs het randje van de dood moeten gaan voordat ze eindelijk had ingezien dat ze had afgeleerd de leiding over haar leven aan de Heer toe te vertrouwen?

De woorden van haar vader kwamen haar weer in gedachten. Haar jongemeisjesgevoelens waren niet opgewassen tegen zijn logische en verstandige rederingen. Hoe kon zij nu weten wat liefde was? Hoe kon zij zeker weten dat haar liefde de tand des tijds zou kunnen weerstaan? Had haar vader niet uit liefde voor haar die offers van de afgelopen jaren gebracht? Zelfs die afschuwelijke schuld die dreigend boven hun hoofd hing was ontstaan als gevolg van zijn liefde voor haar.

Lieve Heer, bad ze en legde haar voorhoofd op haar knieën, *vergeef me. Ik heb mijzelf al zo lang geleden aan u gegeven, maar het lijkt wel alsof ik de laatste jaren het contact met uw wil ben kwijtgeraakt. Ik was er zo op gebrand mijn doelen te bereiken – naar huis gaan, vader ervan overtuigen dat ik in staat was zijn zakenpartner te worden, hem overhalen Sietze als zijn rechterhand aan te stellen en Sietze laten zien hoeveel ik van hem hield.* Ze wrong haar hoofd heen en weer tegen de stof van haar jurk. *Nu weet ik het allemaal niet meer. Het komt zo kleinzielig en egoïstisch op me over; het is steeds ik, ik, ik, terwijl uw Woord ons oproept ons kruis op ons te nemen en u te volgen. Wat moet ik nu doen, Heer?*

Ze vroeg het een beetje beschroomd, want ze was er niet zo zeker van dat ze het antwoord wel wilde horen. Toch zette ze door, in de wetenschap dat er geen weg terug was. *Heer, toon mij uw wil.* Daarna zat ze een hele poos doodstil te wachten. Toen het antwoord kwam, probeerde ze het alsnog te negeren of zichzelf wijs te maken dat het haar eigen stem was.

Wilt u echt dat ik Sietze loslaat? God, dat kan ik vast niet. Mijn liefde voor hem is een deel van mijzelf.

Nu viel haar een andere bijbeltekst in. *Je hebt niet meer dan mijn genade nodig.*

Ze zag een altaar voor zich, en Abraham die zijn zoon Isaak daarop legde. Ze had het altijd een onbegrijpelijk verhaal gevonden, maar nu kreeg het plotseling betekenis. Het had niets te maken met een sadistische god die een mens dwong iets af staan waar hij van hield. Het had alles te maken met vertrouwen op een God die de liefde was in eigen persoon.

'Goed dan, Heer,' zei ze hardop, al klonken haar woorden gesmoord omdat ze nog steeds haar gezicht in de stof van haar jurk gedrukt had. 'Goed dan, ik geef Sietze aan u. Ik leg mijn gevoelens voor hem op het altaar. Wilt u ze aannemen, want ze behoren u toe, in Jezus' naam.'

De pijn was erger dan alle lichamelijke pijn die ze tot dan toe had ervaren. Dikke tranen rolden langs haar wangen. Toch voelde ze zich bevrijd, zodra ze uitgesproken was. Ze wist dat de woorden onherroepelijk waren, ook al waren alleen de bomen er getuige van geweest.

Doodmoe beklom Sietze de verandatrap van Tobias' hutje. Hij had een zak bij zich met een brood en een stuk kaas erin. Het was dat hij zich zo ontzettend smerig voelde, anders had hij geen zin of energie meer over gehad voor een wasbeurt.

Na een lange werkdag op de fabriek had hij nog een paar uur op de werf doorgebracht. De mannen waren blij geweest toen ze hem terugzagen. Hij had meteen uitgelegd, dat hij niet voorgoed terugkwam, maar er alleen zou zijn zolang meneer Winslow nog niet op was. Hij had eraan toegevoegd dat hij dan onmiddellijk zijn hielen weer zou lichten om zijn geluk te gaan beproeven bij een grotere scheepswerf. Zo had hij de suggestie gewekt dat de breuk met Winslow het gevolg was van zijn ambitie. Geloofde Winslow dat inmiddels zelf ook niet? Misschien was het nog wel waar ook. Misschien had hij al die tijd stiekem gehoopt dat Winslow hem recht zou doen en hem zou behandelen als de voor de hand liggende erfgenaam.

Het werk op de schoener had alle aandacht van de mannen opgeëist en dus was er verder niet veel gelegenheid geweest voor persoonlijke gesprekken. Hoewel Sietze al moe was toen hij bij het dok arriveerde, had de arbeid hem met nieuwe energie vervuld. Hij voelde zich weer mens, iemand die iets waard was.

Nu was het al over half negen en hij vreesde dat hij gekleed en wel, onder de vissenschubben en het zaagsel, in slaap zou vallen als hij niet uitkeek. Hij wist niet hoe lang hij dit tempo vol zou kunnen houden. Hij at slecht en stond iedere morgen voor zonsopgang alweer op met het idee dat hij nog uren langer had kunnen slapen.

'Ha, Sietze, ben je terug?' klonk Tobias' stem uit het donker van de veranda. Hij klonk aangeschoten.

'Ja.'

'Nog op de werf gewerkt?'

'Ja, en dat blijf ik deze week ook elke avond doen. Dat had ik toch verteld?' Het was de laatste dagen warm en zonnig, en daarom had Sietze vanmorgen al de wastobbe bij de put gevuld en het water in de zon laten opwarmen. Het was nog steeds lauw en hij begon in het schemerdonker zijn kleren af te stropen.

'Ja, da's waar,' zei Tobias peinzend en lurkte aan zijn koude pijp.

Sietze, die nu wel aan de aanwezigheid van de oude man gewend was, draaide hem de rug toe en stapte in de tobbe.

'An boord wasten wij ons altijd met zout water. De kleren ook. Ze voelden nooit schoon an, alleen stijf.' Tobias grinnikte.

Dit verhaal hoorde Sietze iedere avond en hij wist dat er geen reactie van hem verwacht werd. Na zijn bad ging hij binnen het avondeten klaarmaken en korte tijd later kwam ook Tobias naar binnen schuifelen. In de afgelopen tijd was het een soort ritueel geworden. Tobias ging aan tafel zitten en vertelde het ene verhaal na het andere, meestal over gebeurtenissen uit het verleden, terwijl Sietze een eenvoudige maaltijd bereidde. Tobias accepteerde alles wat hij voorgezet kreeg, maar at meestal heel weinig. Sietze vroeg zich af hoe hij eigenlijk in leven bleef. Naderhand zaten ze dan nog een poosje bij elkaar, met de kerosinelamp tussen hen in. Sietze luisterde tot de vermoeidheid hem teveel werd en dan excuseerde hij zich en ging op de sofa liggen. Het laatste wat hij hoorde voor hij in slaap sukkelde was Tobias die zich met onvaste hand een zoveelste slaapmutsje inschonk.

'Ik herinner me dat ik voer op de *Emerald Seas*,' ging deze avond Tobias' verhaal. 'Een plaatje was dat, gebouwd in Belfast. Zestienhonderd ton, zestig meter lang. Gingen we van Boston naar 'Frisco met een vrachie dat meer dan veertigduizend dollar waard was. Ze verging tijdens de orkaan van '49.' Hij nam een slokje uit de fles en smakte met zijn lippen. 'En dan de klipper *Red Jacket*... mooier schuit heb ik nooit gezien. Wat een klipper was dat...'

Sietze bleef zich verbazen over het geheugen waarover de oude man bleek te beschikken voor allerlei bijzonderheden uit de scheepvaart, jaartallen en de duur van bepaalde reizen. Vermoedelijk had hij op dit moment geen idee wat voor dag het was, maar hij was een wandelende encyclopedie als het ging om de zeilschepen waarop hij ooit had aangemonsterd.

De eindeloze verhalen van Tobias wekten bij Sietze een diepe neerslachtigheid. De dagen van Tobias' jeugd en werkzame leven waren de glorietijd van de scheepsbouw aan de oostkust. Tevergeefs hield hij zichzelf voor dat er nog steeds goede schepen werden vervaardigd. Je kon de lompe vrachtschepen van deze tijd niet vergelijken met de slanke, volgetuigde zeilschepen uit de veertiger en vijftiger jaren.

Toen hij de volgende ochtend opstond, stond de vuile vaat van de vorige dag er nog steeds. Hij deed de afwas, begeleid door het rauwe gesnurk van Tobias, die op zijn rug onder een vieze quilt lag. De smeerboel en het verval in het eenkamerhutje, die in de avond minder opvielen, vlogen hem opnieuw aan. Hij deed zijn tweede stel werkkleren aan, trok de versleten quilt op de sofa recht en deed het overgebleven brood en de kaas in zijn lunchtrommel. Daarna maakte hij een blikje bonen open en terwijl de hemel aan de horizon begon te kleuren, at hij de bonen zo uit het blik op. Net als elke dag moest hij ook nu weer denken aan de uitnodiging van McDuffie. Eigenlijk wist Sietze niet goed waarom hij die niet aannam. Hij wist alleen maar dat hij de in vriendschap uitgestoken hand had weggeslagen. Maar hij wist ook dat hij niet veel langer kon leven zoals Tobias.

Cherish had Ezra gevraagd op dinsdag met haar naar Hatsfield te varen. Juni liep ten einde en er moest iets gebeuren met die aflopende lening. Ze had er heel wat nachten over liggen piekeren, maar er leek maar een mogelijkheid: alle schuldeisers van haar vader opzoeken en smeken om uitstel van betaling op grond van ziekte. Ze was ook van plan een aantal bedrijven langs te gaan om te zien of ze hen kon overhalen een order te plaatsen.

Natuurlijk dacht ze ook aan de Townsends, maar ze schrok ervoor terug hen zakelijk te benaderen. Wat haar vader graag wilde, lag er te duimendik bovenop. Ze vroeg zich af in hoeverre hij de relatie tussen beide families met Warren zelf had besproken.

Toen ze uren later de laatste houtzagerij verliet, had ze het gevoel dat ze maar half succes geboekt had. De meeste ondernemers hadden begripvol gereageerd op het verhaal over haar vaders toestand en hadden ruimhartig meer tijd gegeven voor het betalen van de rekeningen. Maar de bron voor extra orders leek opgedroogd. Het bedrijf van de Townsends leek de enige firma die belang stelde in nieuwe schoeners voor de kustvaart.

Ze liep door de hoofdstraat en bedacht hoe ze er altijd van had genoten dit bedrijvige stadje te bezoeken en er te win-

kelen in de warenhuizen en de kledingwinkels. Voor de etalage van een hoedenmaker bleef ze staan om de nieuwe
hoeden te bewonderen. Ze had al in eeuwen niet meer nagedacht over haar garderobe, besefte ze plotseling. Vanmorgen had ze haar kleding weliswaar zorgvuldig gekozen
en de eenvoudigste japon aangetrokken die ze had, maar dat
was alleen maar omdat ze serieus genomen wilde worden
door de zakenlieden die ze wilde opzoeken.
Met een zucht keerde ze zich van de etalage af. Het was
warm. Haar voeten begonnen pijn te doen, haar korset knel-
de en haar hoge kraag schuurde in haar hals. Ze verlangde
hevig naar de thuisreis. Wat zou het heerlijk zijn om die stij-
ve knot los te maken en haar haren in een eenvoudige
vlecht te laten bungelen, om haar oude katoenen jurk aan te
trekken en nog een paar uur aan de Whitehall te werken.
Ezra en Will hadden er om beurten aan meegewerkt, maar
de samenwerking met Sietze miste ze nog steeds verschrikkelijk.

Die avond greep Sietze een kleine pauze in het gesprek aan
om Tobias van zijn beslissing op de hoogte te stellen.
'Morgen verhuis ik naar de pastorie. Dominee McDuffie
heeft me aangeboden dat ik bij hen kan logeren tot ik weet
wat ik ga doen.'
Tobias zei niets, maar mummelde alleen een beetje met zijn
tandeloze mond. Ten slotte nam hij een flinke slok uit de
fles. 'Nou, het beste dan maar. Ik zal de kost missen.'
'Ik kom nog weleens langs.'
'Mot je doen. Ik ben hier toch altijd.' En hij grinnikte er zelf
om.
'Bedankt...' Sietze schraapte zijn keel. 'Bedankt dat je me
onderdak hebt gegeven.'
Tobias wapperde met een slappe dronkemanshand. 'Niks te
danken, jong. Graag gedaan, graag gedaan.' Hij boerde luid
en veegde zijn mond af. 'Wij matrozen motten voor mekaar

klaarstaan. Ik herinner me nog, in '52...' Hij begon weer te ratelen en Sietze probeerde zijn medelijden met de schim van die vroegere, vakbekwame zeeman het zwijgen op te leggen.

Zou hijzelf ooit ook eindigen zoals Tobias? Zou hij op een dag aan een stel jongelui verhalen vertellen over de schepen waaraan hij, een naamloze, had meegewerkt? Hij schudde de sombere gedachte van zich af en concentreerde zich op de aanstaande verhuizing. Misschien zou dat de eerste stap zijn op weg naar een nieuw begin.

18

In de avond van de dag daarna klopte Sietze bij de pastorie aan. Door het opengewerkte houten luik voor het raam viel nog licht naar buiten. De pastorie lag tegenover de haven van Haven's End. Vanaf de veranda zag Sietze de aangemeerde vissersboten liggen. Het schemerde al, en in de huizen aan de overkant van de haven begonnen de lichtjes te pinkelen.

Het geluid van een opengaande deur bracht met een schok het besef terug waarom hij hier stond. 'Sietze!' begroette dominee McDuffie hem hartelijk. 'Kom binnen. Geef mij je bagage maar even.' Maar Sietze hield het pak stevig vast. 'Neem me niet kwalijk dat ik u zo laat nog stoor. Ik heb na werktijd nog een paar uur op de scheepswerf gewerkt. Ik wilde goed gebruik maken van de uren dat het nog licht was.'

'Natuurlijk, groot gelijk. Kom erin,' en McDuffie loodste hem de hal binnen. 'Kijk eens wie er eindelijk is gekomen!' zei hij tegen zijn vrouw die net aan kwam lopen.

'Hallo, Sietze.' Mevrouw McDuffie stak hem glimlachend de hand toe. 'Welkom. Ik hoop dat we hieruit kunnen opmaken dat je de uitnodiging van mijn man aanneemt.'

Sietze sloeg zijn ogen neer. Hij voelde zich nog steeds niet echt gemakkelijk bij het idee. 'Ja, inderdaad, als u zeker weet dat het niet te veel moeite is.'

De glimlach van mevrouw McDuffie verbreedde zich. 'Welnee, helemaal niet. Heb je al gegeten?'

Sietze wilde al bevestigend antwoorden, maar ze had zich al omgedraaid om weer naar binnen te gaan. 'Kom maar mee, dan maak ik even een hapje voor je klaar. Mijn man brengt je spullen wel naar boven.'

Hulpzoekend keek hij naar de dominee. 'Ik moet me eerst echt even wassen. Ik heb er na de werkdag op de fabriek nog geen tijd voor gehad.'

'Dat kan, loop maar mee.'

Gewassen en wel kwam Sietze een poosje later de keuken in, waar mevrouw McDuffie hem een stoel wees. 'Hier, eet maar lekker.'

'Het spijt me dat ik u zo'n last bezorg.'

'Als ik nog een keer het woord "last" of "moeite" hoor, ben ik echt beledigd, dus pas maar op!'

Sietze ging zitten. Het eten zag er plotseling bijzonder aanlokkelijk uit, ook al bestond het slechts uit een eenvoudige boterham met kip, een schaaltje gekookte rabarber en een glas melk. Hij boog zijn hoofd en dankte, wetend dat hij behalve het voedsel nog veel meer had om dankbaar voor te zijn.

Aan de andere kant van de tafel zat mevrouw McDuffie met haar verstelmand. Sietze at gretig. Hij realiseerde zich dat het eten hem niet meer had gesmaakt sinds hij de Winslows had verlaten; maar vanavond genoot hij er weer volop van. Zijn gastvrouw liet hem rustig eten en probeerde geen gesprek met hem te voeren, en van haar aanwezigheid ging een grote rust uit. Toen hij bijna klaar was, kwam de dominee binnen. Hij ging tegenover Sietze zitten. 'Ik ben blij dat je gekomen bent,' zei hij. 'Heb je op dit moment verder al plannen?'

Sietze zette het lege schaaltje op zijn bord en leunde ontspannen achterover. Mevrouw McDuffie begon het vuile serviesgoed weg te ruimen en Sietze stond onmiddellijk op om te helpen, maar ze drukte hem zachtjes weer terug op zijn stoel. 'Zitten blijven, jij,' lachte ze.

Nu kon hij McDuffies vraag beantwoorden. 'Ik had gedacht te solliciteren bij een scheepswerf een eind verderop, in Calais, bijvoorbeeld, of nog verder langs de kust, in Rockland of Belfast.'

De dominee knikte, maar ging er niet op in. Toen zijn vrouw weer kwam zitten, zei hij: 'Laten we samen voor Sietze bidden en de Heer vragen om zijn leiding.' Voordat Sietze besefte wat er gebeurde, stak McDuffie over de tafel zijn handen uit naar zijn vrouw en naar Sietze. Sietze legde zijn hand in de warme, stevige greep van de dominee.

'Lieve Heer, wij mogen bij u komen door het kostbaar bloed van uw Zoon, onze Heer Jezus. Wij dragen Sietze aan u op. U kent de verlangens van zijn hart. U weet wat zijn bestemming is, u hebt een plan met zijn leven, u hebt ook voor hem een roeping. Wij bidden u voor hem om verlichting met uw Geest en om uw leiding over zijn leven. Wilt u duidelijkheid geven, en hem wijsheid en verstand schenken opdat hij uw wil kan ontdekken. Schenk hem ook de genade om uw volmaakte wil te gehoorzamen, zodat hij mag leven op een manier die u waardig is, vrucht mag dragen in goede werken en voortdurend groeien in de kennis van u. Dit bidden wij uw in de naam van uw lieve Zoon.'

Dominee McDuffie liet Sietzes hand los en lachte hem toe alsof alles nu in kannen en kruiken was.

Die nacht sliep Sietze onder lakens die naar seringen geurden. Met zijn handen onder zijn hoofd lag hij eerst een tijdje naar de zoldering te kijken, en voor het eerst sinds hij in de visfabriek werkte, voelde hij zich helemaal brandschoon. Hij begreep niet waarom de dominee en zijn vrouw zich zoveel moeite voor hem getroostten. Hij had beslist niet het idee dat hij hun gastvrijheid door het een of ander had verdiend. Zijn geweten knaagde een beetje, omdat hij bij Tobias was weggegaan; hij had toch het gevoel dat hij de man in de steek had gelaten. Maar tegelijk wist hij dat dit onzin was. De oude man zou inmiddels alweer heel wat glaasjes op hebben en alle besef van zijn omgeving zijn kwijtgeraakt. Sietze besloot hem eens op te zoeken – komend weekend, als hij iets ruimer in zijn tijd zat.

Na een hele tijd draaide hij zich op zijn buik en drukte zijn gezicht in het kussen. De geur deed hem aan Cherish denken en hij probeerde uit alle macht de gedachte aan haar uit zijn hoofd te zetten. Tot nu toe was hij er in geslaagd haar op de scheepswerf te ontlopen en hij had haar dan ook niet meer gezien sinds die zondagse maaltijd die zij had klaargemaakt.

En zo was het ook maar het beste. De herinnering aan hun kus zou op de lange duur wel vervagen. Binnenkort zou hij verhuizen naar een plaats waar nog steeds zeilschepen werden gebouwd. De verhalen van Tobias hadden hem geïnspireerd om een plek te zoeken waar hij meer ervaring kon opdoen met het bouwen van betere en snellere vaartuigen.

Op zondagmorgen spande Jacob het rijtuigje in. Dokter Turner had verklaard dat de heer Winslow voldoende hersteld was om de kerkdienst bij te wonen, op voorwaarde dat hij er niet heen zou hoeven te lopen. Cherish zwaaide het koetsje met haar vader en tante Phoebe erin hartelijk na, en haakte daarna haar arm gezellig in die van Annalise, die ze voor het weekend had uitgenodigd. Samen gingen ze eveneens op weg naar de kerk. De vorige avond hadden ze in Cherish' kamer heel lang zitten babbelen. Annalise had een keer naar Sietze geïnformeerd en Cherish had wel aan haar gemerkt dat ze dol op hem was. Hoewel dat nog even veel pijn deed als eerst, voelde ze zich daar sinds haar gebed toch op een wonderlijke manier vrij van. Ze was vastbesloten zich niet door jaloezie te laten overmeesteren, en ze was benieuwd hoe Sietze zou reageren als hij Annalise weer zag. Deze zondag zou hij toch zeker in de kerk zijn!

Dat was hij inderdaad – en bovendien had hij de welkomstdienst. Cherish zette grote ogen op toen ze hem een ouder echtpaar naar hun plaatsen zag begeleiden.

'Goedemorgen, Cherish,' begroette dominee McDuffie haar opgewekt. 'Wie heb je vanmorgen als gast meegebracht?'

'Goedemorgen, dominee. Dit is mijn vriendin Annalise Townsend uit Hatsfield. Ze logeert het weekend bij mij.'

'Welkom, juffrouw Townsend.' De predikant gaf haar een hand.

'Heeft Sietze vanmorgen welkomstdienst?' waagde Cherish te vragen voordat de dominee de kans had de volgende binnenkomers te begroeten.

'Inderdaad, dat heb ik hem gevraagd.' Toen hij haar verbaasde blik zag, legde hij uit: 'Hij logeert op dit moment bij ons.'

'Echt waar?' vroeg ze verbaasd, maar toen lachte ze: 'Daar ben ik blij om.'

'Dat verwachtte ik wel. We hebben hem een poosje geleden al uitgenodigd, maar hij is pas een paar dagen geleden op de uitnodiging ingegaan. Het ziet er naar uit dat hij aan de oude Tobias gehecht is geraakt. Hij is zelfs gisteren nog even bij hem langs geweest.'

Cherish knikte. Dat was net iets voor Sietze, dacht ze en alle liefde die ze diep weggestopt dacht te hebben welde opnieuw naar boven en dreigde haar gezonde verstand het zwijgen op te leggen.

'Waarom kom je vanmiddag niet even naar de pastorie? We hebben je al een poos niet gezien. Dan kun je weer eens lekker met Carrie bijpraten.'

'Nou, heel graag,' antwoordde Cherish lachend. 'Annalise heeft ook al met Sietze kennisgemaakt, en het zal voor haar ook leuk zijn om hem weer te zien.'

Ze keken het meisje aan, bij wie de vlammen uitsloegen. Cherish kreeg medelijden en nam haar bij de arm. 'We kunnen beter onze plaats opzoeken. Papa zit al in de bank. Tot vanmiddag, dan.'

'Ja, tot straks.'

Tijdens de dienst kreeg Cherish geen gelegenheid een blik op Sietze te werpen. De kerk was vol en ze vermoedde dat hij ergens achteraan zat. Pas bij de collecte zag ze hem, omdat hij de schaal door de rijen gaf. Toen hij bij hun rij was gekomen, kruisten hun blikken elkaar, maar de afstand was te groot om iets te kunnen zeggen. Ze merkte wel dat zijn blik ook naar Annalise gleed. Haar gedachten gingen terug naar de verzen die ze iedere dag voor zichzelf had gelezen, sinds ze haar liefde voor hem aan de Heer had overgegeven. De liefde verdraagt alle dingen. Zou zij het kunnen verdragen als Sietze verliefd werd op Annalise? Ze dacht aan wat Warren haar had verteld. Misschien lag Sietzes toekomst inderdaad bij de familie Townsend. Zou ze het echt kunnen opbrengen Annalise hoger te achten dan zichzelf, zoals de Heer haar opdroeg? Ze bad om genade, denkend aan wat Jezus haar had beloofd: 'Je hebt niet meer dan mijn genade nodig'. Als Jezus zoiets zei, dan was het ook zo. Ze zou het in geloof moeten aannemen.

Die middag reden de meisjes naar de pastorie. Hoewel Cherish reikhalzend naar de ontmoeting met Sietze uitkeek, was ze er ook een beetje bang voor. 'Fijn dat jullie er zijn,' zei dominee McDuffie, toen Cherish de teugels aan hem overgaf en uitstapte. 'Carrie is op de veranda achter het huis. Loop maar mee.'

Cherish beet op haar tong om de vraag naar Sietze tegen te houden. Toen ze hem op de verandatrap zag zitten, verdiept in een touwspelletje met Janey, slaakte ze een zucht van opluchting. Iedereen begroette elkaar en Cherish lette scherp op, maar van Sietzes gezicht viel niets af te lezen toen hij Annalise een hand gaf, hoewel het meisje keek alsof hij haar ridder op het witte paard was. Ze zetten zich in de schommelstoelen en Sietze hervatte zijn spel met het dochtertje van de dominee. Cherish luisterde naar hun gemompel en er ging een steek door haar hart bij de gedachte dat zij net zo oud was geweest als Janey nu, toen ze Sietze voor het eerst had ontmoet. Ook tegen haar was hij altijd geduldig en vriendelijk geweest.

Zuchtend bepaalde ze haar aandacht bij het gesprek dat inmiddels tussen de beide McDuffies en Annalise op gang was gekomen. Het was een prachtige dag. Haar blik dwaalde over de tuin, die vol stond met bloeiende seringen, paarse lupines en roze phloxen. Al die tijd vocht ze hevig tegen de neiging weer naar Sietze te kijken, maar onwillekeurig zochten haar ogen weer de plaats waar hij zat. Hij zat naar haar te kijken, maar toen hij haar blik ving, richtte hij zijn aandacht onmiddellijk weer op het koordje in Janeys handen. Waarom was hij nooit meer langsgekomen? Ze wist dat hij elke avond op de werf te vinden was en zijn bijdrage was niet te verwaarlozen. Niet alleen schoot de schoener lekker op, ook het moreel van de mannen was een stuk verbeterd. Door Sietzes terugkeer leken zij hun vertrouwen in het reilen en zeilen van de werf herwonnen te hebben.

De schuldenlast drukte zwaar op haar. Net als ze dacht dat ze het even van zich af had gezet, vloog het haar weer met dubbele hevigheid aan. Ze had nog steeds geen idee hoe ze dit probleem moest oplossen.

'Ik zal eens iets te drinken halen,' hoorde ze mevrouw McDuffie zeggen.

Cherish stond op. 'Ik help wel even,' en tegen Annalise: 'Nee, blijf jij maar hier.' Impulsief keerde ze zich tot Sietze. 'Waarom laat je haar niet even de tuin zien? Jullie hebben vast heel wat te bepraten na zo'n tijd. Sietze en Annalise waren een paar weken geleden danspartners tijdens een feestje bij mij thuis,' legde ze vlug aan de dominee uit, die slechts zijn wenkbrauwen optrok.

Voordat een van beiden haar voorstel kon afwijzen, haastte ze zich achter mevrouw McDuffie aan. Ze wist niet goed wat haar bezield had om een dergelijke suggestie te doen. Ze zat er toch niet bepaald op te wachten dat die twee hun kennismaking zouden vernieuwen. Een afschuwelijke gedachte schoot door haar heen. Probeerde ze soms te bewijzen hoe vroom ze was?

In de keuken gluurde ze door de vitrage. Ze zag Sietze door de tuin lopen. Aan de ene kant sprong Janey heen en weer. Aan de andere kant, een stuk bedaarder, liep Annalise. Ze leken wel een echtpaar dat met hun kind aan het wandelen was. Haar hand kneep een hoek van het gordijn tot een prop.

'Het is een leuk stel om te zien, vindt u ook niet?' flapte ze eruit toen Carrie McDuffie naast haar kwam staan.

'Ja, dat wel,' zei de predikantsvrouw langzaam. 'Ik wil me nergens mee bemoeien, hoor, maar ik had de indruk gekregen dat jij van Sietze hield en andersom. Is er iets veranderd?'

Cherish sloeg haar ogen neer. 'Ja. Ik denk dat ik hem aan het loslaten ben.' Ze keek op en glimlachte verdrietig. 'Ik bedoel, dat ik mijn verlangen om hem te krijgen opgeef. Ik denk dat de Heer me laat zien dat die droom echt een obsessie voor me geworden was.'

Carrie legde even een hand tegen haar wang. 'Prijs de Heer. En maak je maar geen zorgen: als het Gods wil is, vinden jij en Sietze elkaar heus wel.'

'Dat denk ik niet.' Haar ogen volgden het stel daar in de tuin. 'Het komt me steeds minder waarschijnlijk voor.'

'Heb je daarom je vriendin meegenomen? Moet zij als troostprijs voor Sietze fungeren?'

Hevig geschokt keek ze Carrie aan, maar toen ze in haar ogen slechts meeleven zag, probeerde ze uit te leggen: 'Nee, volgens mij is Annalise echt verliefd op hem. Ik heb een poosje gedacht dat het wederzijds was, maar nu weet ik het zo net nog niet. Misschien hoopte ik dat ik er vandaag achter zou komen. Ik weet het niet meer,' besloot ze diep ongelukkig.

'Het is niet aan ons om voor koppelaar te spelen,' verweet Carrie haar vriendelijk. 'Ik denk dat we dat beter aan God kunnen overlaten.'

'Maar Sietze is zo terughoudend. Hij zou zich de gelegenheid zomaar laten ontglippen. Dat hij mij niet wil, heeft hij duidelijk genoeg laten blijken.' Ze kon er niets aan doen dat er bitterheid in haar stem sloop, maar schaamde zich er meteen voor. 'Daar komt bij dat de Townsends een hoge pet van hem op hebben. Denkt u zich eens in wat een toekomstperspectief hij bij hen zou kunnen hebben.'

Carrie zei niets, maar legde plotseling een hand op haar buik en er gleed een verbaasde uitdrukking over haar gezicht. 'Wat is er?' vroeg Cherish. 'Voelt u zich wel goed?'

'Ja, hoor,' glimlachte Carrie. 'Maar ik voelde leven en dat was voor het eerst.'

'Voelde leven?' Waar had ze het over? Cherish keek naar de lichte zwelling van Carries onderbuik.

'De baby.' Carrie schoot in de lach om Cherish' verblufte gezicht. 'Hier, voel ook maar eens.' Ze pakte Cherish' hand en legde die op haar schort. Cherish voelde niets en ze vond het maar raar om Carrie op die manier aan te raken. Maar opeens verschoof er iets onder haar handpalm. Haar ogen gingen wijd open en ze begon te lachen: 'Ja, ik voel het ook!'

'Goed, Cherish,' vatte Carrie de draad van hun gesprek weer op, en haar stem klonk strenger dan daarnet. 'Je moet nu eens ophouden met dat gepieker over Sietze. Het is jouw taak niet zijn toekomst voor hem uit te stippelen. Geef hem de tijd om zelf zijn weg te vinden. En geef je vader de tijd om te ontdekken wat Sietze voor man is.'

'Maar daar heeft hij al veertien jaar de tijd voor gehad!' barstte Cherish gekweld los. 'En hij is absoluut tegen een relatie tussen Sietze en mij. En nu...' Ze wrong haar handen bij de gedachte aan de zware schuld die op Winslows scheepswerf drukte.

'Wat bedoel je?' vroeg Carrie.

Maar Cherish vond het te gênant om over haar financiële situatie te spreken en sloeg haar ogen neer. 'Niets speciaals. Het lijkt alleen maar uitzichtlozer dan ooit.'

Carrie sloeg de armen om haar heen. 'Weet je wat ik zou willen voorstellen?'

'Nee, wat dan?' mompelde Cherish gesmoord tegen Carries schouder.

'Dat jij eens naar buiten ging en je gezellig bij die twee voegde, in plaats van te proberen hen aan elkaar te koppelen. Wees voor Sietze een vriendin zoals altijd, en voor Annalise ook.'

'Maar als ik nu eens teveel ben?'

'Kom, kom,' suste Carrie. 'Vergeet niet Wie er in jouw hart leeft. En als Sietze niet van je houdt op de manier die jij graag wilt, dan betekent dat nog niet dat je hem koud laat. Waarom zou hij anders elke avond na een dag hard werken nog naar de werf komen?'

Cherish moest bekennen dat het waar was wat de domineesvrouw zei, en ze schaamde zich eens temeer. Had zij ooit zoveel voor Sietze overgehad?

Alsof ze haar gedachten had gelezen, zei Carrie: 'Heb hem lief met de liefde van de Heer, en dan zul je een voldoening vinden die alles te boven gaat.'

Cherish richtte zich op. 'U hebt gelijk. De Heer heeft me dat al eerder laten zien. Bedankt dat u me er even aan herinnerde.'

'Vooruit dan.'

Toen Cherish weer naar buiten stapte, kwamen Sietze en Annalise net terug van hun loopje door de tuin. Zenuwachtig liep ze hen tegemoet. Ze voelde Sietzes blik en keek hem op haar beurt recht aan. Maar toen ze naar Annalise keek, merkte ze dat die alleen oog voor Sietze had. Cherish pakte een takje van de sering die bij de hoek van de veranda stond te bloeien, en snoof diep. 'Dit is echt mijn lievelingsgeur.'

Meteen brak Sietze het takje af en bood het haar aan. 'Het ruikt net als jij.'

Ze pakte de twijg aan en rook er aan. 'O ja?' Een fractie van een seconde leek het alsof zij de enigen waren daar in de tuin. Annalise hield op te bestaan en de stem van dominee McDuffie stierf weg in de verte. Ze moest zich bedwingen om niet een hand op Sietzes voorhoofd te leggen en de dikke haarlok naar achteren te strijken. In plaats daarvan schonk ze hem een beverige glimlach en keek daarna strak naar de bloemen die ze onder haar neus hield.

Zodra zijn dienst was afgelopen verliet Sietze de fabriek, sprong in de kleine sloep die hij aan de kade had vastgelegd en roeide naar de pastorie aan de overkant van de haven. Het echtpaar McDuffie had hem op het hart gebonden zich eerst te komen wassen en iets te eten, voordat hij naar de werf ging om daar de laatste uren van de dag zoek te brengen.

Toen hij de pastoriekeuken binnenkwam stond mevrouw McDuffie bij het fornuis en ze begroette hem hartelijk. 'Ha, ben je daar! Je badwater staat al klaar.' Voordat hij kon ingrijpen, had ze zich al gebukt en begon ze de zware wastobbe te verslepen. Hij schoot onmiddellijk te hulp. 'Dat zou u helemaal niet mogen doen.'

Ze ging rechtop staan en streek de vochtige lokken uit haar gezicht. 'Je bent al net als Arlo. Jullie schijnen allebei te denken dat ik van kraakporselein ben.'

'Ik hoop maar dat u deze tobbe niet in uw eentje gevuld heeft.'

Ze lachte. 'Maak je maar geen zorgen, dat heeft Arlo gedaan. Nou, ik laat je even rustig baden. Je schone kleren hangen daar over de stoelleuning. Laat de vuile hier maar liggen, die was ik later wel. Zodra je klaar bent, gaan we aan tafel.'

Voordat hij kon tegenstribbelen, was ze verdwenen. Zittend in de teil dacht hij na over wat er zojuist was gebeurd. De dominee had een bad voor hem klaargemaakt. Diens vrouw had zijn kleren gewassen en gestreken en een smakelijk maal klaarstaan op een tijdstip dat hem goed uitkwam. Hij klom het bad weer uit, kleedde zich aan en kamde zijn haar. Mevrouw McDuffie had er zelfs aan gedacht een kam en een zakdoek voor hem klaar te leggen. Het vuile water goot hij weg in de tuin. Toen riep hij mevrouw McDuffie terug naar de keuken.

'O, Sietze, wat ruik je lekker!' zei Janey, die naast hem was komen staan.

'Dank je.'

'Wil je met me spelen?'

'Eerst wil ik kijken of ik iets voor je moeder kan doen.'

'Janey zal de tafel dekken,' zei die. 'Het eten is bijna klaar. Ga Arlo maar even roepen.'

'Waar is hij?'

Ze lachte. 'Op dit ogenblik van de dag is hij ongetwijfeld op het strand te vinden.'

Sietze stak het gazon over en nam het schelpenpad dat naar het kiezelstrand leidde. Vanaf hier had je uitzicht op de open zee, met een smal kiezelstrandje erlangs, waar de branding allerhande wrakhout, oude boeien en kapotte kreeftenschalen op had achtergelaten. Daartussen ontdekte hij de dominee, die met de handen op de rug liep te ijsberen en hardop in zichzelf praatte. In de hoop dat de predikant hem bijtijds in de gaten zou krijgen, zodat hij zich niet bij zijn alleenspraak betrapt zou voelen, liep Sietze naar hem toe. Zijn wens ging echter niet in vervulling. Toen hij dichterbij kwam, stond McDuffie met de rug naar hem toe en zijn gepraat was overgegaan in vrolijk gezang.

'Een vaste burcht is onze God...'

Op dat moment draaide hij zich om en de woorden bestierven hem op de lippen. De aanwezigheid van Sietze leek hem echter in het geheel niet van zijn stuk te brengen, want zijn mond spleet open in een brede glimlach.

'Goeienavond, Sietze.'

'Het was niet mijn bedoeling u te storen.'

'Je stoort helemaal niet. Is het geen prachtige dag? Je kunt met recht zeggen, dat de hemel verhaalt van Gods majesteit, vind je ook niet?'

Sietze gaf geen antwoord en de dominee vervolgde: 'Ik ga altijd hierheen als ik met God wil praten – om hem te prijzen en te danken...'

'Bent u weleens... kwaad op God?' Het was eruit voor hij er erg in had, maar McDuffie glimlachte slechts. 'O ja, hoor. Ik ben al heel wat keren tegen de omstandigheden in opstand gekomen. Ik vind het niet altijd prettig wat de Heer me laat zien, en vooral niet als het over mezelf gaat. En ik heb niet altijd zin om te doen wat hij wil.'

Sietze keek naar het kalme gezicht van de man tegenover hem. 'Wat doet u in zo'n geval?'

'Nadat ik uitgeraasd ben, bedoel je? Ach, de Heer geeft me de ruimte om me te uiten, zodat ik het kwijtraak. En dan is hij er voor mij, in de stilte, onnaspeurbaar, onverzettelijk en betrouwbaar. Ik moet altijd weer denken aan wat hij tegen zijn knecht Job zei: "Wie is het die mijn besluit bedekt onder woorden vol onverstand? Sta op, Job, en wapen je".' Hij keek Sietze aan. 'Weet je waar ik me over blijf verbazen?'

Sietze schudde zijn hoofd.

'God heeft Jobs recht op zelfbeklag nooit erkend.' McDuffie bukte zich om een gladde steen op te rapen, die hij vervolgens in zee gooide. 'En toch doen wij mensen niets liever dan zwelgen in zelfmedelijden en verbittering – de boosaardige tweeling, zoals ik ze altijd noem.'

'Ik kan me niet voorstellen dat u ooit zwelgt in zelfmedelijden.'

De dominee maakte een hoofdbeweging naar de hemel. 'Hij daar zou het niet toestaan. Er is veel te veel werk te doen. Je weet dat ik naar Haven's End ben gekomen als een jonge man die voor God in vuur en vlam stond. En hier raakte ik verzeild in een land dat geestelijk braak lag, een soort stilstaand moeras. De mensen hier waren brave, godvrezende lieden, maar er was geen beweging in te krijgen. Ze wilden niet meer van God ontvangen dan ze al hadden, ze keken wel uit. Ze luisterden braaf naar de preek en het onderwijs op de zondagsschool, lazen op zondagmiddag een preek uit het kerkblad en dat was het dan weer tot de volgende zondag. Ik probeerde ze aan te sporen. Ze zouden zoveel meer van Gods rijkdom kunnen ervaren, ze zouden kunnen wandelen in leven en overvloed, zoals Jezus ons dat beloofd heeft, ze zouden zoveel geestelijke zegeningen kunnen ontvangen, ja, zelfs het heilige der heiligen binnengaan!' De dominee ging steeds luider praten, een en al geestdrift, maar plotseling brak hij af en zei met een verontschuldigende glimlach: 'Pas maar op, of ik ga preken. Ik neem aan dat je me voor het eten kwam roepen.'

'Dat klopt.'

'Kom op, dan,' en samen sloegen ze het pad in naar het huis.

'Hoe heeft u zich uiteindelijk met de toestand hier verzoend?' wilde Sietze weten. De vurigheid die hij zo-even in McDuffie had bespeurd en die nu weer getemperd leek, had zijn nieuwsgierigheid gewekt. Hij besefte dat het meer was dan een bijverschijnsel van de zondagse preek.

'Ik heb hier heel wat uren op het strand doorgebracht, stampvoetend over het strand,' antwoordde de dominee. 'Ten slotte liet de Heer me zien dat ik mezelf als een gezegend mens mocht beschouwen als ik in de loop van mijn ambtstermijn hier een of twee individuen had kunnen bereiken – echt bereiken.'

'Wat bedoelt u met "echt bereiken"? Zijn de anderen dan allemaal verloren zondaren?'

Dominee McDuffie nam de vraag serieus op.

'Iemand echt bereiken houdt in dat je de kans krijgt die persoon te vormen tot een discipel; dat je er getuige van bent hoe hij of zij de diepere waarheden van het Woord leert verstaan; dat iemand groeit van melk naar vast voedsel.' Hij schudde nadenkend het hoofd. 'Per slot van rekening heeft de Heer zelf ook maar twaalf discipelen gehad.'

Ze waren al bij de schuur achter in de tuin, toen McDuffie zei: 'Een van degenen die God me gegeven heeft, was Cherish. Ze had zo'n honger naar God. Ze verslond de Schriften.'

'U spreekt in de verleden tijd,' merkte Sietze op.

'Inderdaad. Ze is heel wat weg geweest in de jaren daarna en sinds ze weer thuis is, ben ik een beetje in gebreke gebleven. Ik had het zo druk met allerlei dingen dat ik weinig tijd had om met haar te praten en te ontdekken hoe het met haar geestelijk leven staat. Niet dat Carrie me niet voortdurend achter de broek zit. Ik weet dat Cherish het de afgelopen weken moeilijk heeft gehad door de ziekte van haar vader. Soms staat de Heer bepaalde dingen toe die wij misschien als rampzalig ervaren, alleen om ons te helpen herinneren aan wie hij is en wat het eigenlijke doel is van ons leven op aarde.'

Ze wasten hun handen bij de pomp en ondertussen vertelde McDuffie hoe hij zijn vrouw had leren kennen. 'Carrie was de dochter van een van de hoogleraren op het seminarie. Een geweldige man Gods was dat. Hij is een paar jaar geleden Thuisgehaald. Carrie en ik waren op slag verliefd toen we elkaar ontmoetten, en we hebben samen gezocht naar Gods wil voor onze toekomst. Hij heeft meer dan eens bevestigd dat we voor elkaar bestemd waren.'

Sietze gaf geen commentaar en bij de keukendeur zei McDuffie nog: 'Het is een grote zegen voor een man om een hulp te hebben die bij hem past. God heeft ons in elkaar een partner gegeven, en er is geen intiemere relatie denkbaar dan die tussen man en vrouw. Door ons bij elkaar te brengen heeft hij ons één gemaakt.'

Achter hem aan liep Sietze naar de tafel en de woorden lieten hem niet los. Had de dominee soms in de gaten wat er in zijn hart leefde? Hij lette scherp op het echtpaar daar aan tafel en luisterde aandachtig naar hun gesprekken. Het viel hem op hoe goed ze elkaar begrepen en hoe leuk ze met hun dochter omgingen en even voelde hij een steek van jaloezie.

Er was maar een vrouw met wie hij zelf zich een dergelijke eenheid kon voorstellen. En die vrouw mocht hij niet hebben.

19

oor de keukendeur bleef Sietze staan. Hij hield zichzelf voor dat hij gewoon bij Winslow langs ging om verslag uit te brengen van de vorderingen aan de schoener. Dus slikte hij zijn teleurstelling weg, toen het tante Phoebe was die op zijn kloppen opendeed.

'Ha Sietze, ben jij dat? Ik heb je gemist. Kom binnen, blijf daar niet zo staan.' Mevrouw Sullivan loodste hem de keuken in. 'Ik heb gehoord dat je bij de McDuffies onderdak hebt gevonden.'

'Dat klopt. Ze hebben me uitgenodigd een poosje te komen logeren.'

'Daar ben ik blij om. Het zijn beste mensen.' Ze keek hem aan en in haar ogen lag begrip. 'Ik wilde maar... nou ja, wat ik wil doet er ook niet zoveel toe. Het spijt me alleen maar dat je hier niet meer woont.'

'Dank u wel, mevrouw Sullivan.'

'Ik neem aan dat je Cherish of Tom wilt spreken? Ze zijn allebei in de slaapkamer. Loop maar naar boven.'

Langzaam klom Sietze de trap op. Was het niet verstandiger om rechtsomkeert te maken? Hij had geen idee hoe Winslow zou reageren als hij plotseling opdook terwijl Cherish daar ook was. Voor de deur van de slaapkamer weifelde hij opnieuw. De deur stond op een kiertje en hij hoorde Cherish praten. Hij wilde net kloppen toen hij haar hoorde zeggen: 'Hoe komt dat bedrag dan zo hoog?'

'Je buitenlandse reis viel net in een tijd dat het op de werf niet zo goed ging. De zaken zakten steeds verder in, maar ik bleef mezelf wijsmaken dat een goede maand ons er weer bovenop zou helpen en dat ik dan alles terug zou kunnen betalen.'

Hoewel Sietze begreep dat hij nu onmiddellijk weg moest gaan, bleef hij roerloos staan.

'Maar waarom heeft de bank u dan zoveel geld geleend? Ze wisten daar toch ook wel hoe de vlag erbij hing? Ik neem aan dat ze hun geld wel terug wilden zien.'

'Ik had ze een zakelijk onderpand gegeven, en op die grond wilden ze me het geld wel voorschieten.'

'Wat voor zakelijk onderpand?'

'De scheepswerf.'

'U bedoelt, dat ze de scheepswerf zouden krijgen zodra bleek dat u de lening niet kon aflossen?'

'Ik wist zeker dat het niet zo ver zou komen! Ik bedoel... toen jij weer thuis was en ik zag hoe goed je met Warren Townsend overweg kon, hoopte ik gewoon... nou, als jullie zouden besluiten tot een officiële verbintenis, was er geen enkel probleem. De oude Townsend zou dan aandelen in de scheepswerf kunnen krijgen.'

'O, papa!' Cherish klonk diep verslagen, maar niet verbaasd, alsof ze dit argument al eerder had gehoord. 'Zat u er daarom zo achteraan dat ik vriendschap met Warren zou sluiten?'

'Natuurlijk niet! Maar jullie lijken geknipt voor elkaar. En ik zou het heel fijn vinden als je hem om mijnentwil een kans wilde geven.'

Ze gingen zachter praten en nu pas draaide Sietze zich om. Hij wist nog maar een ding: wegwezen hier, voordat een van de twee ontdekte dat hij het gesprek had afgeluisterd.

Hij sloop door de inmiddels verlaten keuken naar buiten en liep vlug naar de werkplaats, waar hij onmiddellijk weer aan het werk toog. Hij en de overige mannen waren inmiddels bezig met het breeuwen van de binnenkant van de romp en het leggen van het bovendek.

Na ruim een uur stevig doorwerken was de storm in zijn gedachten wat gaan liggen en wist hij wat hem te doen stond. Hij besloot Winslow een bezoek te brengen als Cherish er niet bij was, om uit te zoeken hoeveel geld hij schuldig was.

Deze keer koos hij de voordeur, omdat hij vermoedde dat er om die tijd niemand in de keuken zou zijn; en nu was het wel Cherish die de deur opendeed, terwijl hij juist had gehoopt dat het mevrouw Sullivan zou zijn.

'Hallo, Sietze! Wil je niet even binnenkomen? Is er iets?'

Hij stapte de gang in en Cherish sloot meteen de deur achter hem. 'Ik heb geen zin in al die muggen in huis,' verklaarde ze met een nerveus lachje. Hij keek aandachtig naar haar gezicht. Ze zag wit en haar ogen leken daardoor, en door de grote pupillen, nog eens zo donker. Zijn droom kwam terug en hij besefte dat hij die meer ter harte had moeten nemen. Als hij zich de laatste tijd wat minder door zijn eigen narigheid in beslag had laten nemen, zou hij al veel eerder gemerkt hebben dat haar houding jegens hem veranderd was. Hij zag nu dat ze onrustig haar handen stond te wringen en besefte dat ze zich inderdaad niet langer op haar gemak voelde bij hem. Had dat soms te maken met die hartaanval van haar vader? Of met hun financiële situatie?

Hij kuchte verlegen. 'Ik wilde eigenlijk je vader even bezoeken. Het is toch nog niet te laat?'

'Nee hoor, hij is nog wakker. Ik weet zeker dat hij het leuk vindt om bezoek te krijgen. Loop maar mee, dan breng ik je even boven.'

Ze deed verder geen poging een praatje met hem te maken en hij wist niet of hij daarover opgelucht of juist teleurgesteld moest zijn. Zwijgend liep hij achter haar aan, de trap op waar hij nog maar pas geleden over naar beneden was gekomen.

'Kijk eens, papa, wie er voor u is!'

'Ah, Sietze, goeienavond. Kom erin.'

'Wil je iets drinken?' vroeg Cherish en de formaliteit in haar stem trof hem onaangenaam. Het leek wel alsof hij een onbekende gast was en zij een wellevende gastvrouw.

'Nee, dank je,' zei hij, terwijl hij zijn hoed in zijn handen ronddraaide.

'Nou, pak eens een stoel, Sietze, en vertel me alles over de schoener.'

Cherish vertrok en deed de deur achter zich dicht.

Nadat hij een poosje had gepraat over alles wat zich op de werf afspeelde, viel Sietze stil. Hoe moest hij nu het probleem aankaarten dat hem boven alles bezighield? Er zat niks anders op dan gewoon in het diepe te springen.

'Meneer Winslow?' Hij schraapte zijn keel. 'Klopt het dat u geld aan de bank schuldig bent?'

Aan de handen van de man, die onrustig over de beddensprei begonnen te tasten, was te merken dat hij meteen nerveus werd. 'Wie heeft je dat verteld?'

Weer schraapte Sietze zijn keel. 'Ik ving daarstraks toevallig iets op. Het was niet mijn bedoeling om voor luistervink te spelen, maar nu dacht ik zo... ik vroeg me af... kan ik misschien helpen op de een of andere manier?' Hij had alweer spijt dat hij gekomen was. Wat zou hij nou kunnen doen?

Maar Winslow was in het geheel niet beledigd en leek het evenmin belachelijk te vinden. Hij klopte Sietze op de hand en zei: 'Ik stel je bezorgdheid erg op prijs, jongen.' Met een diepe zucht legde hij zijn hoofd weer tegen de kussens. 'Ik denk dat we wel kunnen stellen dat ik er een behoorlijke puinhoop van heb gemaakt.'

'Hoeveel bent u dan schuldig?'

'Tweeduizend dollar.' De zijdelingse blik zei duidelijker dan woorden dat een dergelijk bedrag Sietzes nobele aanbod ver te boven ging.

Het enorme bedrag gonsde in Sietzes hoofd. Hij kende niemand in Haven's End die zomaar over een dergelijke som geld kon beschikken.

'Wanneer loopt de termijn af?' vroeg hij ten slotte.

'Aan het eind van de maand,' zei Winslow met verwrongen lippen.

Aan het eind van de maand? Dan hadden ze nog minder dan een week!

Toen hij het huis verliet, wist hij nauwelijks waar hij liep. Die tweeduizend dollar waren het enige waaraan hij kon denken. Wat moest Winslow nu doen? Wat zou er met de scheepswerf gebeuren? Wat moest er van Cherish worden?

De hele volgende dag piekerde Cherish over wat haar volgende stap moest zijn. Sinds het gesprek van de vorige avond wist ze eigenlijk wel dat ze niet anders kon dan het onvermijdelijke onder ogen zien.

Ze liet haar hoofd op de paperassen zakken. Hoe vaak ze al die cijfers ook bij elkaar optelde, de uitkomst was elke keer hetzelfde: er kwam gewoon niet genoeg geld binnen.

Toen de deur openging hief ze met een ruk haar hoofd op.

'Hallo, Cherish! Wat zie jij er wanhopig uit! Wat is er?'

'O, niets bijzonders,' antwoordde ze meteen en toverde haar stralendste glimlach tevoorschijn. 'Hallo, Warren. Wat voert jou naar Haven's End?'

'Het leek me leuk om eens te zien waar je werkt. Straks rijd ik nog even bij je vader langs.'

'Nou, nu heb je het gezien,' glimlachte ze.

Hij ging tegenover haar aan het bureau zitten en ze bewonderde opnieuw zijn aantrekkelijke uiterlijk. Hij droeg een licht tweedjasje op een geelbruine pantalon. Ze babbelden een poosje over de gang van zaken in Hatsfield en toen zei Warren plotseling: 'Cherish,' op zo'n speciale manier dat ze verschrikt opkeek. 'Ja, wat is er?'

'We kennen elkaar nu een paar weken en volgens mij kunnen we goed met elkaar opschieten. Vind je dat ook niet?'

'Ja, inderdaad.' Nee toch, dacht ze ondertussen. Hij zou toch niet...? Ze had er al zo vaak over nagedacht en nu was ze er blijkbaar nog niet echt op voorbereid.

Hij boog zich een beetje voorover en kuchte licht in zijn hand. Toen keek hij haar ernstig aan. 'Zou je ooit willen overwegen, ik bedoel... zou je mij de eer willen aandoen om... eh... mijn vrouw te worden?'

Ze wist niet wat ze moest zeggen. Ze had zich vereerd en opgelucht moeten voelen. Dit was toch precies wat haar vader graag wilde? Het zou alle problemen in een klap uit de wereld helpen. Warren was de begerenswaardigste vrijgezel uit de wijde omtrek en hier zat zij stommetje te spelen!

Hij lachte een beetje beteuterd. 'Je hoeft niet zo verbaasd te kijken. Komt dit echt als een complete verrassing?'

Daar moest ze om glimlachen. 'Nee, eerlijk gezegd niet.' Meteen werd ze weer ernstig. 'Warren, ik voel me heel erg gevleid door je aanzoek.'

'Hoe komt het dat ik een "maar" hoor aankomen?'

Ze bloosde en wenste opnieuw dat het had gekund.

'Je hoeft me niet direct antwoord te geven.'

Het leek wel alsof hij een beetje opgelucht was! Hield hij eigenlijk wel echt van haar?

'Ik... eh... ik zal erover nadenken,' beloofde ze hem.

Ze nodigde hem uit te blijven eten en ze begonnen over iets anders te praten. Cherish ontspande langzamerhand en slaagde er bijna in zijn aanzoek te vergeten. Warren leek helemaal geen haast te hebben en dat gaf haar het gevoel of ze uitstel van executie had gekregen; zelfs al kwam de dertigste juni dreigend dichterbij.

Het begon al te schemeren toen Sietze zijn zeilboot losmaakte en de haven uit voer. Hij had een plaats nodig waar hij rustig kon nadenken. Langs de eilandjes voor de kust zette hij koers naar een ruime baai. Het was nu al over achten en hoewel de hemel nog niet helemaal donker was, stond de zon toch al laag aan de horizon. De wind viel weg en even begonnen de zeilen te klapperen – vielen daarna slap neer. De zee was een kalme en gladde vlakte. Sietze tuurde naar de streep in de verte waar lucht en zee elkaar ontmoetten. Het ging door hem heen dat Gods genade ook iets dergelijks moest zijn – een onmetelijk en onpeilbaar geschenk, waarvan de waarde niet in geld viel uit te drukken.

'Je hebt Winslow beter behandeld dan hij verdiende,' had dominee McDuffie tegen hem gezegd. 'Het was zeker vooral omwille van zijn dochter, heb ik gelijk of niet?'

Dat had Sietze niet kunnen ontkennen, hoewel hij geen antwoord had gegeven.

'En als je het nu eens uit liefde voor Jezus deed?' zei de dominee daarna uitdagend en had hem uitgelegd hoe hij op die manier Winslow tot zegen zou kunnen zijn: 'Als uw vijand honger heeft, geef hem dan te eten, als hij dorst heeft, geef hem dan te drinken'. Daardoor had Sietze opnieuw moeten denken aan de preek over het lichaam als levend dankoffer en later had hij dat vers nog eens gelezen: 'Broeders en zusters, met een beroep op Gods barmhartigheid vraag ik u om uzelf als een levend, heilig en God welgevallig offer in zijn dienst te stellen'. Toen hij deze woorden voor het eerst van de preekstoel hoorde klinken, hadden ze hem zo extreem in de oren geklonken. Nu bezorgden de woorden die erop volgden hem een schok: '...want dit is de ware eredienst voor u'. Er was blijkbaar geen andere manier om God te dienen dan juist deze radicaliteit.

Uitkijkend over de zee dacht hij aan de stapels bankbiljetten en munten, die nog steeds verborgen lagen in zijn oude kamertje boven de werkplaats. Hij kon het allemaal aan Winslow geven – of niet. De keus was volledig aan hem.

Hij zou zijn droom op kunnen geven, al die jaren van werken en sparen. Was dat dan allemaal zinloos geweest? Had hij zichzelf voor de gek lopen houden? Waren de dagen van de zeilvaart echt voorbij? In de verte zag hij langs de horizon de veerboot vanuit Eastport voorbij tuffen, op weg naar Portland. Was hij dan twintig jaar te laat geboren? Was dit de toekomst voor de scheepsbouw: de productie van zulke reusachtige, foeilelijke en plompe vaartuigen? Hij was een man met liefde voor natuurlijke materialen als hout en zeildoek. Was er voor hem en voor zijn vakmanschap dan geen plaats meer in de wereld?

Toen de stoomboot uit het zicht was verdwenen en de zee er weer kalm bij lag, gingen zijn gedachten naar Cherish. Als hij het als een cadeautje voor Cherish beschouwde, zou het hem niet moeilijk vallen zijn complete spaargeld aan Winslow ter beschikking te stellen. Hij zou zijn leven voor Cherish geven, besefte hij, en dat maakte hem duidelijk hoeveel hij van haar hield. Zonder haar was al zijn geld hem niets waard.

Hij wendde zijn blik naar de kust, waar de zon als een vurige, fosforiserende oranje bal, nog maar half zichtbaar achter de beboste heuvelrand hing. Plotseling klonk er een stem in de stilte van zijn hart: Zou je je leven overhebben voor je Verlosser?

Dat is je ware eredienst.

Draaide het in het christelijk leven dan daarop uit: dat hij zijn leven zou geven voor zijn Verlosser?

Hij dacht lang en ingespannen na over zijn christelijke levenswandel. Hij was altijd naar de kerk gegaan, omdat dat nu eenmaal moest; hij had zijn bijdrage aan de collecte gegeven en geprobeerd zijn naaste te geven wat hem toekwam – kijk maar eens hoe hij zich altijd weer aan Winslow had onderworpen. Was dat dan niet voldoende?

Plotseling zag hij wat er achter al die inspanning had gezeten. Hij had dat alles niet gedaan uit liefde, maar uit plichtsgevoel, om schuldgevoelens te vermijden. Dominee McDuffie was tevreden als hij zondags naar de kerk kwam. Cherish was tevreden als hij met haar mee ging naar de koorrepetitie. Zijn baas en mevrouw Sullivan waren tevreden als hij een keurig en fatsoenlijk leven leidde. Op datzelfde moment zag hij heel zijn leven als een stel vuile vodden, zoals Cherish het had genoemd. Hoe had Jezus de Farizeeën ook alweer genoemd? Witgepleisterde graven? Sietze vergeleek zichzelf met deze mensen. Bij het luisteren naar de verhalen op de zondagsschool had hij die Farizeeën met hun uitwendige godsdienst altijd vreselijk schijnheilig gevonden. Per slot van rekening hadden zij uiteindelijk Jezus ook gekruisigd. Maar nu zag hij dat hij van hetzelfde sop was overgoten: van buiten vroom, maar met een hart dat onveranderd was gebleven. Hij staarde naar de grenslijn tussen lucht en land, waarachter de zon nu was weggezonken. Het duister begon de strijd te winnen. *Maar wie bent u dan, Heer? Hoe kan ik u leren kennen?*

Terug in de pastorie vroeg hij aan dominee McDuffie waar hij het beste kon beginnen als hij zelf de bijbel wilde lezen. De predikant gaf geen enkel blijk van verbazing, maar sloeg meteen het Evangelie van Johannes op en gaf hem toen de bijbel terug. 'In het begin was het Woord, het Woord was bij God en het Woord was God.'

De volgende avond na het eten zei Tom Winslow tegen zijn dochter dat hij haar wilde spreken. Geschrokken keek ze hem over de tafel heen aan. 'Is er iets niet in orde, papa?'
'Nee, het is juist goed nieuws.'
Wat zou dat kunnen zijn? Ze stond op en begon tante Phoebe te helpen met afruimen.
'Ga jij nou maar met je vader mee,' zei die. 'Het is belangrijk.'
Cherish' nieuwsgierigheid groeide en ze volgde haar vader naar zijn grote, kersenhouten bureau. Daar gaf hij haar een lijvige envelop. Ze draaide die om en om en probeerde te raden wat erin zat.
'Vijftienhonderd dollar,' zei haar vader, die zich niet langer kon inhouden. 'Maak maar open, dan zul je het zien.'
Ze gehoorzaamde en ook al had ze allang de munten horen

rammelen, toch hapte ze naar adem toen ze in de envelop gluurde. Er zat een dikke stapel bankbiljetten in gepropt, met aan beide kanten een grote hoeveelheid gouden en zilveren geldstukken.

'Dat zal de bank voldoende tevredenstellen om ons uitstel te geven tot we ook de resterende vijfhonderd bij elkaar hebben.'

'Vijftienhonderd dollar? Maar papa, hoe kan dat nou?'

'Een vriend heeft me twaalfhonderd dollar gegeven en de rest is het appeltje voor de dorst dat tante Phoebe had gespaard.'

Dikke tranen sprongen in haar ogen. Die schat van een tante Phoebe! Ze moest haar best doen om te volgen wat haar vader verder nog zei.

'Hij heeft me alle tijd gegeven die nodig zal zijn om hem terug te betalen. Eigenlijk wilde hij het niet eens terug, maar natuurlijk stond ik erop.'

'Wie bedoel je, papa? Wie heeft er nou zoveel geld?'

'Pieker daar nou maar niet over. Vertrouw er maar op dat het in orde is.' Haar vader grabbelde in de paperassen op zijn bureau alsof hij niet snel genoeg over iets anders kon beginnen. 'We verzinnen wel een manier om die overige vijfhonderd te krijgen. We kunnen het misschien betalen uit de opbrengst van de schoener. Die is bijna af.' Hij wreef over zijn kin. 'Misschien moet ik Warren Townsend iets influisteren. Zijn vader zit in de directie van de bank...'

'O, papa, alstublieft niet!' Ze zou sterven van schaamte als ze bij de Townsends om een gunst gingen bedelen. Bovendien zou ze zich daardoor nog erger onder druk voelen staan.

'Geen zorgen, lieverd. Ik weet precies hoe ik dat moet aanpakken. Tob nou maar niet.'

Als in een waas liet Cherish haar vader achter. Nu haar grootste zorg zo plotseling van haar was afgenomen, was ze totaal in de war. Wie kon haar vader nu zo'n enorm bedrag hebben geschonken? Ze had zelfs nog nooit zoveel geld bij elkaar gezien. Het was waar: haar vader had veel vrienden en werd door veel mensen in de zakenwereld op handen gedragen. Sinds zijn hartaanval waren vele van die mensen op bezoek geweest. Had hij misschien met een van hen over zijn problemen gesproken? Dat kon ze maar moeilijk geloven. Haar vader had het haar pas verteld toen ze hem ertoe had gedwongen. En dan zou hij een vreemde in vertrouwen hebben genomen? Zou hij dat hebben gedaan om haar de zorg van de schouders te nemen? Ze moest toegeven dat het een aannemelijk motief was.

Ze ging de trap op naar haar kamer, knielde voor haar bed en dankte God voor het uitstel. Natuurlijk bleef de schuld bestaan, ook al had haar vader gezegd dat de geheimzinnige weldoener hem alle tijd wilde geven om terug te betalen. Het was ook waar dat ze nog steeds vijfhonderd dollar tekort kwamen. Maar op dit moment voelde ze niets anders dan opluchting en dankbaarheid. En bovenal voelde ze zich onuitsprekelijk verlicht, omdat ze nu met een goed geweten het aanzoek van Warren Townsend kon afwijzen.

De vader van Warren Townsend zat aan zijn bureau en tegenover hem zat zijn zoon.

'Je bent de laatste tijd heel wat keertjes naar Haven's End overgestoken. Nog steeds een oogje op dat meisje van Winslow?'

Warren werd rood. De onverbloemde manier waarop zijn vader het onderwerp aankaartte, beviel hem niet. 'Ik ben haar vader wezen bezoeken.'

'Hoe gaat het met hem?'

'Aan de beterende hand, maar de dokter heeft hem gewaarschuwd dat zijn hart niet veel meer kan hebben.'

'De tijd dat hij de leiding had over de scheepswerf is dus definitief voorbij.'

'Dat weet ik niet. Zijn dochter heeft zich er in de tussentijd uitstekend mee gered.'

De oude Townsend snoof. 'Ik weet anders zeker dat ze er binnenkort een stuk minder goed raad mee zal weten.'

'Hoezo?' Hij had een hekel aan dat betweterige toontje van zijn vader.

'Winslows werf is de Hatsfield Bank een lief sommetje schuldig. De lening loopt morgen af.'

'Hoe bent u daar achter gekomen?' vroeg Warren, om te verbergen hoe hevig hij geschrokken was. Verbazen deed het hem eigenlijk niet. Zijn vader zorgde er altijd voor dat hij goed op de hoogte was van het reilen en zeilen van de bank.

'Ik zit niet voor niets in de directie.' De man leunde ontspannen achterover in zijn stoel en sloeg zijn onberispelijk geperste broekspijpen over elkaar. 'Het had op geen beter moment kunnen komen. Ik had al een tijdlang mijn zinnen op die werf gezet. Nu we de houtzagerij hebben aangekocht en het bedrijf een beetje loopt, is het toch niet meer dan normaal dat we ook een eigen schoenervloot hebben om al die ondernemingen van dienst te zijn?'

'Is dat soms de reden waarom u mijn vriendschap met juffrouw Winslow hebt aangemoedigd?' vroeg Warren, hoewel hij het antwoord al wist.

Zijn vader haalde de schouders op en tuurde naar zijn keurig gepolijste nagels. 'Het is een knap grietje, en niet op haar achterhoofd gevallen, als ik de berichten moet geloven. Winslow heeft haar veel meegegeven. Zie je iets in haar?'

Warren voelde zich slecht op zijn gemak onder die directe vraag. Zag hij iets in Cherish? Hij bewonderde haar, had respect voor haar, hij vond haar het knapste en elegantste meisje van de hele streek. 'Ik heb haar in ieder geval ten huwelijk gevraagd.'

Zijn vader knikte. 'Het duurt niet lang meer of ze is aan de bedelstaf geraakt, maar jij zult meer dan genoeg bezitten voor jullie beiden. En als ik je een goede raad mag geven: houd haar een beetje onder de duim. Maar in elk geval hebben jullie mijn zegen.'

Warren verklapte maar niet dat ze hem nog geen antwoord had gegeven.

'Hoeveel is Winslow de bank schuldig?'

'Iets in de orde van tweeduizend dollar.'

Onwillekeurig floot Warren zachtjes tussen zijn tanden. Dat was voor de kleine ondernemingen hier een heleboel geld. Zelfs Warren had niet zoveel. Zijn vader hield hem behoorlijk kort.

'En volgens u loopt de termijn morgen af? Denkt u dat hij het zal kunnen betalen?'

'Ik kan het me nauwelijks voorstellen. Hij heeft bijna een maand in bed gelegen.' Zijn vader wuifde de vraag nonchalant weg. 'Winslow heeft zijn gat gebrand en nu moet hij op de blaren zitten. Meer valt er niet van te zeggen.'

Warren dacht koortsachtig na, maar wist ook wel dat hij in zo korte tijd niet zoveel geld bij elkaar zou kunnen krijgen. Hij voelde alleen maar de onbedwingbare neiging om Cherish uit de brand te helpen. Op geen enkele manier zou ze zich gedwongen mogen voelen om zijn aanzoek aan te nemen.

Hoe meer hij van het zakendoen zag, hoe minder het hem aanstond. Alles leek te draaien om het opsporen van de zwakke plekken van de concurrent om daar vervolgens misbruik van te maken.

'Ik zou graag zien dat jij morgen naar Haven's End gaat. Dat zal je niet al te zwaar vallen, dacht ik zo.' Zijn vader grinnikte. 'Houd de situatie een beetje in de peiling. Het kan je alleen maar voordeel opleveren.'

Warren was misselijk. Hij vond Cherish heel aardig, maar dit was niet de manier waarop hij haar wilde krijgen. Misschien had hij opgelucht moeten zijn over zijn vaders toestemming, maar in werkelijkheid stond de hele kwestie hem tegen. Diep in zijn hart verlangde hij naar een liefde die hem totaal zou overrompelen. Een liefde die elke hindernis onder ogen zag en overwon. En hoe graag hij haar ook mocht, een dergelijke liefde voelde hij voor Cherish niet, en volgens hem was dat wederzijds. Hij verlangde alleen oprecht naar een gelegenheid om haar een uitweg uit haar benarde toestand te bieden.

20

Op de Vierde Juli had Sietze een dag vrij. Het hele dorp lag plat en iedereen ging de straat op om feest te vieren. Sietze was echter absoluut niet in feeststemming. Hij voer naar Hatsfield en bereidde zich voor op de ontmoeting met Annalise. Warren had alles geregeld, in de wetenschap dat zijn ouders die dag hun handen vol zouden hebben aan allerlei ceremoniële taken.

Nu stond hij met de hoed in de hand in de zitkamer van de Townsends waar Warren hem voor korte tijd met Annalise alleen had gelaten. In het huis was het schemerig en stil, een groot contrast met het felle zonlicht buiten.

'Hallo, Annalise. We hebben elkaar al een tijd niet gezien, vind je ook niet?' begon hij.

'Hallo, Sietze. Wil je niet even gaan zitten?' Ze wees op een stoel naast de bank waarop ze zelf zat en vouwde daarna haar handen stijfjes in haar schoot.

Hij nam plaats en legde zijn hoed op zijn knieën. Wat nu? Wat moest hij zeggen om de zaak in orde te maken? Annalise was een lief meisje. Hij zag nog net de blik van schuwe ver-wachting, voordat ze vlug weer op haar ineengeklemde han-den keek.

'Heb je het druk gehad met je werk?' vroeg ze.

'Ja, inderdaad, heel erg,' antwoordde hij haastig, maar brak meteen weer af. Nee, hij zou open kaart spelen. 'Annalise, ik ben vandaag speciaal langsgekomen om afscheid van je te nemen.'

Even flitste haar blik naar hem op, maar ze sloeg haar ogen direct weer neer. 'Afscheid?'

Hij schraapte zijn keel. 'Ja. Ik ga hier binnenkort weg. Ik weet nog niet precies wanneer. Dat hangt af van het moment waarop meneer Winslow volledig hersteld zal zijn. Ik ben van plan om dan verder naar het noorden of naar het zuiden te reizen en daar werk te zoeken op een andere, grotere werf.'

'Waarom kun je niet blijven werken waar je nu bent?'

Nu keek ze hem recht aan en haar ogen leken extra groot door de brillenglazen. Deze keer was hij degene die zijn blik afwendde. 'De scheepsbouw in deze streek is ten dode opgeschreven. Ik denk eraan om in Rockland te gaan kijken, of misschien zelfs in Portland. Ik heb gehoord dat daar nog veel schepen worden gebouwd.'

'Ik begrijp het. En je wilt geen andersoortig werk overwegen?'

'Nee.' Hij dacht aan het werk dat hij nu deed. 'Ik hoop dat ik iets in de scheepsbouw kan vinden. Dat kan ik nu eenmaal het beste: met mijn handen werken. Er zijn verder niet veel dingen waar ik voor deug.'

'Ik weet zeker dat er veel dingen zijn waar je goed in bent.'

Hij glimlachte zwakjes. 'Dank je.' Plotseling wenste hij dat hij van haar zou kunnen houden en haar niet zou hoeven kwetsen met zijn woorden of met zijn vertrek. 'Annalise.'

'Ja?' Ze knipperde met haar ogen en de hoop keerde terug in haar blik.

'Op een dag zul je een aardige man ontmoeten die je waard is – iemand die net zo goed is opgeleid als jij en je het thuis kan bieden dat je verdient.' Even ging de wilde gedachte door hem heen dat hij precies hetzelfde tegen Cherish zou kunnen zeggen. In haar geval was er al zo iemand op het toneel verschenen – Warren Townsend.

Annalise zat haar hoofd te schudden.

'Wacht maar af, je zult het zien. Jouw familie heeft goede connecties. Je zult ooit nog eens reizen, net als je broer, en Cher-, juffrouw Winslow.' Wanhopig zocht hij naar woorden om haar moed in te spreken. Haar zwijgen beangstigde hem, maar nog erger vond hij de stille tranen die uit haar grote ogen begonnen te vloeien.

Hij slikte eens en voelde zich een schurk van het laagste allooi. 'Huil nou niet. Dat ben ik echt niet waard.'

Ze snikte kort en haar nagels werden wit, zo stijf kneep ze haar handen samen.

'Alsjeblieft, Annalise, huil nou niet,' herhaalde hij. 'Zal ik je broer even halen?'

Ze schudde haar hoofd. 'Ga alsjeblieft weg,' fluisterde ze, keerde haar hoofd af en veegde het tranenspoor langs haar wangen weg. Toen ging hij maar staan, de hoed nog steeds in de hand. Hij maakte het met zijn gepraat alleen maar erger.

Verdrietig en vol zelfverachting, maar zonder spijt over het besluit dat hij had genomen, liep hij de kamer uit. Daar kwam Warren meteen naar hem toe. 'En?' vroeg hij.

'Misschien moet je maar even naar haar toe gaan,' zei Sietze zacht. 'Ik kom er wel uit.'

Warren aarzelde. 'Heb je het haar verteld?'

'Ik heb afscheid van haar genomen.'

'Je begaat een grote vergissing, De Vries. Een heel grote vergissing.'

Warren liet hem uit. Bij de voordeur zei hij nog: 'Als je juffrouw Winslow vandaag nog ziet, wil je haar dan de hartelijke groeten van me doen? Zeg maar dat het me spijt dat ik de festiviteiten in Haven's End misloop, maar ik heb hier in Hatsfield een aantal verplichtingen. Mijn vader en ik hebben het toezicht bij een aantal officiële gelegenheden.' Hij aarzelde weer. 'Wil je tegen haar zeggen dat ik morgen langs zal komen?'

Sinds de dood van zijn jeugdliefde had Sietze nooit meer een vrouw het hof gemaakt. En nu had hij in een paar maanden twee vrouwen, beiden ver boven zijn stand, aan zijn neus voorbij zien gaan. Hij zette zijn hoed weer op en liep het zandstenen pad af. Hij had goed gehandeld, zei hij tegen zichzelf, al had hij op dat moment geen flauw idee wat goed handelen eigenlijk was.

Diezelfde ochtend was Cherish naar het dorp gewandeld om naar de optocht te kijken. Ze had naar deze dag uitgekeken en hoopte dat het weer een beetje zou zijn als vroeger: gewoon een leuke dag, samen met Sietze en de andere vrienden uit haar kindertijd. Maar ze zocht hem tevergeefs en nu stond ze alleen met een paar vriendinnen te wachten tot de optocht zou beginnen.
'Kijk, daar heb je kapitein Phelps en zijn vrouw,' zei Julie en stootte haar aan. Nieuwsgierig keek Cherish naar de over-kant van de straat, waar de mensenmassa even uiteen week om doorgang te verlenen aan een tweetal lange, elegante mensen dat arm in arm aan kwam lopen. Ze kende kapitein Phelps wel, omdat hij ooit zaken met hun werf had gedaan, maar ze had hem nog nooit persoonlijk gesproken. Indertijd was zij nog maar een meisje en hij een belangrijke klant die af en toe uit Boston overkwam om de belangen van zijn vader te behartigen bij de scheepsbouwers aan de oostkust.
Met de vrouw van de kapitein lag het anders. Toen Cherish haar zag, hapte ze naar adem. Het hele dorp kende de vrouw als Geneva. Ze was maar een paar jaar ouder dan Cherish en die had haar al haar hele leven gekend. Maar nu herkende ze haar nauwelijks meer.
'Je zou niet zeggen dat dat Kabeljauw Ginny is, hè?' giechel-de Julie. Cherish schudde haar hoofd. Ze kon geen oog van de donkerharige vrouw afhouden, die nog niet zo lang gele-den nog op zichzelf woonde, zich kleedde als een man en in haar eigen onderhoud voorzag door op kabeljauw te vissen.

Nu zag ze er eleganter uit dan Cherish zelf. Haar kaarsrechte rug getuigde van zelfvertrouwen. In haar ene hand had ze een kanten parasol. Haar japon was van heerlijk koele zijde, met roomwitte en blauwe strepen die een prachtig contrast vormden met de diepzwarte glans van haar haren. Cherish wist heel goed dat Geneva altijd als een zonderlinge was beschouwd. De mensen fluisterden dat ze net zoveel menselijke gevoelens had als de rotsen langs de kust.

'Is het geen knap paar?' vroeg Lucy, die aan de andere kant naast haar stond.

'Nou,' zei Cherish ademloos. Kapitein Phelps zei iets tegen zijn bruid, en klopte op de hand die in zijn ellebooghotle genesteld lag. Ze antwoordde hem glimlachend en Cherish herinnerde zich hoe bang ze altijd was geweest voor de donkere, norse blikken van deze zelfde vrouw. 'Hoe hebben ze elkaar leren kennen?' vroeg ze nieuwsgierig. Ze kon er met haar verstand niet bij dat de Geneva die zij had gekend zo'n goed huwelijk had kunnen doen.

'O, dat is zo'n romantisch verhaal,' vertelde Julie gretig. 'Kapitein Phelps heeft hier vorig jaar de hele zomer doorgebracht in het prachtige huis dat hij voor zijn bruid had gebouwd. Maar vanwege het een of andere schandaal gaf ze hem de bons. En toen, ziedaar, werden hij en Geneva verliefd op elkaar. Kun je je iets onwaarschijnlijkers voorstellen?'

'Ze lijkt een compleet ander mens.'

'Ze heeft ook een heleboel lessen in etiquette gehad. Mama heeft me verteld dat de oude mevrouw Bradford zich over haar heeft ontfermd. Toen kapitein Phelps na de zomer terugging naar Boston, heeft zij Geneva uitgenodigd haar naar Boston te vergezellen als gezelschapsdame. Intussen was kapitein Phelps uitgezeild naar New Orleans en toen hij weer terugkwam, had Geneva de totale metamorfose ondergaan die je nu kunt zien.'

'Ze zijn vorig jaar in Boston getrouwd, heb ik gehoord,' voegde Lucy eraan toe. 'En nu zijn ze net hier aangekomen om de rest van de zomer op Ferguson Point door te brengen.'

'Het klinkt allemaal erg romantisch,' zei Cherish die het paar nog steeds nakeek.

'Je hoeft niet zo jaloers te zijn,' lachte Julie. 'Die meneer Townsend van jou mag er ook wezen, en zijn vader is dan wel niet zo rijk als kapitein Phelps, maar toch nog altijd de rijkste man in deze streek.'

Cherish keek haar vriendin eens aan. Dus zij dacht al dat Warren en zij een paar vormden? En ze zagen hem als een goede partij omdat hij knap was en over familiekapitaal beschikte? Zag haar vader het ook niet zo? En zij zelf?

Wat zou ze van hem denken als hij er minder goed uitzag en geen cent op zak had? Had ze dan ook maar een seconde aandacht aan hem besteed? Haar blik gleed nogmaals over de menigte, maar de goudblonde haardos waar ze naar uitkeek was nergens te bekennen.

Alsof ze haar gedachten had gelezen, zei Lucy: 'Ik zou anders ook geen bezwaar hebben tegen een dansje met die gezel van je vader. Ik vind hem eigenlijk nog veel knapper dan meneer Townsend.'

'Wie, Sietze?' zei Cherish scherp. 'Die is allang geen gezel meer. Hij is scheepsbouwer.'

'Des te beter,' zei haar vriendin kalm, zonder aandacht te schenken aan haar bitse toon. 'Misschien kan ik papa wel overhalen hem een boot te laten bouwen. Dan kan ik net als jij bij de werkplaats gaan rondhangen!'

'Sietze werkt niet meer bij ons,' zei ze rustig.

'Waarom niet?'

'Hij gaat bij een grotere werf werken.'

'O, wat jammer.'

'Ik meende gisteren anders dat ik hem uit de visfabriek zag komen!' riep Julie uit. 'Ik kon het haast niet geloven.'

'O, hij werkt daar maar tijdelijk,' legde Cherish haastig uit. 'En in de avonden helpt hij papa, totdat papa de leiding over de werf weer aan kan, en zover is het al bijna.'

Ze praatten nog even door over Cherish' vader tot de optocht begon en ze werden afgeleid door de muziek van trompetten, hoorns en trommels. Cherish herinnerde zich als de dag van gisteren hoe opgewonden ze vroeger altijd was wanneer de optocht van de Vierde Juli voorbij marcheerde.

Tijdens de optocht voegden de twee jongemannen die met Lucy en Julie op stap waren zich bij hen. Cherish sloeg hen van een afstandje gade en vroeg zich opnieuw af hoe haar leven in Haven's End verder zou verlopen. Hoe opgelucht ze ook was door het plotseling opduiken van die vijftienhonderd dollar, ze wist heel goed dat het maar een tijdelijke oplossing was. Wat zou er daarna gebeuren? Ze zouden nog steeds hun weldoener moeten terugbetalen, wat betekende dat ze op de schoener bijna geen winst zouden maken. Het was zelfs de vraag of ze de komende winter de werkplaats wel draaiende zouden kunnen houden.

Moest zij misschien zelf een baantje zoeken? Ze had gehoord dat er een onderwijzeres werd gezocht voor een van de dorpsschooltjes. Ze zou best haar diensten kunnen aanbieden. Zouden zij en haar vader gedwongen worden om op bescheidener voet te gaan leven en zou zij dan zo'n oude vrijster van een schooljuffrouw worden? Zou ze vanuit de ivoren toren van de elite moeten afdalen naar de rand van de samenleving van Haven's End?

Na de optocht wandelde ze met de beide paren mee en keek toe terwijl die zich in allerlei gezelschapsspelen stortten: de driebenenrace, de eierrace en het zaklopen. Met het hoefijzergooien deed ze zelf ook mee, maar al die tijd bleef ze uitkijken naar de enige die ervoor kon zorgen dat ze zich thuis voelde in haar geboortedorp.

Ze zag hem nergens. Met het gevoel dat ze net zo goed in Europa had kunnen blijven ging ze naar huis om met haar vader het middagmaal te gebruiken. Daarna spanden ze het rijtuigje in om samen naar de jaarlijkse zeilwedstrijd in de

haven te gaan, waaraan alle soorten boten mochten meedoen, zowel vrachtschepen als pleziervaartuigen.
Ze was ervan overtuigd dat ze Sietze daar wel zou aantreffen. Hij kwam altijd uit voor Winslows werf en had de afgelopen vijf jaar steevast de eerste prijs in de wacht gesleept.
Dit jaar zou hij de race zeilen met zijn eigen jacht.
Maar weer was er geen spoor van Sietze te bekennen. Ze
had geen idee waar hij kon zijn. Voorzover zij wist had hij
nog nooit eerder verstek laten gaan bij de viering van de
Vierde Juli. Met haar ogen volgde ze het prachtige jacht van
kapitein Phelps, dat door Sietze was ontworpen en ook bijna
helemaal door hem was gebouwd. Hij was er de hele vorige
zomer mee bezig geweest. Het versloeg de andere schepen
met een fikse voorsprong en toen het de finish overging,
klapte ze geestdriftig. Het deed haar plezier dat Sietze in
zekere zin toch had gewonnen, ook al stond het winnende
vaartuig niet officieel op zijn naam geregistreerd.

Toen Sietze terugkwam in Haven's End was het al donker en
boven de haven was het vuurwerk in volle gang. Hij legde
zijn boot voor anker en roeide naar de kade, waar het
wemelde van 'Ooooh' en 'Aaah' roepende mensen. Hij groette hier en daar een paar bekenden, maar keek verder alleen
maar of hij Cherish ook ergens zag. Voor het lichtende spek-
takel van rode, witte en blauwe sterren boven zijn hoofd had
hij geen oog. Hij keerde de menigte de rug toe en liep de
stad uit.
Hij had ook naar de pastorie kunnen gaan door met de
sloep de haven over te steken, maar deze keer koos hij de
langere route langs Cherish' huis. Hij had zo zijn best gedaan
om bij haar uit de buurt te blijven. Vanavond gingen zijn
benen als vanzelf in haar richting.
Het huis was donker, op een vaag lichtschijnsel na dat onder
de voordeur door scheen. Even bleef hij bij het tuinhek
staan. Wat had ze met hem gedaan in de afgelopen tijd? Hij

voelde zich compleet door elkaar geschud, zodat hij niet meer wist wat boven en onder was, goed of fout.

Hij ging het hek door en liep het pad op naar de veranda, zonder een duidelijk doel voor ogen. Het was zonneklaar dat iedereen al naar bed was. Om deze tijd zou hij zelf ook eigenlijk naar bed horen te gaan. Morgen was het weer vroeg dag.

Onder aan de verandatrap keek hij omhoog, maar voor hij zichzelf kon dwingen rechtsomkeert te maken, hoorde hij haar stem zacht en vragend zijn naam noemen. Nu was het te laat om er vandoor te gaan.

'Ik miste je bij het vuurwerk,' zei hij. Ze zat aan de verste kant van de veranda op de schommelbank en hij kon haar nauwelijks onderscheiden, maar hoorde aan het piepen van de scharnieren dat ze de bank in beweging zette.

'Ik ben niet geweest, ik heb van hieruit gekeken.' Ze klonk zakelijk.

'Gaat het goed met je vader?'

'Ja.'

Sietze aarzelde. Hij verkeerde in hevige tweestrijd. Moest hij nu weggaan of nog even blijven? Uiteindelijk koos hij een soort tussenoplossing door zich op de trap te laten zakken. Als hij nu naast haar op de schommelbank zou gaan zitten, stond hij niet voor de gevolgen in. In haar nabijheid vertrouwde hij zichzelf niet meer.

'Je bent de zeilwedstrijd misgelopen.'

'Ik moest naar Hatsfield en het lukte niet om op tijd terug te zijn,' was alles wat hij kon bedenken.

'Ik dacht dat je het dit jaar met je eigen boot had willen proberen.'

'Dat was ook zo.'

'Waarom heb je dat dan niet gedaan?'

'Ik had een afspraak in Hatsfield.'

'O.'

Voordat ze kon vragen met wie, zei hij: 'Ik liep Warren

Townsend nog tegen het lijf. Je moet de hartelijke groeten van hem hebben.'

'O ja?' Haar stem werd levendig. 'Wat aardig van hem. Zei hij nog meer?'

De vraag sneed door zijn ziel. Hij leunde tegen de balustrade en probeerde het zich te herinneren. 'Hij vroeg of ik hem bij jou wilde verontschuldigen dat hij niet naar de feestelijkheden in Haven's End was gekomen. Ik kreeg de indruk dat hij samen met zijn vader heel wat ceremoniële verplichtingen had.'

'Dat kan ik me voorstellen, ja.'

Over Annalise zei Sietze niets. Zelfs de gedachte aan haar gaf hem het gevoel dat hij Cherish ontrouw was.

'Heb je enig idee wanneer je uit Haven's End gaat vertrekken?'

Haar vraag overviel hem. Was hij voor haar dan al iemand uit het verleden aan het worden? Iemand met wie ze korte tijd had geflirt, zoals haar vriendinnen dat deden, in afwachting van het moment dat ze een serieuze relatie zou kunnen aangaan met iemand als Warren Townsend?

'Nee, daar heb ik eigenlijk nog niet over nagedacht.'

'Je hebt hier toch niets meer te zoeken.'

Bedoelde ze nou dat hij haar maar moest vergeten?

'Nee, dat geloof ik ook. Maar ik wacht in ieder geval tot na de oplevering van de schoener.'

Ze zwegen. Aan de overkant van de straat klotste het vloedwater tegen de oevers, maar verder was er geen geluid te horen. Er ging nog een laatste vuurpijl de lucht in, maar toen stierf ook het lawaai van het vuurwerk definitief weg.

Na een hele tijd kwam Sietze overeind. Hij voelde zich oud en stram. 'Ik kan beter naar de McDuffies gaan. Die liggen waarschijnlijk al in bed.'

'Kapitein Phelps heeft de wedstrijd gewonnen.'

'Echt waar?' zei hij, blij en spijtig tegelijk. 'Met de sandbagger?'

'Ja. Dat is toch die boot waar jij aan gewerkt hebt?'

'Inderdaad, ik heb je er nog over geschreven.'

'Het is een prachtig schip geworden. Je had moeten zien hoe ze over het water scheerde.'

'Misschien krijg ik die kans nog wel eens. Blijft de kapitein de hele zomer hier?'

'Ja, samen met Geneva.'

Cherish kwam niet van haar zitplaats af. Sietze talmde nog even, maar draaide zich uiteindelijk toch om. 'Welterusten dan, Cherish.'

'Welterusten,' riep ze hem zachtjes na.

Cherish luisterde naar zijn wegstervende voetstappen in het grind en zuchtte diep. Ze had het gevoel alsof een stukje van haarzelf samen met hem in de nacht verdween. Sietze had haar niet verteld waar hij de hele dag was geweest. Wat was er zo belangrijk, dat hij er zelfs de zeilwedstrijd voor had laten schieten? Het kon alleen iets te maken hebben met zijn zoektocht naar werk. Betekende dat dat hij ergens een aanbod had gekregen?

De laatste tijd deed hij zo afstandelijk. Verdrietig dacht ze terug aan de hooggespannen verwachtingen waarmee ze naar Haven's End was teruggekeerd. Wat waren in korte tijd al haar dromen op niets uitgelopen! Was Sietze in de twee jaar van haar afwezigheid soms gewend geraakt aan het leven zonder haar? Daar leek het wel op. Maar die kus dan? Was dat van zijn kant alleen bedoeld als illustratie bij zijn waarschuwing voor de reactie van een man op het uitdagende gedrag van een vrouw? Ze streek over haar lippen. Was er dan in die kus geen enkele liefde geweest, alleen mannelijke begeerte?

Lieve Heer, wijs me alstublieft de juiste weg. Moet ik dan met Warren trouwen? Het lijkt een goede keuze. Papa zou er zo gelukkig mee zijn. Het is de oplossing voor onze financiële problemen. Papa zou opgelucht kunnen ademhalen. Als ik

niet met hem trouw, wat moet er dan van ons worden? Als ik
Warren afwijs, zou papa's gezondheid dan niet weer achter-
uitgaan, en dat door mijn schuld?
Sietze lijkt niets om me te geven. Misschien ziet hij me als een
soort zusje, maar verder ook niet. Ze vocht tegen de golf van
wanhoop die door haar heen sloeg. *O, Heer, ik heb mijn lief-*
de voor hem aan u gegeven. Ik weet dat ik geen rechten op
hem kan laten gelden. Wat is het beste voor hem? Moet hij uit
Haven's End vertrekken? Ligt zijn toekomst ergens anders?
Geef mij de kracht om uw wil voor Sietzes leven te aanvaar-
den.

Sietze verwachtte dat de hele pastorie in duisternis en stilte
gehuld zou zijn, maar toen hij bij het huis aankwam, hoorde
hij de stemmen van de dominee en zijn vrouw aan de andere kant van de tuin. Ze zaten op een bankje over de haven te
kijken.

'Goeienavond, Sietze. Jij hebt zeker vanaf de andere kant
naar het vuurwerk gekeken? Was het niet schitterend?' vroeg
McDuffie.

'Eh... ja, maar ik heb er niet zoveel van gezien. Ik kwam net
terug uit Hatsfield.'

'O, het was prachtig,' vertelde mevrouw McDuffie. 'En het
weer was precies goed. Geen greintje mist.'

'Een klein wondertje, zou ik willen zeggen, zeker in juli,' viel
McDuffie haar grinnikend bij. 'We zaten hier nog wat na te
genieten.'

'Ik wil u niet storen,' zei Sietze haastig. 'Ik ga naar bed.'

Mevrouw McDuffie stond op. 'Mijn idee. Waarom blijf jij mijn
man niet even gezelschap houden?'

'Ja, ga toch nog even zitten, Sietze.' De predikant klopte
naast zich op de bank. 'Ik heb nog helemaal geen zin om
het voor gezien te houden.'

'Goed dan.' Plotseling merkte Sietze dat hij behoefte had aan
gezelschap. Hij wilde niet alleen zijn met zijn eigen gedach-

ten. Die draaiden toch maar in hetzelfde kringetje rond: hoe ongelooflijk stom hij was geweest door elke kans die hem geboden werd te verspelen. Eerst zijn zuurverdiende spaargeld en nu het aanbod van een eigen scheepswerf.

Mevrouw McDuffie wenste hen een goede nacht en liet hen alleen. De beide mannen zaten eerst een poosje zwijgend bij elkaar, luisterend naar het kabbelen van de golven op het kiezelstrand, maar toen begon Sietze met horten en stoten te vertellen wat hem die dag was overkomen.

'Wat vindt u er nou van?' vroeg hij, toen hij zijn relaas beëindigd had. 'Krijg ik de gelegenheid om te dingen naar de hand van een fatsoenlijke jongedame, van wie de vader zal zorgen dat alle deuren voor me opengaan, en dan wijs ik het af. Zo'n kans krijg je toch maar één keer?' Hij staarde peinzend naar de zwarte weidsheid van lucht en water die hun aanwezigheid slechts kenbaar maakten door het geluid van de golven en het pinkelen van de sterren. 'Ik heb ook nog eens de zeilwedstrijd aan mijn neus voorbij laten gaan. Ik doe al jarenlang mee met boten die ik voor Winslow heb gebouwd, en de laatste vijf keer heb ik steeds gewonnen. Deze keer wilde ik graag met mijn eigen boot meedoen. U hebt geen idee hoe ik daar naar uit heb gezien.'

Het deed hem goed zijn hart eens te luchten en hij besefte dat hem veel gelegen was aan de mening van de man naast hem.

'Dus het was me het dagje wel voor jou, als ik het goed begrijp.'

'Ik heb het gevoel of...' Sietze moest even naar woorden zoeken. 'Ik heb het gevoel of God me alles heeft afgenomen. Mijn gevoel van eigenwaarde, mijn dromen en plannen, zelfs alle hoop die ik omtrent Cherish heb gekoesterd. Ik ben op drift, ik dobber maar wat rond, aan alle kanten omringd door water, en heb geen enkel richtinggevoel meer. Wat moet ik nu doen? Ik pieker daar voortdurend over, maar krijg geen enkele aanwijzing.'

'Heb je nooit gehoord van de uitdrukking "wachten op de Heer"?'

Sietze wreef zijn nek. 'Volgens mij wel, ja, maar het zei me nooit iets. Ik had altijd een doel in mijn leven, iets waar ik gericht naar toe kon werken. Dat heeft me ook in moeilijke jaren overeind gehouden.'

'De Heer zegt ons dat we zijn koninkrijk en zijn gerechtigheid moeten zoeken en dat we dan het overige erbij zullen ontvangen. Je moet hem op zijn woord geloven.'

'Maar wat betekent dat dan: zijn koninkrijk zoeken? Wat moet een scheepsbouwer daar nu mee?'

'Als je nu eens begon met je Verlosser beter leren kennen? Heb je de afgelopen tijd nog in de bijbel gelezen?'

'Ja, en ik vond het fijn om te doen, maar verder weet ik er niet zo goed raad mee. Waarschijnlijk heb ik nog steeds het punt niet bereikt waarop de betekenis ervan voor mijn dagelijks leven ineens tot me doordringt. Hoe kan ik de Heer dienen? Wat kan ik doen?'

'Als je het mij vraagt, heeft de Heer je al een uitstekend idee aan de hand gedaan.'

Sietze keek de dominee verbaasd aan. 'O ja. Wat dan?'

'Denk eens aan die ouwe Tobias. Je kunt iets voor hem betekenen.'

Sietze haalde diep adem. 'U bedoelt dat ik hem over Jezus moet vertellen?'

'Blijf gewoon doen wat je al deed. Wees een goede vriend voor hem en laat hem door die vriendschap delen in het licht. Het Woord zegt dat we de kleine dingen niet mogen verachten. Volgens mij valt dit er wel onder.' Er klonk een vleugje humor in zijn stem.

'Weet je, Sietze, als jij het geheim van de gehoorzaamheid leert, zal God je brengen naar plaatsen waar je nooit van hebt durven dromen. Je zegt dat je schepen wilt bouwen. God zal deuren voor je openen op manieren die je nooit voor mogelijk had gehouden, opdat zijn naam door jou zal worden verheerlijkt als de naam boven alle naam.' McDuffie was van pure geestdrift steeds harder gaan praten, maar nu dempte hij zijn stem weer. 'Maar jij moet wel een gewillig werktuig zijn en dat kan maar op een manier: je moet jezelf ter beschikking stellen, opdat hij je kan gebruiken. Word de klei in de hand van de pottenbakker, Sietze, dan zul je eens zien wat de Heer kan doen.'

Van zijn hooggestemde dromen over snelle zeilschepen naar het bezoeken van de dorpsdronkelap was een hele stap. Sietze ging staan en rekte zich uit. Op dit moment had hij niets anders te bieden. Gehoorzaamheid was het enige wat hem overbleef.

21

'allo Warren,' begroette Cherish de jonge-man bij de voordeur. Het was de dag na het feest en Warren verontschuldigde zich nog-maals dat hij niet had kunnen komen, maar ze stelde hem snel gerust. Na wat beleefdheden over en weer vroeg hij of hij haar vader even kon spreken. Hij leek ernstig gestemd en ze vroeg zich in stilte af wat er aan de hand kon zijn.

'Zeker wel,' antwoordde ze ondertussen op zijn vraag. 'Hij is in de zitkamer.' Ze bracht hem erheen en liet de beide man-nen alleen.

Toen ze een kwartier later terugkwam, was haar vaders gezicht een en al lachrimpel.

'Cherish, ik heb geweldig nieuws.'

Ze keek van de een naar de ander. Warren leek niet langer ernstig of verlegen, maar glimlachte even breed als haar vader. 'Wat dan?'

'Warren hier, onze goede vriend, en naar ik hoop spoedig meer dan dat' – hij keek haar veelbetekenend aan – 'is zo gul geweest mij vijfhonderd dollar te geven om de werf op gang te houden tot ik weer op de been ben.'

Ze was met stomheid geslagen. 'Hoe wist jij dat nou?' vroeg ze Warren. En tegen haar vader: 'Heeft u het hem verteld?'

Ze kon nauwelijks geloven dat hij iemand van buiten de familie om geld zou vragen.

'Natuurlijk niet! Warren had het van zijn vader gehoord, die in de directie van de bank zit en daardoor op de hoogte was van onze tijdelijke moeilijkheden.' Hij keek weer naar Warren. 'Als je eens wist hoe dankbaar we je zijn voor dit betoon van vriendschap.' En de beide mannen schudden elkaar warm de hand.

Daarna nam haar vader afscheid en liet haar met Warren alleen. Ze wist niet wat ze moest zeggen, zo overweldigd was ze door het geschenk.

'Warren, je kunt je gewoon niet voorstellen hoe hard we dit nodig hadden. Ik beloof je dat we je ooit zullen terugbetalen,' zei ze hartstochtelijk.

'Dat is niet nodig, hoor,' zei hij rustig. 'Ik wilde je alleen maar uit de brand helpen.' Hij grijnsde even. 'Ik had niet eens zo heel veel geld achter de hand. Ik moest het echt bij elkaar schrapen.'

Nu voelde ze zich nog eens temeer aan hem verplicht. 'Je had dat geld niet aan ons hoeven geven.'

'Jawel,' was het antwoord; het klonk grimmig. 'Ik heb er tegen je vader niets over gezegd, omdat ik hem niet van streek of bezorgd wilde maken, maar mijn vader zit al heel lang te azen op een situatie als deze. Hij is aan het rondkijken of hij ergens een werf kan overnemen, en dit was natuurlijk een uitgelezen kans.'

Hij legde haar uit welke positie zijn vader innam op de bank en ze luisterde geschokt toe, terwijl Warren begon te ijsberen. 'Dus je begrijpt dat ik op de een of andere manier het geld bij elkaar moest zien te krijgen. Zelf had ik niet veel contanten. Maar ik wilde onder geen beding dat jij je onder druk voelde staan om op mijn aanzoek in te gaan. Als je besluit met mij te trouwen, moet je dat doen omdat je dat wilt, en niet om je vader te redden.'

Het bloed vloog naar haar gezicht, toen ze besefte dat hij

haar innerlijke strijd had begrepen. Dikke tranen sprongen in haar ogen. Hij was een echte vriend. 'O, Warren, hoe kunnen we je ooit voldoende bedanken?' Ze sprong op en omhelsde hem. Hij hield haar stevig vast, maar maakte geen ogenblik misbruik van de situatie.

Na een paar seconden maakte ze zich voorzichtig uit zijn armen los en grabbelde in haar zak naar een zakdoek. 'Ik... ik beloof je dat ik niet te lang zal wachten met mijn antwoord,' zei ze heftig, terwijl ze haar ogen depte, zodat ze hem niet aan hoefde te kijken.

Later die middag was ze in het kantoor bij de werkplaats, toen ineens de deur openging en tot haar verbazing kapitein Phelps naar binnen stapte.

'Goedemiddag,' zei hij met een glimlach die ontelbare rimpeltjes om zijn ogen toverde. Wat was het toch een knappe man, constateerde ze opnieuw, en wat vormden hij en zijn vrouw toch een opvallend paar.

'Goedemiddag, kapitein Phelps,' glimlachte ze terug. 'Wat kan ik voor u doen?'

'Ben jij de dochter van Tom Winslow?' vroeg hij en keek haar opmerkzaam aan.

'Ja.'

'Nee maar, ben jij even een hele jongedame geworden! In mijn herinnering was je nog zo'n klein ding dat om het hoekje van een bootskelet naar me stond te gluren.'

Ze begon te lachen. 'Dat klinkt wel alsof ik het was, ja.'

'Is je vader in de buurt?'

Ze werd weer ernstig. 'Nee, mijn vader heeft deze zomer wat met zijn gezondheid getobd en de dokter staat hem nog steeds niet toe zijn werkzaamheden weer te hervatten.'

'Dat is erg vervelend, zeg. Hoe gaat het nu met hem?'

'Hij knapt op. Het was zijn hart.'

Kapitein Phelps schudde zijn hoofd. 'Het is me wat. Maar klopt het dat jij hier voor je vader invalt?'

'Ik doe mijn best. Het valt niet mee om in zijn schoenen te

staan.'

'Nee, dat is altijd zo,' antwoordde hij begrijpend en ze bedacht dat hij ook voor het bedrijf van zijn vader had gewerkt.

'Ik moet u nog feliciteren met uw overwinning van gisteren. Het was een fantastische race.'

'Dank je. Wist je dat die boot hier gebouwd is?'

Ze glimlachte. 'Jazeker. Ook al ben ik een poos weg geweest, ze hebben me steeds van de gebeurtenissen hier op de hoogte gehouden. Daarom zijn mijn gelukwensen extra gemeend: eigenlijk hebben wij evengoed gewonnen!'

'Zo is dat. Dat is ook een van de redenen voor mijn bezoek. Ik wilde eigenlijk een babbeltje maken met die jongeman die de boot voor me gebouwd heeft. Is Sietze de Vries er toevallig ook?'

De lach verdween van haar gezicht. Wat kon ze deze man vertellen? 'Hij is er op dit moment niet,' begon ze, 'maar u kunt hem na vieren treffen op de pastorie.' Ze was blij met deze plotselinge inval, want nu hoefde ze niet van de visfabriek te vertellen. Waarover zou de kapitein met Sietze willen spreken? Zou hij hem een order willen geven voor een nieuwe boot? Dat leek onwaarschijnlijk; hij had net een nieuwe. Maar goed, hopen kon altijd.

'Ach.' De kapitein leek teleurgesteld. 'Hij is een prima vakman.'

'Dat is hij zeker,' viel Cherish hem onmiddellijk bij. 'De beste die er is.'

Hij lachte. Haar enthousiasme leek hem te amuseren. Toen zette hij zijn hoed weer op. 'Nou, als je hem ziet, zeg hem dan maar vast dat ik voor hem geweest ben. En anders ga ik vanmiddag wel even bij dominee McDuffie langs.'

'Kapitein Phelps?'

'Ja, wat is er?'

'Ik wilde u ook nog feliciteren met uw huwelijk.'

Hij glimlachte opnieuw. 'Dank je wel. Ik ben een gezegend

mens.'

Ze knikte. Ze was haar verbazing over de metamorfose van Kabeljauw Ginny nog steeds niet te boven.

'We komen deze week wel even samen bij je vader op bezoek.'

'Dat zal hij fijn vinden,' zei ze.

Sietze had zich nog maar nauwelijks gewassen en schone kleren aangetrokken, toen kapitein Phelps zijn opwachting maakte. Het bezoek verbaasde Sietze en die verbazing nam nog toe toen hij de reden ervan vernam.

'Een vriend van mij in Boston wil graag dat je een jacht voor hem bouwt,' zei de kapitein plompverloren. 'Een wedstrijd-jacht welteverstaan.'

Sietze kon zijn oren niet geloven en staarde de man met open mond aan.

'Ik weet niet of je de wedstrijd van gisteren hebt gezien?'

'Nee, ik kon er niet bij zijn.'

'Jammer. De boot die jij voor me hebt gebouwd heeft met glans gewonnen. Maar dat is nog niet alles. Voordat ik hier-heen kwam heb ik ook in Boston aan een zeilwedstrijd mee-gedaan en die won ze eveneens.' Hij grijnsde Sietze toe. 'Die vriend van me was zo onder de indruk dat hij er zelf ook een wil hebben.'

Sietze liet zijn ingehouden adem ontsnappen. 'Ik weet het niet, hoor. Ik... ik werk niet meer op de werf, om te begin-nen.'

De felle, blauwe ogen van de kapitein namen hem scherp op. 'O, nee? Hoe komt dat?'

Sietze keek een andere kant op. 'Dat is een lang verhaal,' zei hij na een poosje. 'Meneer Winslow en ik hadden een klein meningsverschil, laten we het daar maar op houden. Maar ik heb dus niet de beschikking over een werkplaats en even-min over gereedschap.'

Kapitein Phelps dacht een ogenblik na. 'Je zou bij mij in de schuur kunnen werken. Dan maken we daar gewoon een werkplaats van.'

Sietze raakte helemaal in de war. Hij staarde langs de kapitein heen naar de inktblauwe zee achter hem.

Heer, wat wilt u dat ik doen zal? Komt dit van u?

Het zou de vervulling van een langgekoesterde droom betekenen, maar voor het eerst in zijn leven realiseerde Sietze zich dat er belangrijker dingen waren dan boten bouwen.

'Mag ik er tot morgen over nadenken?'

'Natuurlijk, doe dat vooral.'

'Ik heb beloofd dat ik bij Winslow op de werf een handje zou helpen, tot de schoener waaraan ze nu bezig zijn kan worden opgeleverd. Maar dat doe ik alleen in de avonduren.'

'Nou, dat bijt elkaar dan toch niet?'

Sietze schraapte zijn keel. 'Overdag werk ik in de visfabriek bij de haven.'

Kapitein Phelps knikte kort. 'In dat geval heb je voor dit project te weinig tijd over. Zou je willen overwegen die baan op te zeggen voor een tijdelijke klus als deze?' Hij dacht even na. 'Als deze boot even snel wordt als de vorige ben je in een mum van tijd beroemd. Daar zal ik persoonlijk voor zorgen.'

Sietze kon het allemaal zo snel niet verwerken, maar de kapitein ging met groeiend enthousiasme verder: 'Heb je het gehoord van die wedstrijd in Engeland? Die werd gewonnen door een jacht met de naam *Jullanar*. Men zegt dat bij de bouw ervan een aantal interessante innovaties waren doorgevoerd. De bouwer had zowel uit de voor- als de achtersteven al het overbodige hout weggelaten en het schip getuigd als een yawl in plaats van als een schoener. Ik zit nog te wachten op meer details. Maar het interessante is, dat de boot was ontworpen door iemand die in de wereld van de scheepsbouw onbekend was; hij was zelf niet eens scheepsbouwer.'

Terwijl de kapitein maar door praatte over zeiljachten en

zeilwedstrijden, voelde Sietze zijn opwinding toenemen. Dit hele aspect van de zeilvaart was voor hem onbekend terrein. 'De zeiljachten die in de vijftiger jaren werden geïntroduceerd hebben een terugwijkende achtersteven en de scherpe lijnen van een klipper. Het zeildoek wordt strakker gespannen. In de jaren daarna hebben de ontwerpers geëxperimenteerd met de combinatie van een ijzeren geraamte en een houten beplanking. De nieuwe schepen van tegenwoordig hebben een klipperachtige boeg. Als wij de koppen bij elkaar steken en het ontwerp van de *Jullanar* goed bestuderen, kunnen we zelf vast ook wel een paar vernieuwingen bedenken.'

Met deze woorden nam de kapitein afscheid. Sietze stond het rijtuigje roerloos na te kijken. Zijn hoofd tolde van de nieuwe mogelijkheden, en hij kon nauwelijks een samenhangende gedachte formuleren. Wat hij nu nodig had was een rustige plek om met God te kunnen praten.

Het gevreesde moment was aangebroken. Warren kwam opnieuw op bezoek en Cherish wist dat ze niet langer kon wachten met haar antwoord.

In het kantoor van de werkplaats gingen ze tegenover elkaar zitten, elk aan een kant van het bureau. 'Heb je nog gelegenheid gevonden om over mijn aanzoek na te denken?' vroeg Warren nadat ze een poosje over koetjes en kalfjes hadden gepraat.

'Ja.' Ze keek naar de briefopener die voor haar lag. 'Warren, ik geef heel veel om je en ik zal altijd woorden tekortkomen om je te vertellen hoeveel je hulp voor me heeft betekend. Die had niet op een beter moment kunnen komen en ik beloof je dat mijn vader en ik je alles zullen terugbetalen.'

'Houd nu maar eens op over dat geld. Ik heb je al gezegd dat dat er niets mee te maken had.'

'Je bent zo aardig! Kon ik maar...' Ze beet op haar lip. Zelfs nu twijfelde ze nog of ze in staat zou zijn haar leven in

Haven's End het hoofd te bieden zonder de geborgenheid die Warren Townsend haar bood.

'Ik weet dat je niet van me houdt,' zei hij plotseling tot haar verbazing. 'Maar we kunnen toch goed met elkaar opschieten?'

'Nou zeg! Jij houdt ook niet van mij!' flapte ze eruit.

Hij leek niet van zijn stuk gebracht, eerder opgelucht. 'Maar ik denk wel heel vaak aan je. Je bent het aardigste en knapste meisje dat ik ken. Ik heb er alles voor over om je te helpen.'

Over het bureau heen greep ze zijn hand. 'O, Warren, je bent te goed voor deze wereld. Je zult nooit begrijpen hoe diep je vriendschap me geraakt heeft.'

Hij gaf een kneepje in haar hand. 'Je hoeft me nog steeds geen antwoord te geven. Ik heb helemaal geen haast – tot wanhoop van mijn ouders, overigens.'

Ze keek hem meelevend aan en klopte hem op de hand. 'Dank je, maar ik wil je niet langer aan het lijntje houden. Het antwoord is nee – het kan niet anders.' Haar hart zei dat ze de juiste beslissing had genomen, maar hoe ze dit aan haar vader zou moeten vertellen wist ze niet. 'Soms wilde ik dat we wel verliefd op elkaar waren. Het zou alles zoveel gemakkelijker hebben gemaakt, denk je ook niet?'

'Zeker weten,' zei hij lachend, maar toen werden zijn ogen somber. 'Ik heb soms het gevoel dat we al bij onze geboorte een strop om onze nek hebben en bij het ouder worden gaat die steeds strakker en strakker zitten tot we ons bijna niet meer kunnen verroeren.'

'Warren, nee toch! Is het zo erg om de zoon van Warren Townsend de Tweede te zijn?'

Als om zijn bedoeling te illustreren haalde hij zijn wijsvinger langs de binnenkant van zijn boordje. 'In het bedrijf moet ik steeds meer van vader overnemen en daar komt dan de druk om met een geschikte jongedame te trouwen nog eens bij. Ik kan haast niet meer ademhalen. Dat is niet persoonlijk bedoeld, hoor,' voegde hij er haastig aan toe.

Ze begon te lachen. 'Zo vatte ik het ook niet op. Arme jij.' Deze keer greep ze zijn beide handen en hield ze stevig vast. 'We zitten in hetzelfde schuitje. Mijn vader zal diep teleurgesteld zijn als hij hoort dat ik je aanzoek heb afgewezen.' En ze glimlachten verdrietig naar elkaar.

Nadat Sietze de McDuffies kort had ingelicht over het aanbod van kapitein Phelps, had hij de rest van de nacht in gebed doorgebracht. Nu wilde hij het graag gaan vertellen aan de enige persoon die het volledig zou kunnen begrijpen. Tijdens de middagpauze verliet hij de visfabriek, in de wetenschap dat hij maar weinig tijd zou hebben. Daarom liep hij snel naar de werkplaats en meteen door naar het kantoor. Als ze nog niet was gaan eten, zou ze daar ongetwijfeld zijn. Hij gluurde door het raam, maar deinsde meteen geschrokken achteruit. Daar zaten Townsend en Cherish elkaar met warme blik aan te kijken, hun handen ineengestrengeld. Al zijn blijdschap en voorpret waren in een klap verdwenen. Hij dacht terug aan Cherish' verzekering dat hij, Sietze, de enige was met wie ze op zo'n losse manier omging en zijn mond vertrok in een grimmige, smalle streep toen hij haar tegen Warren zag glimlachen. Daarna draaide hij zich om en ging weg, vervuld van een bitterheid die alle enthousiasme over het bezoek van de kapitein dreigde te smoren.

Het was een warme en benauwde dag geweest. Nu was het zeven uur, het was eb en er was geen wolkje aan de hemel te zien. De zon stond nog hoog boven de horizon en de schorren en slikken leken de middaghitte te weerkaatsen.

Cherish klom langs de helling omhoog naar de schoener, die er verlaten bij stond. Het schip was bijna voltooid; alleen de masten ontbraken nog, maar die zouden pas worden aangebracht nadat het schip te water was gelaten. Ze tilde haar rokken wat op en klom het dek op. Het rook er naar terpentine.

Sietze stond met zijn rug naar haar toe. In zijn ene hand had hij een emmer, in de andere een borstel. Ze bleef staan waar ze stond en keek naar hem. De afgelopen dagen had ze hem niet een keer gezien. Hij had wat dat betreft al naar een andere stad verhuisd kunnen zijn.

'Hallo, Sietze,' zei ze uiteindelijk.

Hij draaide zich met een ruk om; de inhoud van de emmer klotste over de rand en hij stak de hand met de borstel erin afwerend uit.

'Hallo, Cherish.' Zijn stem was ernstig en er lag een behoedzame blik in zijn ogen.

'Wat stinkt hier zo?' informeerde ze.

Hij wees op het mengsel van lijnzaadolie en kerosine, waarmee het hout werd ingesmeerd om rotting te voorkomen. Ze zag dat zijn overhemd open hing. Hij zette de emmer en de borstel neer en trok met zijn ene hand snel de twee panden bij elkaar. Daarna draaide hij haar de rug toe en begon de knopen vast te maken. Toen hij zich weer omdraaide, leek hij meer op zijn gemak dan eerst. Zonder haar nog een blik waardig te keuren, raapte hij de borstel weer op en begon de vloerplanken te bewerken. Omdat hij geen aanstalten maakte met haar te praten, ging ze op het dolboord zitten en keek zwijgend toe hoe hij steeds opnieuw de borstel in de emmer doopte en ermee over de planken ging. Door zijn knielende houding viel voortdurend zijn pony naar voren. Telkens weer moest hij het haar uit zijn ogen strijken. Na een poosje pakte hij een lap vol vlekken en begon daarmee de in lijnzaadolie gedrenkte planken op te wrijven. Zijn overhemd plakte aan zijn bezwete rug.

'Sietze, waarom kom je nooit meer bij ons thuis? Papa is niet boos op je. Hij is juist dankbaar voor alles wat je tijdens zijn ziekte op de werf hebt gedaan.'

Hij antwoordde niet en Cherish probeerde haar opkomende

ergernis te bedwingen. Waarom zei hij nou niks?

'Sietze?'

Nu keek hij haar eindelijk aan. Hij zat nog steeds geknield en zijn arm lag op zijn knieën, de lap bungelend in zijn hand. Ze wilde niets liever dan naar hem toe gaan en de haarlok wegduwen, die opnieuw over zijn voorhoofd was gegleden.

'Vind je het wel verstandig om hier zo laat op de dag nog bij mij te zijn?'

Ze staarde hem met open mond aan. 'Waar heb je het over?'

Hij verfrommelde de lap tot een prop. 'Zou je vriend Townsend er geen bezwaar tegen hebben?'

'Warren? Wat heeft hij ermee te maken of ik met jou praat of niet?'

Zijn grijze ogen gleden over haar heen. 'Is het onder de meisjes in Boston of in Europa de gewoonte om onder vier ogen met andere jongemannen te praten, zodra hun aanbidders even niet in de buurt zijn?'

Was hij misschien een beetje jaloers? 'Hoe kom je erbij dat Warren mijn aanbidder is?'

'Is dat dan niet zo?' Hij keek haar vorsend aan, maar ze gaf geen krimp. 'Het had gekund.'

Nu sloeg hij zijn ogen neer. 'Wat bedoel je daarmee?'

'Hij heeft me ten huwelijk gevraagd.'

'Dat wilden je vader en jij toch ook graag?'

'Papa wilde het graag, dat klopt.' Ze was blij en opgelucht dat ze er eindelijk met hem over kon praten en legde uit: 'Papa zou er erg blij mee geweest zijn. Het zou veel problemen hebben opgelost. Warren is erg goed voor ons geweest. Ik weet niet of je ervan op de hoogte was, maar... nou ja, papa heeft wat financiële problemen gehad. Door zijn hartkwaal is dat allemaal nogal uit de hand gelopen.' Ze zuchtte. 'Maar door Gods genade heeft papa op het juiste ogenblik de hulp gekregen die hij nodig had. Warren Townsend was een van degenen die te hulp zijn geschoten, gewoon uit vriendschap.'

'Of misschien omdat hij van je houdt.'

Ze voelde haar wangen rood worden.

'Ik moest me nergens toe verplicht voelen, zei hij.'

Sietze begon weer over het hout te wrijven. 'Wat heb je tegen hem gezegd?' vroeg hij, een en al oog voor de dekplanken. Cherish slikte tegen haar teleurstelling.

'Ik heb gezegd dat ik zeer vereerd was met zijn aanzoek, maar dat ik het niet kon aannemen.'

Hij stopte met wrijven. 'Waarom niet?'

Wat moest ze nu zeggen? Even bekroop haar het verlangen een beetje met hem te sollen, alleen maar omdat hij zo kil en afstandelijk deed, maar de impuls stierf even snel als hij was opgekomen. Haar gevoelens voor Sietze waren te serieus voor dat soort spelletjes. 'Het kon niet, omdat ik van iemand anders houd.'

Zijn ogen gingen halfdicht zodat ze niet kon zien welke uitwerking die mededeling op hem had. 'Je zou met hem anders veel beter af zijn geweest.'

'Niet als ik niet van hem houd.'

'Doe je dat dan niet?' Hij begon weer verwoed te poetsen.

'Ik kan toch niet tegelijkertijd van hem houden en van jou?'

Hij verstarde en een paar eindeloze seconden keken ze elkaar diep in de ogen. Haar hart bonsde van haar eigen vrijmoedigheid, maar ze vertikte het om nu terug te krabbelen. Ze begreep nog steeds niet hoe er zo'n kloof tussen hen had kunnen ontstaan en was van plan nu eindelijk de oorzaak ervan eens boven tafel te krijgen.

'Heb je me niet gehoord?' fluisterde ze.

Hij ging staan en keerde haar de rug toe. 'Jawel.'

'Sietze, wat is er deze zomer met ons gebeurd? Vroeger kon ik altijd met je praten. Maar tegenwoordig doe je net alsof je vijand ben of zelfs helemaal niet besta!'

Toen hij geen antwoord gaf en alleen maar naar het vod in zijn hand bleef staren, ging ze op kalmere toon verder: 'De manier waarop mijn vader je behandeld heeft, was echt schandalig. Hij moet nog ontdekken dat ik een volwassen vrouw ben die in staat is haar eigen beslissingen te nemen.'

'Cherish, misschien heeft je vader wel gelijk. Je bent nog heel jong. Hoe weet jij nou dat wat je voelt echte liefde is en niet de een of andere... kinderlijke bevlieging die je ooit zult ontgroeien?'

Dit ging heel anders dan ze zich had voorgesteld. Hoe kreeg hij het in zijn hoofd om haar liefde in twijfel te trekken?

'Denk je echt dat wat ik voel niet meer dan een bevlieging is? Heb je enig idee hoe lang ik al van je houd? Dacht je soms dat Warren Townsend mijn eerste aanbidder was en dat zijn attenties mij het hoofd op hol zouden brengen? Als ik besluiteloos overkwam, dan was dat alleen omdat ik de wanhoop nabij was door papa's ziekte en het dreigende faillissement. Ja, dat hoor je goed, een faillissement! Ik kon bij niemand terecht. Ik wilde het jou wel vertellen, maar papa had je per slot van rekening op een onvergeeflijke manier behandeld en ik wist dat je ergens anders verder zou kunnen komen.' Haar lippen trilden, maar nu ze eenmaal was begonnen, kon ze de woordenvloed niet meer stoppen.

'Maar zelfs toen wist ik wel dat ik Warrens aanzoek niet kon accepteren, zelfs niet al zouden papa en ik daardoor op straat komen te staan.'

'Het spijt me te horen dat jullie financiële moeilijkheden hebben,' begon Sietze schutterig. Het was het enige wat hij kon verzinnen.

'Ik dank de Heer voor de vriendschap van Warren. Hij heeft zijn schamele beetje spaargeld aan ons gegeven en verlangde niets terug voor zijn gulheid. Ik heb beloofd hem op een dag terug te betalen, hoe dan ook.'

Sietze had zich weer omgedraaid en ze besefte te laat hoe beroerd het voor hem moest zijn, dat hij niet hetzelfde als Warren had kunnen doen.

'Maar jij hebt ons ook geweldig geholpen, hoor,' zei ze haastig, 'door iedere dag na je werk hier te komen helpen. En dat na wat mijn vader je had aangedaan! Niemand kan zich een betere vriend wensen dan jij bent.'

'Hou op, Cherish! Ik heb niet meer gedaan dan Ezra of Will,' zei hij scherp, alsof ze hem beledigd had. 'Nou moet je eens goed luisteren, je zou me een groot plezier doen als je je gevoelens voor mij maar helemaal vergat. Je bent pas negentien. Je denkt dat ze echt zijn, maar je bent te jong om dat te kunnen beoordelen. Je komt heus nog wel iemand anders tegen. Warren is het dan misschien niet, maar er komt vast nog wel iemand opdagen...'

Ze staarde hem vol ongeloof aan, met het gevoel alsof hij haar liefde had gestolen en vertrapt. 'Je hebt geen woord gehoord van wat ik zei, of wel? Ik heb mijn portie aanbidders heus wel gehad – en sommigen van hen waren als huwelijkskandidaat geschikter en meer in trek dan Warren Townsend ooit zal zijn!' zei ze ijzig. 'Ik heb er in Europa een spoor van achtergelaten. Ik weet heus wel wat papa's bedoeling was met mijn buitenlandse reis! En ik heb oprecht mijn best gedaan om hem ter wille te zijn. Ik heb elke kathedraal die ik zag bezocht, elk monument bekeken, ik ben door alle oude straatjes gewandeld en heb alle panorama's bewonderd die me waren aanbevolen. En dat alles met enthousiasme en een opgewekt gezicht, hoe geforceerd dat soms ook aanvoelde, als ik bedacht hoe ver ik van huis was – hoe ver van jou! En steeds dacht ik: *Was Sietze maar hier!* Ik bekeek alles door jouw ogen. Wat zou Sietze gevonden hebben van het plafond van de Sixtijnse Kapel? Zou hij die picknick in de heuvels van Fiesole leuk hebben gevonden, of ervan genoten hebben door de zalen van het Louvre te kunnen lopen?' Ze schudde verdrietig het hoofd. 'Ik heb je er zoveel over geschreven, maar alles wat ik terug kreeg waren een paar schamele ansichtkaarten waar ik dan weken op zat te turen tot de volgende kwam.'

Ze lachte schamper. 'Ik weet heus wel wat je van al die din-

gen gevonden zou hebben. Je zou met me hebben meege-
praat en overal mee naartoe zijn gegaan, maar uiteindelijk
heb je alleen maar oog voor de zee. Voor de zee en voor je
geliefde boten, niet voor al die grootse voorbeelden van
menselijk kunnen.'

Sietze smeet de lap op de grond en haalde wild een hand
door zijn haar. 'Zie je nou wel? Met alles wat je zegt, bevestig
je alleen maar dat ik niet de juiste man voor je ben. Ik ben
nooit ergens geweest, ik heb zelfs nauwelijks op school
gezeten! Je zegt het zelf: boten zijn het enige waar ik iets van
af weet. Je vader heeft gelijk...'

'Sietze, hou je mond!' Ze deed een stap in zijn richting. 'Zet
me niet zo op een voetstuk. Ik ben een vrouw, geen godin
of zo.'

Hij stak afwerend een hand uit. 'Kom niet dichterbij, Cherish.
Maak het niet moeilijker dan het al is.'

'Waar ben je toch zo bang voor? Soms denk ik dat je meer
om mijn vader geeft dan om mij. Je probeerde niet eens
jezelf te verdedigen, die dag dat hij ons betrapt had. Het leek
wel of je je schaamde. Zit dat er soms achter? Schaam je je
ervoor dat je iets voor mij voelt? Is je werk belangrijker voor
je dan ik? Mijn vader heeft je al ontslagen. Wat kan hij je nog
meer aandoen?'

Hij zei niets, maar ze zag zijn kaken verstrakken. Ze zou
hem net zo lang treiteren tot hij eindelijk eens zei wat hij
echt voelde.

'Je bent een lafaard, Sietze. Of wacht je alleen maar een goede gelegenheid af om het hogerop te zoeken?' Ze draaide
zich om. Hij zou niet zien dat ze op het punt stond in tranen
uit te barsten.

'Cherish...' Het klonk aarzelend, onzeker. Ze kon er niet
eens uit opmaken of er nog meer zou volgen.

Na een korte stilte zei hij zacht: 'Misschien heb je wel gelijk.
Misschien weet ik niet hoe ik moet liefhebben. Misschien
ben ik bang voor de liefde die ik in jouw ogen zie.'

Langzaam draaide ze zich weer naar hem toe. Hij stak weer een hand naar haar uit, maar liet die toen slap neervallen. 'Ik kan niet aan jouw idealen voldoen, Cherish. Soms denk ik dat al mijn gevoelens al lang geleden zijn gestorven.'

Cherish slikte krampachtig. Voor het eerst sinds ze weer thuis was, voelde ze zich verslagen. Ze wist dat de angst die ze nu hoorde in zijn stem en zag in zijn ogen en in ieder gebaar, een levensgrote werkelijkheid voor hem was. Ze begreep die niet en kon de oorzaak ervan niet benoemen, maar hij was even tastbaar als de stevige, eiken planken waarop ze stonden.

Op dat moment drong het tot haar door dat ze tegen alles opgewassen zou zijn geweest – haar vaders teleurstelling, een leven in armoede, het verlies van de scheepswerf en haar bevoorrechte positie in het dorp – maar niet tegen de angst in Sietzes ogen. Ze besefte dat hij die waarschijnlijk al bij zich droeg toen ze elkaar in de werkplaats voor het eerst ontmoetten. Tegenover een dergelijke angst stond ze machteloos.

'Ik vind het zo erg voor je, Sietze. Echt verschrikkelijk.'

Langs de loophelling liep ze terug naar het strand. Ze verwachtte niet dat hij haar terug zou roepen en dat deed hij ook niet.

O, Vader, u bent de enige die Sietze kan bevrijden. Ik heb geprobeerd tot hem door te dringen, maar het lukt me niet. Ik wil zijn verdriet niet nog groter maken. Ik merk dat hij iets voor me voelt, maar het is niet genoeg.

Onophoudelijk stroomden de tranen langs haar wangen, terwijl de afstand tussen hen beiden groter en groter werd.

22

*C*herish zat met haar vader en tante Phoebe te ontbijten, toen de laatste tegen haar broer zei: 'Ik heb eindelijk een brief terug van Penelope en gelukkig maakt de inhoud ervan haar trage reactie meer dan goed.'

'Hoe gaat het met haar?' bromde Winslow, die net een grote hap van zijn gebakken bonen nam.

'Prima. Ik heb haar meteen na jouw hartaanval geschreven, om te informeren naar een goede specialist in Boston.'

'Wat zeg je?' Winslow gooide zijn vork neer.

'Je hoort me wel. Als iemand verstand heeft van hartspecialisten, dan is het Penelope wel. Ze heeft al tientallen jaren last van hartkloppingen. Nu schrijft ze dat ze voor jou een afspraak heeft gemaakt met de beste arts die er in Boston te vinden is. We kunnen bij haar logeren en bovendien is ze zo royaal om haar buitenhuisje bij het meer in New Hampshire ter beschikking te stellen voor je verdere revalidatie.'

Tom Winslow keek grimmig. 'En het kwam niet bij je op om aan mij te vertellen dat je nicht Penelope over mijn toestand had ingelicht?'

'Gezien je toestand kwam dat inderdaad niet bij me op, nee,' antwoordde tante Phoebe droogjes. 'Geef me de broodjes eens aan, Cherish.'

Cherish was over de brief van Penelope even verbaasd als haar vader. 'Wanneer zou papa moeten vertrekken?'

'Zo snel mogelijk. De afspraak is... even kijken... op de acht-tiende, dat is over een week. We kunnen de nachtboot naar Boston nemen. Volgens Penelope kunnen we daar het beste de trein naar de White Mountains pakken.'

'Denkt ze nou echt dat ik in een paar dagen kan inpakken en alles achterlaten? Ze heeft klaarblijkelijk geen flauw benul van wat er bij een bedrijf allemaal komt kijken.'

'Papa, u hebt de afgelopen tijd hooguit een uur of twee op de werf doorgebracht,' zei Cherish voorzichtig. 'Ik vind het een goed idee dat u naar een specialist gaat en eens echt rust neemt, weg van alle drukte hier.'

'En wie moet de werf dan runnen?'

'Dat kan ik best doen. Het loopt op dit moment toch niet zo hard,' zei ze zacht.

'Onzin, jij gaat natuurlijk mee!' zei tante Phoebe gedecideerd en zonder op Cherish' reactie te wachten, wendde ze zich tot haar broer: 'Moet je die dochter van je nou eens goed bekijken. Ze ziet eruit als een geest. Als je Penelope's uitno-diging dan niet voor jezelf wilt aanvaarden, doe het dan voor Cherish.'

Haar vader keek Cherish zo lang en vorsend aan, dat die zich onbehaaglijk begon te voelen. Ze wist heel goed dat ze kringen onder haar ogen had die zich niet lieten wegwer-ken. Na een poosje knikte hij bedachtzaam. 'Goed dan. We zullen haar een telegram sturen dat we er over een paar dagen zijn.'

De eerste dagen na Cherish' vertrek merkte Sietze niet veel van haar afwezigheid. Hij ging helemaal op in de opdracht die hij van kapitein Phelps had gekregen. Samen bespraken ze het ene ontwerp na het andere en dat bood voldoende afleiding. Hij had nog kort met Winslow kunnen spreken en erin toegestemd de komende maand voor halve dagen op de werf te werken, zodat hij de rest van de tijd voor de kapitein bezig kon zijn. Met een gevoel van diepe voldoening had hij bij de visfabriek zijn ontslag ingediend. Weliswaar had hij grote bewondering gekregen voor de mensen die daar werkten, en was hij dankbaar voor de lessen die de Heer hem er had geleerd, maar toch hoopte hij van ganser harte nooit meer een rauwe haring te hoeven vasthouden. Met een hart vol dankbaarheid voor de nieuwe kans die hem geboden werd, trok hij definitief de deur van de fabriek achter zich dicht.

Oppervlakkig bezien leidde hij een zinvol en drukbezet leven. Zijn vrije uurtjes bracht hij door in het gezelschap van dominee McDuffie. Door de gesprekken met de predikant en de bijbelstudies die ze samen met mevrouw McDuffie deden, begon Sietze steeds meer te ontdekken dat hij in de Schrift een antwoord op al zijn vragen kon vinden. Hij maakte er een gewoonte van om dagelijks de bijbel te lezen en merkte dat daardoor de liefde voor het Woord en de honger ernaar in hem steeds groter werden. Als hij een dag oversloeg, miste hij de geestelijke voeding die hij er altijd weer in vond.

De belangrijkste les die hij leerde was dat zijn leven niet stond of viel met boten bouwen. Hij had inmiddels gemerkt dat hij er buiten kon. Het werk had nog steeds zijn hart, en het gaf hem meer voldoening dan welke andere bezigheid ook, maar het stond niet langer centraal in zijn leven. Dat hij de wil van de Vader wilde doen, stond nu voorop. Trouw bezocht hij Tobias en op de avond dat hij hem voor het eerst over Jezus kon vertellen, daalde er een vreugde in zijn hart zoals hij nooit eerder had ervaren. Hij had het gevoel dat hij hiermee iets van eeuwigheidswaarde had gedaan, een gevoel dat hij bij zijn werk op de werf nog nooit had gehad. Tobias had alleen maar geluisterd, maar Sietze dacht aan de gelijkenis van de zaaier en was tevreden.

Ondertussen vermeed hij alle gedachten aan Cherish.

Instinctief wist hij dat hij daarvan alleen maar verdrietig zou worden. Hij hoopte maar dat hij haar er definitief van had kunnen overtuigen dat hij geen geschikte man voor haar was.

Maar de weken gingen voorbij en de stilte en de leegte in de werkplaats en in het kantoor begonnen hem terneer te drukken. In de kerk zocht hij onwillekeurig de gemeente af naar haar elegante verschijning om pas een tel later te beseffen dat ze er natuurlijk niet zou zijn. Hij miste haar bij de koorrepetitie, hij miste de onverwachte ontmoetingen in het dorp en langzamerhand drong het tot hem door hoe een leven zonder haar eruit zou zien.

Na de voltooiing van de Whitehall waaraan ze samen hadden gewerkt, dwaalde Sietze een poosje doelloos door de lege werkplaats. Hij liet zijn hand door de houtkrullen glijden en de scherpe geur bracht eens temeer de herinnering aan hun eendrachtige samenwerking bij hem naar boven.

Op een avond, toen hij terugkwam van een tochtje naar Hatsfield, dacht hij onder het varen na over wat dominee McDuffie hem had verteld over de betekenis van het kruis van Christus. De tekst over het aanbieden van je lichaam als levend dankoffer kwam ook in alle evangeliën terug. Jezus had zijn discipelen opgedragen zichzelf te verloochenen en hun kruis op te nemen als zij hem wilden volgen. Ook deze woorden leken op het eerste gezicht een onmogelijke opgave, maar dominee McDuffie had zijn best gedaan Sietze de positieve kant ervan te laten zien.

'Als je begrijpt wat het koninkrijk van de hemel inhoudt, dan ga je ook inzien dat wij er veel meer bij winnen dan God wanneer hij ons leven opeist. In zijn Zoon bezitten wij alles. In hem zijn al onze wensen vervuld, wordt aan al onze behoeften voldaan, worden wij volkomen bevrijd van onze oude, zwakke natuur en alsof dat nog niet genoeg is, ontvangen wij bovendien het eeuwige leven. Denk je eens in! Dat alles danken we alleen aan Gods genade! Het is een geschenk.' In de ogen van de predikant glansde het enthou-siasme van de koopman die alles had verkocht om de parel van onschatbare waarde te kunnen bemachtigen.

Vanuit zijn boot staarde Sietze in het vroege avondlicht over de zee. Vanochtend had hij een bijbeltekst gelezen waar hij niet uit kwam. Hij was er verder niet bij stil blijven staan, maar nu schoot het hem weer te binnen. 'Ik verwerp Gods genade niet.'

Het was Paulus die deze woorden geschreven had. Paulus was een monument van waar geloof, zoveel was Sietze in-middels wel duidelijk. Wat betekenden zijn woorden precies? Was het niet precies wat hij, Sietze, had gedaan door almaar te proberen goed te leven? Al die pogingen waren even-zoveel manieren om God een plezier te doen zonder dat ene gebod te gehoorzamen: te aanvaarden dat Christus zijn leven voor hem had gegeven. Een leven voor een leven. De enige voorwaarde was dat zijn oude leven moest verdwijnen. Zo lang hij zich nog vastklampte aan het laatste overblijfsel van de oude Sietze de Vries, had zijn eigen wil nog niet radicaal het onderspit gedolven. Hij dacht aan Cherish' liefde voor hem. Hoe hij die ook van zich af probeerde te zetten, de gedachte liet zich niet verdrijven. Had Cherish misschien een plaats in dit hele proces? Hij had zijn uiterste best gedaan zichzelf ervan te overtuigen dat Cherish niet echt van hem hield, en dat haar gevoelens niet meer waren dan een kal-verliefde, een meisjesachtige bevlieging. Waarom joeg het idee dat haar liefde de liefde was van een volwassen vrouw hem zo'n angst aan? Ze had hem een lafaard genoemd en de herinnering eraan deed nog steeds evenveel pijn. Hij had zichzelf aangepraat dat hij juist handelde door haar van zich af te stoten. Nu moest hij toegeven dat ze gelijk had gehad. Inderdaad, hij was een lafaard. Het licht van de waarheid drong onbarmhartig steeds dieper door in zijn hart en wat hij zag, deed hem ineenkrimpen.

Waarom had hij nooit willen erkennen wat de ware reden

was voor zijn afwijzing van Cherish' liefde? Dat zijn liefde voor haar oprecht was, had voor hem altijd als een paal boven water gestaan. Hij had zijn achtergrond als argument aangevoerd, en de vooroordelen van haar vader, maar dat waren allemaal uiterlijke en tijdelijke redenen. De weidsheid van oceaan en lucht die hem nu omgaf, bracht een plotselinge helderheid in zijn geest en een inzicht waar hij zich niet langer aan kon onttrekken.

Had hij Gods genade verworpen door Cherish' liefde te weigeren en haar zijn eigen liefde te onthouden? En kwam deze weigering niet voort uit angst dat hij God anders de kans gaf hem opnieuw te kwetsen? Door van een vrouw te houden en zijn hart voor haar te openen, liep hij grote risico's. Met het gevoel alsof hij volkomen naakt stond onder de open hemel erkende hij, dat liefde voor hem verbonden was met verdriet; verdriet, zo diep weggeborgen en al zolang geleden begraven dat hij zelf niet eens meer wist dat hij het bij zich droeg. Tegelijk met die openbaring kwam het besef hoe kwetsbaar God zichzelf had gemaakt door zijn Zoon Jezus onder de mensen te sturen. Tegen het einde van zijn leven had Jezus tegen zijn discipelen gezegd: 'Ik noem jullie geen slaven meer, want een slaaf weet niet wat zijn meester doet; vrienden noem ik jullie, omdat ik alles wat ik van de Vader heb gehoord, aan jullie bekendgemaakt heb.' Iemands vriend zijn betekende dat je hem kende en door hem gekend werd. God gaf mensen de gelegenheid om hem te leren kennen.

McDuffie had hem gewezen op de hartekreet van Paulus: 'Ik wil Christus kennen en de kracht van zijn opstanding ervaren...'

Als de apostel Paulus zo gedreven was, moest het omgekeerde ook waar zijn: dat God graag gekend wilde worden. Wat was de bijbel anders dan een boodschap aan de mensen? Waarom was Jezus anders naar de aarde gekomen, als het niet was om de Vader aan de mensen te openbaren? Betekende dat niet dat God wilde dat de mensen hem zouden kennen? En daardoor gaf hij hen tegelijk de kans om hem te kwetsen en af te wijzen.

In gedachten zag Sietze opnieuw voor zich hoe Jezus had geleden aan het kruis, maar deze keer was hijzelf een van degenen die de hamer hanteerden. Door de wederzijdse liefde tussen Cherish en hemzelf te ontkennen, sloeg hij de spijker van wantrouwen in de handen van zijn Verlosser.

Het kwam op vertrouwen aan. Vertrouwde hij erop dat zijn hart in veilige handen was bij een Heer die zo'n hoge prijs voor hem had betaald? Had Christus nog niet genoeg voor hem geleden? Moest hij zijn Redder opnieuw kruisigen?

Ik verwerp Gods genade niet.

Sietze moest zijn vertrouwen stellen op de liefde die Jezus aan het kruis had gebracht. Hij moest vertrouwen dat die liefde groot en oprecht genoeg was om hem bij alles wat hem overkwam stand te laten houden – zelfs als hij Cherish op een dag weer zou moeten afstaan.

Het kruis was het enige antwoord. De vesting van angst die hij om zijn hart had gebouwd, moest hij prijsgeven en toezien hoe die aan het kruis genageld werd. 'Want God had de wereld zo lief dat hij zijn enige Zoon heeft gegeven...'

God had Sietze het beste gegeven wat hij bezat. En daarmee zou Sietze dan niet tevreden zijn? Door te weigeren opnieuw lief te hebben, eiste hij eigenlijk meer dan wat Jezus voor hem aan het kruis had verdiend - alsof dat nog geen garantie genoeg was. Nu pas drong de volledige betekenis van zijn gedrag tot hem door en een diep berouw vervulde hem. Hij liet zich op het dek op zijn knieën zakken en zijn ogen schoten vol tranen.

Nee, Heer, ik wil u niet opnieuw kruisigen. Vergeef me mijn ongeloof, Heer, mijn woede en mijn angst. Vergeef me dat ik uw genade verworpen heb.

Een maand later
Augustus 1875

Pietze had de hele ochtend aan de schoener gewerkt, maar zijn gedachten waren er niet bij. Vandaag werden de Winslows terug verwacht en het enige waaraan hij kon denken was het weerzien met Cherish. Het was hem niet ontgaan dat de schoener uit Eastport in de haven voor anker was gegaan en hij rekende uit hoe laat ze van boord zouden kunnen. Jacob zou hen ophalen met de wagen, wist hij. Zouden ze meteen vandaag al naar de werkplaats komen? Hij kon zich eigenlijk niet voorstellen dat Winslow niet zou komen opdagen.

Hij liep van de werf naar de werkplaats en keek daar nog eens goed rond. De houtkrullen waren opgeveegd en alle werktuigen hingen netjes aan haken of lagen opgeborgen in de gereedschapskisten. Er was nog geen nieuwe order binnengekomen, en de reusachtige ruimte zag er leeg uit, maar het was er tenminste schoon en netjes.

De middag ging traag voorbij, zonder dat er iemand kwam opdagen. Sietze vocht tegen zijn ontgoocheling. Even speelde hij met de gedachte naar het huis te lopen en verslag uit te brengen van de afgelopen maand, maar hij zag er toch maar van af. Waarschijnlijk waren ze moe van de reis. Misschien was Winslow zelfs wel naar bed gegaan.

Gedurende de maand van hun afwezigheid had hij niet een keer bericht van hen gehad. Van Celia had hij gehoord dat ze de meeste tijd ergens aan een meer in de White Mountains hadden doorgebracht, in het zomerverblijf van dezelfde nicht met wie Cherish door Europa was getrokken.

Cherish had hem geen enkele brief geschreven, en zelfs geen ansichtkaart gestuurd.

Zuchtend sloot hij aan het eind van de middag de werkplaats af. Het had geen zin om nog langer hier te blijven. Hij ging op weg naar het huis van kapitein Phelps, om nog een paar uur in diens schuur te kunnen werken.

De volgende ochtend liep hij direct door naar de werf, zonder de moeite te nemen even bij de werkplaats of het kantoor langs te gaan. Hij verwachtte niet dat er zo vroeg al iemand zou zijn. Maar toen hij bij de schoener kwam, werd hij door Will geroepen.

'De baas is terug,' zei die grijnzend. 'Hij wil je meteen spreken.'

'Bedankt,' antwoordde Sietze alleen, draaide zich om en liep over het strand terug naar het gebouw. Noch zijn stem, noch zijn gezicht verried iets van zijn gevoelens. Zou ze bij haar vader zijn? Zou Winslow tevreden zijn met de manier waarop Sietze de werf had geleid?

Na een korte klop opende hij de deur van het kantoor. Zijn ogen schoten meteen naar Cherish, die bij het bureau van haar vader een grootboek zat te bestuderen. Ze keek even op toen hij binnenkwam, maar zei niets. Hij kon zijn ogen niet van haar af houden. Ze droeg een eenvoudige, donkerblauwe rok met een witte blouse erboven en haar haar lag in een wrong in haar nek. Ze zag er ouder uit en veel bezadigder dan hij zich haar herinnerde.

'Ah, Sietze, daar ben je al!' riep Tom Winslow uit. Hij kwam overeind, liep om zijn bureau heen en stak Sietze de hand toe.

'Welkom thuis, meneer,' zei Sietze. Hij wendde met moeite zijn blik van Cherish af en greep de uitgestoken hand in een stevige handdruk. 'U ziet er goed uit, meneer,' zei hij toen, met een blik op het gebruinde, vrolijke gezicht van de man tegenover hem.

'Ik voel me als herboren,' zei die. 'Hoe gaat het met jou, zoon? Het ziet er allemaal prima uit hier. Je hebt de zaken uitstekend waargenomen, vind je ook niet, Cherish?'

'Zeker,' zei die rustig.

Haar terughoudendheid verbaasde Sietze. Was er misschien toch nog zorg over haar vaders gezondheid? Of kwam het omdat er nog geen nieuwe orders waren binnengekomen? Maar waarom deed Winslow dan zo uitbundig?

De man hield hem nog steeds bij de arm vast en nam hem mee naar het raam dat uitzicht bood op de scheepswerf, waar de mannen bezig waren met het schilderen van de schoener.

'Ze is bijna klaar voor de tewaterlating. Heb je al een datum vastgesteld?'

Sietze keek hem even van opzij aan. Meende Winslow nou serieus dat hij, Sietze, een datum moest bepalen? Hij was zich sterk bewust van de druk van Winslows hand. Nog nooit eerder had Winslow hem op zo'n vaderlijke manier aangeraakt, ook al had hij hem al vaker zoon genoemd.

'Nee. Ik wilde wachten tot u terug was.'

'Wat schat je zelf dat haalbaar is?'

Hij haalde zijn schouders op. 'Over een week, of tien dagen hooguit. We hoeven alleen de romp nog maar te schilderen met koperverf. Het binnenwerk kan wel gebeuren als ze eenmaal in het water ligt.'

Winslow knikte. 'Goed. Laten we de kalender er eens bij pakken.'

Ze gingen terug naar het bureau en bogen zich over de bureaukalender. Deze keer keek Cherish niet op. Sietze zag alleen de bovenkant van haar hoofd.

Winslow leek helemaal geen haast te hebben hem weer weg te sturen, maar Sietze kon geen reden bedenken waarom hij zou blijven treuzelen, en dus zei hij: 'Nou, ik ga maar weer eens naar de werf.'

'Maar natuurlijk, het was niet mijn bedoeling je op te houden. Weet je wat? Kom vanmiddag gezellig bij ons eten.'

Sietze keek van vader naar dochter. De laatste leek het niet gehoord te hebben, hoewel het hem opviel dat haar potlood werkeloos boven het papier zweefde.

'Bedankt voor de uitnodiging, maar mevrouw McDuffie verwacht me op de pastorie.'

'O ja. Nou, morgen dan. Dan kun je haar van tevoren vertellen dat je niet thuis komt eten. Ik moet een paar dingen met je doorspreken.'

'Goed,' zei hij langzaam en vroeg zich af wat hem boven het hoofd hing. Het einde van hun tijdelijke overeenkomst?

Cherish keek pas op toen hij afscheid van haar vader nam. Hij knikte haar toe. 'We zien elkaar nog wel, Cherish.'

'Dag, Sietze.'

De volgende morgen ging Sietze eerst naar de werkplaats, in de hoop Cherish daar te zullen aantreffen. Hij slaakte een zucht van opluchting toen hij haar op een hoge kruk zag zitten. Ze zat een ontwerptekening te bekijken, en alles leek weer net als vroeger.

Hij kuchte even. 'Goeiemorgen.'

'Goeiemorgen.'

Opnieuw kon hij geen genoeg van haar verschijning krijgen. Deze keer droeg ze een jurk van bont bedrukte katoen en haar haren waren in een paardenstaart bijeengebonden. Hij liep naar de tekentafel toe. 'Vind je het fijn om weer thuis te zijn?' vroeg hij, in een poging de formele sfeer te doorbreken.

'Ja.'

'Hoe heb je het gehad in Boston?'

'Erg leuk, dank je.'

Ondertussen keek ze geen enkele keer van het ontwerp op, en hij kon niet helpen dat hij zwaar teleurgesteld was over haar beleefde, maar o zo afwerende antwoorden.

'Heb je veel bekenden ontmoet?'

'Ja. Wat vind jij van dit schoenerontwerp? George Henderson wil weten wat papa ervan vindt. Hij denkt erover om er een te laten bouwen.'

Sietze trok het papier naar zich toe en bekeek het, maar zonder echt iets te zien. Seringengeur zweefde zijn neusgaten binnen en uit zijn ooghoeken zag hij de waterval van donkerbruin haar die ontsnapte uit het gele lint. Hij herinnerde zich hoe in ditzelfde vertrek haar zachte lippen de zijne hadden beroerd. Wat leek dat een eeuwigheid geleden!

'Nou?' drong Cherish aan. Ze merkte blijkbaar niet dat zijn gedachten mijlenver weg waren. Haar eigen stem klonk zakelijk.

Met moeite concentreerde hij zich op de tekening, die het ontwerp behelsde voor een vissersboot van twaalf meter lang. Hij gaf mechanisch de verwachte antwoorden, vervuld van het besef dat zijn harde woorden het gewenste effect hadden gehad. Cherish gedroeg zich beleefd, alsof ze een vage kennis van hem was, en hij kon het haar niet kwalijk nemen. Hij had haar uit de hoogte behandeld en oogstte nu wat hij zelf had gezaaid.

Tussen de middag waste hij zich snel bij de pomp en trok het schone overhemd aan dat hij had meegenomen. Zo slaagde hij erin weer op kantoor te zijn voordat Cherish weg was gegaan om te eten.

Haar vader begroette hem met een brede glimlach. 'Ah, ben je klaar om mee te gaan? De dokter in Boston heeft gezegd dat ik veel moet wandelen.'

Met hun drieën liepen ze naar het huis, Cherish in het midden. Onderweg informeerde Winslow naar de McDuffies. Toen zei hij: 'Ik liep kapitein Phelps nog tegen het lijf. Hij vertelde me dat jij een klus voor hem doet. Wat houdt dat precies in?' Er klonk geen enkel verwijt in zijn stem door.

'Hij wil een jacht laten bouwen,' vertelde Sietze. 'Eigenlijk is het bestemd voor een kennis van hem in Boston. We hebben samen een paar ontwerpen en modellen gemaakt en inmiddels de kiel gelegd. Die kennis is vooral gebrand op snelheid.'

Winslow knikte en stelde nog wat aanvullende vragen, waaruit oprechte belangstelling bleek. Hoewel Cherish hem van opzij verbaasd had aangekeken toen de naam van de kapitein viel, nam ze verder geen deel aan het gesprek. Sietze verbeet zijn teleurstelling, die nog vergroot werd door de herinnering aan alle boeiende discussies die ze vroeger altijd voerden over verschillende aspecten van de scheepsbouw.

Bij het huis aangekomen werd Sietze hartelijk door mevrouw Sullivan begroet. De maaltijd verliep gezellig, maar het viel Sietze al gauw op dat het gesprek voornamelijk door mevrouw Sullivan en Winslow op gang werd gehouden. Cherish gaf opgewekte antwoorden als haar iets werd gevraagd, maar leverde verder geen actieve bijdrage. Het stak hem dat ze geen enkele interesse toonde voor zijn huidige werkzaamheden.

Na het eten verdween ze meteen naar de keuken om tante Phoebe en Celia met de afwas te helpen. Wanhopig vroeg Sietze zich af of hij haar nog eens alleen te spreken zou krijgen, om te informeren naar haar belevenissen van de afgelopen maand. Wat had die tijd met haar gedaan? Wat had *hij* met haar gedaan?

Winslow riep hem bij zich in de zitkamer. 'De dokter heeft me mijn geliefde sigaren verboden,' vertelde hij, terwijl hij het zich in zijn leunstoel gemakkelijk maakte. 'Ga zitten, Sietze.'

Toen ze allebei zaten keek Winslow hem aandachtig aan, zodat Sietze zich onbehaaglijk begon te voelen. Hij was nog niet gewend aan de nieuwe manier waarop Winslow met hem omging – zo tussen joviaal en geamuseerd in. Het leek wel alsof vader en dochter tijdens hun afwezigheid van rol hadden gewisseld. De verandering was groter dan toen Cherish twee jaar was weggeweest.

'Zo, dus je staat in een goed blaadje bij kapitein Phelps.'

'Voor zolang het duurt. Het is nog niet duidelijk hoe het schip zal varen wanneer het eenmaal in het water ligt.'

'Dat klopt, dat klopt. Maar je hebt al heel wat successen op je naam staan, Sietze. Ik heb er alle vertrouwen in dat het een schoonheid gaat worden.'

Sietze verschoof een beetje op zijn stoel. 'Nou ja, het is maar een enkel jacht. Ik moet nog steeds op zoek naar een volledige baan op een werf. Het wachten was eigenlijk alleen nog maar, eh... op uw terugkeer.' Hij schraapte zijn keel. 'En nu moet ik natuurlijk eerst het jacht nog afmaken.'

'Ja, natuurlijk.' Winslow verviel weer in stilzwijgen, maar bleef Sietze ondertussen vorsend aankijken, totdat die begon te denken dat er iets geks aan hem te zien was.

'Ik wil de werf verkopen,' zei Winslow toen abrupt.

Sietzes mond viel open. 'Wat zegt u?'

'Ik zei dat ik de werf wil verkopen. Ik heb er de afgelopen maand goed over nagedacht. De hartspecialist wond er geen doekjes om.' Hij tikte op zijn borst. 'Mijn rikketik heeft zijn beste tijd gehad. Door het infarct is mijn hart behoorlijk beschadigd en niemand kan zeggen wanneer het voor de tweede keer dienst zal weigeren. Dus het had niet veel zin om tegen te stribbelen, hoe graag ik dat misschien ook had gewild. Ik kon twee dingen doen: vrede sluiten met God en genieten van de paar jaar die me nog resten – als het al jaren zullen worden – of de tijd die ik nog over heb verspillen met zorgen en tobberijen.'

Hij knikte Sietze toe. 'Ik mag dan af en toe een flink bord voor mijn hoofd hebben, maar deze keer is de Heer erin geslaagd mijn aandacht lang genoeg vast te houden om me duidelijk te maken wat al een hele tijd zonneklaar had moeten zijn.'

Nog steeds had Sietze geen idee waar dit gesprek op uit zou draaien. Winslows opmerkingen over zijn gezondheid hadden hem doen schrikken, om nog maar te zwijgen van zijn besluit om de scheepswerf te verkopen. 'Maar Cherish dan? Zij houdt van de werf.'

Winslow knikte. 'Dat is waar. Het zal voor haar niet meevallen.'

Sietze staarde de oude man aan. 'Heeft u het haar dan nog niet verteld?'

'Nee, nog niet. Ik zei al, ik heb de afgelopen weken heel wat afgepiekerd.' Hij klopte op de leuningen van zijn stoel. 'Dus, jongeman, heb jij soms interesse?'

'Ik?'

Winslow knikte, alsof hij geen voor de hand liggender vraag had kunnen stellen. Sietze ging op het puntje van zijn stoel zitten. 'Maar dat kan toch helemaal niet.'

'O nee? Zoals ik de zaak bekijk, heb je er zelfs al voor betaald. Twaalfhonderd dollar, handje contantje.'

Sietze streek langs zijn kin en probeerde het te bevatten.

'Sietze,' zei Winslow nu, 'de Heer heeft mijn ogen geopend. Jij bent voor mij als de zoon waarnaar ik altijd heb verlangd maar die ik nooit heb gekregen. Het spijt me dat ik dat niet veel eerder heb ingezien, en dat ik je jarenlang als gewone arbeider heb behandeld in plaats van als de bekwaamste scheepsbouwer die ik in heel mijn werkzame leven ooit aan het werk heb gezien. Mijn dochter heeft maar al te vaak geprobeerd het me duidelijk te maken. Maar zelfs als ze boos op me werd maakte dat mij alleen maar hardnekkiger in mijn weigering jouw talenten te erkennen.'

Sietze ging staan. Hij kon geen moment langer op zijn stoel blijven zitten. Niets van wat Winslow zei drong echt tot hem door. 'Het spijt me, meneer, maar ik begrijp er niets van. Ik kan toch niet...'

'Ik begrijp dat het allemaal een beetje plotseling voor jou komt,' zei de oude man vriendelijk. 'Denk er maar rustig over na. Ik weet dat de werf iemand nodig heeft met een frisse blik en volgens mij ben jij zo iemand. Misschien is de tijd gekomen dat de werf van vrachtschepen overgaat op zeiljachten voor de pleziervaart en zul jij daarmee naam gaan maken. Hoe dan ook, die beslissing is aan jou. Als jij besluit dat je toch liever bij een grotere werf wilt gaan werken, dan zal ik de mijne alsnog verkopen en jou je geld terugbetalen.'

'Maar wat gaat u dan doen?'

'Och,' zei Winslow schouderophalend, 'zoals ik al zei, wat werken betreft kan ik me niet echt nuttig meer maken. Cherish heeft het erover gehad dat ze komende herfst een baantje als onderwijzeres wil gaan zoeken. Dit huis is ons eigendom. We zullen ons best redden.'

Sietze schudde zijn hoofd. Hij kon zich niet indenken wat het voor Cherish moest zijn om haar geliefde scheepswerf achter te laten, en al helemaal niet om gedwongen op zoek te moeten naar werk.

'Nou ja, denk er eens over na. Als je je geluk ergens anders wilt beproeven, zal ik daar begrip voor hebben. Je spaargeld zal je al een eind op weg helpen naar de vervulling van de droom om ooit een eigen werf te bezitten. Ik zal je nooit genoeg kunnen danken voor alle hulp die je me hebt geboden toen ik er zo hard om verlegen zat.'

'U hoeft me helemaal niet terug te betalen.'

'Dat moet wel en ik zal het doen ook,' zei Winslow op een toon die geen verdere tegenspraak duldde. 'Neem alle bedenktijd die je nodig hebt. En laten we het nu verder over aangenamer zaken hebben. Ga je me nog vragen het jacht te komen bekijken dat je aan het bouwen bent?'

'Natuurlijk. U mag komen kijken wanneer u maar wilt.'

Winslow vergezelde hem naar de deur. Met de klink al in de hand keek hij Sietze nog eens doordringend aan. 'Overigens, als je nog steeds om mijn dochter geeft op de manier waarvan ik getuige ben geweest, dan heb je mijn zegen.'

Sietze was al verbijsterd door alles wat hij het afgelopen uur had gehoord, maar nu was hij helemaal met stomheid geslagen. 'Bedoelt u dat u er geen bezwaar tegen heeft dat ik haar ten huwelijk vraag?' zei hij na een korte stilte. Hij wilde het onomwonden gezegd hebben.

'Daar komt het inderdaad op neer.'

'Goed, meneer.' De oude man stak zijn hand uit en Sietze schudde die langzaam, maar stevig.

Het was een ding om Winslows zegen te krijgen. Iets heel anders bleek het om zijn wens in daden om te zetten. Cherish hield zich op een afstand en was even ongrijpbaar als een elf. Telkens als hij erin slaagde bij haar in de buurt te komen, ontweek ze zijn blik; en dat was niets voor het meisje dat hem met haar heldere ogen altijd zo recht had aangekeken, zo direct dat hij er verlegen van werd.

Was hij misschien te laat? Had ze de afgelopen maand iemand anders ontmoet? Was het toch een kinderachtige bevlieging geweest, zoals hij zichzelf en haar had willen voorspiegelen, en was ze daar inmiddels overheen?

Het lag zeker niet aan de oude Winslow dat het tussen Sietze en Cherish maar niet opschoot. Als hij Sietze niet te eten vroeg, dan nodigde hij hem 's avonds op visite. In dat geval bracht Cherish echter de halve avond in de keuken door en als ze eindelijk bij hen in de zitkamer kwam zitten, zat ze meestal over een naaiwerkje gebogen en leverde geen enkele bijdrage aan het gesprek. Ze bleef ook nooit lang, maar stond na een poosje weer op en verdween naar een andere kamer.

Toen dit weer eens gebeurde, besloot Sietze achter haar aan te gaan. Hij nam afscheid van Winslow en mevrouw Sullivan en zette koers naar de keuken, met de bedoeling via de achterdeur te vertrekken. En ja hoor, daar zat Cherish aan de keukentafel te lezen bij het licht van een kerosinelamp.

Hij ging bij haar staan. 'Wat lees je?'

'O, zomaar een boek.' Ze deed het dicht, maar liet het hem niet zien.

'Vind je het goed als ik er even bij kom zitten?'

'Natuurlijk.' Het klonk plichtmatig beleefd.

'Je vader lijkt gewoon een ander mens sinds jullie terug zijn,' begon hij, niet goed wetend wat hem nu te doen stond.

Ze liet haar kin in haar hand rusten en keek uit het raam. 'Vind je? Dat komt vast omdat je hem een tijd niet gezien hebt. Voor mij ging de verandering geleidelijk en het is eigenlijk al begonnen toen hij dat hartinfarct had gekregen.'

'Is het waar dat de specialist hem weinig vooruitzichten biedt?'

Ze knikte en plukte aan een losse draad in het tafelkleed.

'Ik vind het echt erg voor jullie, Cherish.' Kon hij haar maar in zijn armen nemen en troosten, maar ze leek hem niet nodig te hebben. Wat was dat vroeger anders, toen ze nog een klein meisje was en altijd naar hem toe kwam rennen als ze getroost wilde worden.

'We zijn wel naar elkaar toe gegroeid in de afgelopen maand, maar het is nu anders. Ik was altijd papa's kleine meisje, en nu heb ik het gevoel dat hij me meer als zijn gelijke beschouwt.'

Cherish staarde in het vervagende daglicht en pas toen ze ophield met praten draaide ze haar gezicht naar Sietze toe. De gloed in zijn ogen bezorgde haar een schok.

Kijk me niet zo aan! Je verstoort het evenwicht dat ik de afgelopen weken met zoveel moeite heb bereikt!

Ze dwong zichzelf haar blik af te wenden. Voordat ze zich weer hersteld had, begon hij weer te praten en zijn stem was even rustig als altijd. Er was bij hem dus niets veranderd.

Niet mijn wil, maar uw wil geschiede, hield ze zichzelf in stilte voor.

'Ben je nog van plan om morgen naar het dansfeest te gaan?'

Op die vraag had ze niet gerekend. 'Nee.'

'Waarom niet? Je vond ze altijd leuk, die feesten.'

'Ik vind thuisblijven ook leuk.'

'Ik weet zeker dat je vader niet wil dat je elke avond hier blijft. Hij zou het fijn vinden als je eens uitging met mensen van je eigen leeftijd.'

Ze glimlachte verdrietig. 'Je praat net als een bejaarde tante.'

Hij wreef zijn nek. 'Dat was niet de bedoeling. Ik dacht alleen maar dat je eigenlijk...'

Ze viel hem in de rede voordat hij nog meer over het onderwerp had kunnen zeggen. 'Vertel me eens iets over dat project van kapitein Phelps.'

Hij keek haar een paar seconden wat wantrouwend aan, maar begon toen toch te vertellen hoe hij de kapitein had ontmoet. Ze luisterde niet echt naar wat hij zei, maar liet zijn woorden als een warm bad over zich heen spoelen. Liever nam ze zijn gelaatstrekken in zich op, terwijl ze ondertussen mechanisch op de juiste momenten knikte en humde om te suggereren dat ze aandachtig zat te luisteren.

Zijn groengrijze ogen stonden somber, zelfs nu hij kon vertellen over iets wat zijn hart had. Hij was gezegend met die gladde, glanzend bronzen huidskleur die zo kenmerkend is voor bepaalde volken van Noordeuropese origine en de uiteinden van zijn donkerblonde haren waren gebleekt door de zon. Nog altijd had hij de gewoonte de dikke lok die steeds over zijn voorhoofd viel naar achteren te strijken.

Nog even, en hij zou voorgoed vertrokken zijn. In de afgelopen maand had ze dat leren aanvaarden. Als het de wil van de Heer bleek, was ze bereid een leven zonder Sietze te accepteren.

Met een glimlach moedigde ze hem aan te blijven vertellen, en ze werd beloond door het oplichten van zijn ogen toen hij beschreef hoe hij zich het jacht precies voorstelde.

Naderhand, toen hij weg was, gaf ze zichzelf een schouderklopje om de luchtige toon waarop ze hem goedenacht had gewenst. Ze had hem niet eens een hand gegeven! Meteen boog ze zich weer over haar boek. En wie haar zo had zien zitten, had niet kunnen denken dat de woorden haar vanaf de pagina aangrijnsden zonder iets van hun betekenis prijs te geven.

Sietze was ten einde raad. Cherish was onbereikbaar, nog veel erger dan toen ze op het punt leek te staan om met Warren Townsend te trouwen. Uiteindelijk besloot hij zijn hart te luchten bij mevrouw McDuffie. Die lachte hem zonnig toe, terwijl ze ondertussen gewoon doorging met afdrogen. 'Heb je dit allemaal ook tegen haar gezegd?'
'Hoe zou dat kunnen? Het lijkt wel alsof ze mij niet in haar buurt verdraagt.'
'Dat is niks voor Cherish zoals ik haar ken.' Ze legde het afgedroogde bord op een stapel en pakte het volgende. 'Soms wil een vrouw gewoon veroverd worden. Je hebt haar vaders toestemming. Waarom maak je daar geen gebruik van?'
Hij dacht een poosje over dit advies na. Hij had geen idee hoe hij een vrouw zou kunnen veroveren die naar eigen zeggen de elite van Europa om haar pink had gewonden. En ook in Hatsfield had ze genoeg mogelijkheden om een goede partij te vinden, maar voor geen van de betreffende mannen leek ze ook maar enigszins warm te lopen. Wat zou een scheepsbouwer, die ze bijna haar hele leven had gekend, en die niet eens een volledige baan had, dan kunnen uitrichten om indruk op haar te maken?
Hij dacht aan de tijd dat ze net weer thuis was, aan het enthousiasme en de vrolijkheid die ze tentoonspreidde wanneer ze maar bij elkaar waren. Hij herinnerde zich hoe trots ze was geweest op haar eerste kookprestaties en hoe ze erop had gestaan dat hij met haar zou gaan picknicken.
Een picknick. De herinnering aan die dag op de bergwei bleef haken. Opnieuw vroeg hij mevrouw McDuffie om raad.

'Wat een geweldig idee!' zei die meteen. 'Het is de laatste dagen zulk heerlijk weer. Van zo'n prachtige zomer moet je genieten zolang het kan. Ik zal wel een picknickmand voor jullie klaarmaken.'

'Dat vind ik erg aardig aangeboden, maar... eh... ik zou het graag zelf willen doen.'

Ze knikte, ten teken dat ze het begreep. 'Ik laat je wel even zien waar je alles kunt vinden.'

Cherish overhalen ging een stuk minder vlot.

'Een picknick?' Ze keek alsof hij haar had voorgesteld dat ze levertraan zou slikken. 'Nou, dat is lief bedacht, maar ik moet echt naar huis. Papa en tante Phoebe zitten met eten te wachten.'

'Nee, ze vinden het goed. Ik heb het gezegd.'

'Heb je het tegen ze gezegd?' Ze zette grote ogen op en keek toen uit het raam. 'Maar wat denk je van het weer? Het zou toch gaan misten?'

'Het is er juist een schitterende dag voor.'

'Ik weet het niet, hoor. Ik heb me er niet op voorbereid...'

'Wat valt daar nou aan voor te bereiden?' Hij begon al spijt te krijgen van zijn voorstel. 'Het is een doodgewone picknick. Je weet nooit of we dit seizoen nog eens de kans krijgen. Je vond picknicken altijd leuk!'

Even keek ze hem aan en hij vroeg zich af of ook zij nu dacht aan hun picknick van begin deze zomer. Ze keek meteen weer van hem weg, en het volgende ogenblik stond ze op en klopte haar schort af. 'Nou, vooruit dan maar, als je er op staat.' Het klonk bijna bot, en dat was een toon die hij van Cherish Winslow niet gewend was.

Onder het varen zwegen ze, maar toen ze merkte dat hij naar open zee koerste, vroeg ze hem: 'Waar gaan we eigenlijk heen?'

'Ik had gedacht om McKinnon Island te proberen. We kunnen naar de papegaaiduikers kijken.'

Ze knikte en wendde zich weer af. Hij nam er voor het

ogenblik genoegen mee dat hij haar profiel kon gadeslaan, en genoot van de aanblik van de losse lokken die om haar gezicht woeien.

Bij het eiland gingen ze voor anker en Sietze roeide hen met de sloep naar een kleine steiger. Afgezien van een vuurtoren was het eiland onbebouwd. Voordat Sietze kans zag haar de helpende hand toe te steken, was Cherish al uit het bootje gesprongen. Voor hem uit liep ze met snelle passen het grindpad op en Sietze volgde in een langzamer tempo met de picknickmand. Door een zee van lang gras klommen ze langs de helling omhoog naar het hoogste punt. De vuur-torenwachter liep hen tegemoet en ze stonden even met hem te praten, voordat ze langs de vuurtoren verder liepen om een mooi plekje te zoeken. Uiteindelijk vonden ze een beschutte plaats vanwaar ze naar alle kanten over de zee konden kijken en tegelijk de groene helling en de rotskust in de gaten konden houden voor het geval er papegaaiduikers zouden verschijnen. Sietze stalde het eenvoudige voedsel uit, een beetje verlegen toen hij zag hoe ongelijk hij het brood had gesneden.

'Ik hoop dat ik aan alles gedacht heb. Hier heb je wat zilver-uitjes, en dit is de limonade. Mevrouw McDuffie heeft me een paar plakken cake meegegeven als toetje.'

'Het ziet er allemaal heerlijk uit,' zei ze. Ze nam een boter-ham van hem aan, zonder dat hun vingers elkaar raakten, en daarna bogen ze hun hoofd om te bidden. Onder het eten deden ze er het zwijgen toe. Het geluid van de golven was voldoende om de stilte te vullen. Na het eten keken ze een poosje naar de capriolen van de papegaaiduikers, die weer tevoorschijn waren gekomen toen Cherish en Sietze een tijd-je roerloos hadden gezeten. Hij gaf haar een verrekijker en ze nam die zonder een woord van hem aan.

De papegaaiduikers leken wel wat op miniatuur pinguïns, alleen waren hun snavels dikker en feller gekleurd. Cherish wees toen een van de vogels van een rotsblok af dook en weer boven water kwam met een vis in zijn snavel. Ze gaf hem de verrekijker terug. 'Bedankt,' zei ze en iets van haar vroegere geestdrift leek teruggekeerd. 'Ik ben blij dat je me hier mee naartoe hebt genomen.'

Het was nu of nooit. Maar het was veel moeilijker dan hij van tevoren had verwacht. Hij staarde naar het gras tussen zijn opgetrokken knieën en plukte afwezig aan een lange spriet. 'Wist je dat ik nog nooit van huis was geweest toen ik voor de eerste keer in Haven's End kwam om bij je vader in de leer te gaan? Ik was nog nooit eerder uit mijn vertrouwde omgeving weg geweest, gescheiden van de mensen van wie ik hield en die van mij hielden. Ik begreep niet waarom ik zo ver weg moest. Ik wist alleen maar dat papa gestorven was en dat het leven nooit meer zou zijn zoals het was.'

Hij haalde diep adem; het was geen prettige tijd om aan terug te denken. 'De nachten waren het ergst. Je vader sloot altijd de werkplaats af. Dan hoorde ik de sleutel in het slot knarsen en wist dat ik voor de rest van de nacht alleen zou zijn. En dan kwamen de geluiden – gekraak hier en daar, een plotselinge windvlaag, het eindeloze dreunen van de golven. Ik voelde me zo bedreigd. Ik wist dat ik me als een man moest gedragen. Maar ik was twaalf. Ik was geen klein kind meer, dat wist ik heel goed, maar ik ben de tel kwijtgeraakt van de nachten dat ik mezelf in slaap heb gehuild.'

Hij legde zijn armen om zijn knieën en keek even in haar richting. Ze had tot nu toe geen kik gegeven, maar keek aandachtig luisterend naar hem. Zijn mond vertrok in een scheve grijns. 'Jij was in die eerste tijd de enige vriendin die ik had, de enige die mijn heimwee leek aan te voelen. Weet je nog wat je me op die eerste dag hebt gegeven?'

'Ja, dat was Annie,' zei ze zacht. 'Mijn lievelingspop. Ik moet beslist veel medelijden met je gehad hebben, anders had ik haar nooit afgestaan.'

'Ik heb haar nog steeds.'

Nu keek ze stomverbaasd.

'Raad eens hoeveel nachten ik bij die pop heb uitgehuild? Heel wat, zoals jouw kinderhoofdje al had bedacht.'
'Ik ben blij dat je Annie had.'
'Die eerste maand was ze regelmatig helemaal doorweekt, maar ik had dat voor geen goud aan iemand willen bekennen, en zeker niet aan zo'n eigenwijs grietje van vijf.'
Ze lachte. 'Ik was behoorlijk verwaand, geloof ik. Maar ik vind het echt erg dat je zo eenzaam was.'
Hij staarde over de zee. 'Ik wende mezelf aan, alleen te denken aan het doel waarvoor ik gekomen was: om boten bouwen te leren en ze misschien ooit zelf te kunnen ontwerpen. Ik besefte wel dat ik een zeldzame kans had gekregen. Als mijn vader in leven was gebleven, was ik waarschijnlijk in zijn voetsporen getreden en eveneens visser geworden.' Hij zuchtte. 'En dus leerde ik mijn zelfmedelijden en mijn eenzaamheid aan de kant te zetten en me te concentreren op datgene wat ik het liefste deed. Maar ergens in dat proces ben ik verleerd daarnaast nog van iets of iemand anders te houden.'
Cherish' hart kromp ineen. Hier was ze al die tijd bang voor geweest. Er kwam een soort verdoving over haar en zijn volgende woorden drongen nauwelijks tot haar door.
'Er was een mooie jonge vrouw voor nodig, even onbevreesd en recht door zee als dat meisje van vijf, om me de ogen te openen voor wat ik nooit had gezien.'
Zou hij nu toch...?
'Cherish,' zei hij moeilijk. 'Ik wou dat ik je duidelijk kon maken hoeveel ik om je geef.'
'Het is alleen geen liefde,' maakte ze op vlakke toon de zin voor hem af.
'Dat is het wel! Het is een liefde die je verscheurt van verlangen. Je weet niet hoe moeilijk de afgelopen zomer voor me is geweest, vanaf het allereerste moment dat ik je weer zag, zo veranderd en volwassen. Het was nooit bij me opgekomen dat jij ook iets om mij zou geven, laat staan dat ik zou

proberen jou te veroveren – daarvoor zaten mijn gevoelens te diep weggestopt. Als het aan mij had gelegen zou ik ze niet eens ontdekt hebben. Maar toen liet jij me zien wat ik werkelijk voelde, iets wat ik tot dan toe niet eens wist.'

Hij lachte een beetje bitter. 'Ik denk nu dat ik daarom na Emma's dood nooit meer naar een ander meisje heb gekeken. Ik moet al die tijd al op jou verliefd zijn geweest.'

Met handenvol tegelijk trok hij nu het gras uit de grond. 'Ik wilde je niet kwetsen. Ik wilde niet dat er verwijdering zou komen tussen jou en je vader. Ik wilde niet dat jij ooit door zou moeten maken wat mij was overkomen. En daarom stond ik mezelf niet toe zelfs maar over jou te dromen.'

'Maar Sietze, waarom heb je me dat nooit verteld? Nu heb ik al die tijd gedacht dat ik je onverschillig liet.'

'Ik wilde niet dat jij je vader zou trotseren voor een kalverliefde.'

'Sietze! Dacht je echt dat het niet meer was dan dat?'

Zoekend naar woorden zei hij langzaam: 'Ik wilde niet dat jij tegen je vader zou ingaan alleen maar om je zin te krijgen, om vervolgens, als je je zin eenmaal had, te ontdekken dat het niet de moeite waard was geweest. Je weet wel, omdat ik niet zoveel opleiding heb als jij en niet zoveel van de wereld heb gezien...'

Tranen brandden in haar ogen. Er viel niet veel in te brengen tegen wat hij zei; maar dat hij zo klein van haar gedacht had!

'Niet huilen, Cherish. Ik wil je nog steeds niet kwetsen. Ik vind het erg als ik je verdriet doe met wat ik nu allemaal vertel, maar ik wil je zo graag uitleggen waar ik doorheen gegaan ben.' Hij slikte en keek strak voor zich uit over de oceaan; zijn pony was weer over zijn voorhoofd gezakt. 'Pas de afgelopen maand, toen je een poos weg was, besefte ik hoe troosteloos het leven zonder jou zou zijn en hoe stom ik was geweest door mezelf wijs te maken dat ik zonder jou zou kunnen leven.'

'O, Sietze,' fluisterde ze.

'En toen je terugkwam... Ik had God gesmeekt dat ik in ieder geval je vriendschap zou mogen behouden. Maar je deed zo afstandelijk. Ik had niet gedacht dat het nog erger kon worden dan het al was, maar dat werd het dus wel.' Hij zuchtte diep. 'En daarom heb ik je vandaag meegenomen, om nu eens tegen je te kunnen zeggen dat ik van je houd met mijn hele hart, en dat ik tevreden zal zijn met wat je mij kunt en wilt geven, al is het nog zo weinig wat je voor mij voelt...'

Zacht legde ze haar hand op zijn arm. Hij keek ernaar, maar verroerde zich niet.

'Sietze, denk je dat er een kans bestaat dat je ooit echt gaat geloven dat mijn hart jou toebehoort, en dat niet sinds kort, maar al veertien jaar lang? Ik heb het je alleen niet eerder durven laten merken omdat ik een gehoorzame dochter ben en omdat ik geduld moest leren. Maar al die tijd heb ik gewacht en gedroomd van de dag dat ik jou als volwassen vrouw mijn hart zou kunnen geven.'

Nu keerde hij zich naar haar toe en de hoop lichtte op in zijn ogen. Voorzichtig legde hij zijn hand om haar kin. 'Cherish, kun je me vergeven dat ik aan je liefde heb getwijfeld? Ik zal het nooit meer doen.'

Ze lachte en behoedzaam boog hij zich naar haar toe. Zijn vingers streelden haar slaap en zijn ogen gleden vol verwondering over haar gezicht. 'Je bent zo mooi,' fluisterde hij ademloos.

'Word ik nu nog eens fatsoenlijk gekust of hoe zit dat?' vroeg ze giechelend.

Hij lachte terug. 'Nou, van fatsoenlijk kussen heb ik geen verstand, maar ik zal mijn best doen.'

'Laat de beoordeling nou maar aan mij over.'

'Goed, juffrouw Winslow.'

'U zou me zeer verplichten, meneer De Vries,' mompelde ze zedig.

Woorden waren verder overbodig. Langzaam naderden hun monden elkaar en zijn lippen streken over de hare. Haar adem stokte en ze legde haar handen om zijn nek om hem nog dichter naar zich toe te trekken. Deze keer was zijn kus zacht en voorzichtig en toen hij ophield keken ze elkaar diep in de ogen. 'Was het goed zo?' vroeg hij en er blonk een lach in de diepte van zijn groengrijze ogen.

'Daar kan ik na een keer nog niets van zeggen, hoor. Je zult er een leven lang mee door moeten gaan voor ik het kan beoordelen.'

Ze raakte de lok op zijn voorhoofd aan. 'Als je eens wist hoe vaak ik dit al heb willen doen,' zei ze zachtjes.

'Nou, je mag het doen zo vaak je maar wilt.'

'Echt?' Ze legde haar vingertoppen tegen zijn gezicht en liet ze langs zijn kaak glijden. 'Dat is nog eens aardig van je.'

'En weet jij wel hoe vaak ik je al heb willen zoenen?'

'Nee, hoe vaak dan?'

'Ontelbare keren.'

Ze giechelde. 'Nou, je mag het zo vaak doen als je maar wilt.'

'Echt? Dat is nog eens grootmoedig van je.'

Even later vroeg ze hem: 'Denk jij ook dat we voor elkaar bestemd zijn? Of vind je dat een overdreven romantisch idee?'

'Volgens mij is het alleen maar de constatering van een feit.'

Ze streek langs zijn overhemdkraagje. 'Ik ben blij dat je loopt te pronken met het overhemd dat ik voor je heb gemaakt. Het was zo leuk om het te naaien.'

Hij keek omlaag naar wat er nog van het kledingstuk te zien was. 'Heb jij het gemaakt? Geen wonder dat het mijn lievelingsoverhemd is geworden.'

Toen ze eindelijk opstonden om naar huis te gaan, stak Sietze Cherish de hand toe. 'Kom mee, er moet nog een ding afgehandeld worden.'

Nieuwsgierig volgde ze hem naar een groot rotsblok, waarop hij haar liet plaatsnemen.

'Eens kijken... Hoe zou graaf – of was het prins – Leopold dit hebben aangepakt?'

'Graaf Leopold laat me koud.'

Ze keken elkaar aan, wetend wat de ander dacht.

'Goed dan. Hoe zou Sietze de Vries een meisje ten huwelijk vragen?' Al pratend liet hij zich op een knie zakken en nam haar hand in de zijne. 'Cherish Elizabeth Winslow, wil je mijn vrouw worden?'

'Met genoegen, Sietze Todd de Vries.'

Hij bracht haar hand naar zijn lippen en drukte er een kus op. Toen hielp hij haar weer overeind. 'Denk je dat we al gauw kunnen trouwen?' vroeg hij.

'Zodra je maar wilt,' antwoordde ze.

'Nu dus.'

'Nou ja,' krabbelde ze een beetje terug, 'het is anders ook wel leuk als je mij het hof maakt, zoals vandaag.'

'Ik zal je het hof maken tot aan onze trouwdag en daarna trouwens ook.'

Plotseling trok er een schaduw over haar gezicht.

'Wat is er?' vroeg hij onmiddellijk.

'Sietze, ben je eigenlijk nog steeds van plan om Haven's End te verlaten?'

'Je vader heeft me de scheepswerf te koop aangeboden.'

Ze zette grote ogen op. 'Echt waar?' Meteen was ze weer ontnuchterd: 'Vraagt hij er veel voor?'

'Niet meer dan hij me al schuldig was,' grijnsde hij.

Haar ogen werden zo mogelijk nog groter. 'Is hij je geld schuldig? Waar heb je het over?'

En hij vertelde haar over de twaalfhonderd dollar.

'Dus jij was het,' fluisterde ze diep onder de indruk. 'Natuurlijk! Hoe is het mogelijk dat ik daar niet aan gedacht heb! Ik wist dat je voor een eigen werf aan het sparen was. Waarschijnlijk is het daarom nooit bij me opgekomen dat je afstand van je spaargeld zou kunnen doen – en al helemaal niet ter wille van mijn vader.'

'Ik dacht ook eigenlijk niet aan hem. Omdat het ook voor jou was, hoefde ik er niet eens echt over na te denken.'

'O, Sietze!' Haar ogen vulden zich met tranen. 'En dan te bedenken hoe mijn vader je al die jaren heeft behandeld.'

'Ik zei al dat ik het niet voor hem deed. Huil nou niet,' smeekte hij en veegde een traan van haar wang. 'Ik zou het zo weer doen, en met plezier. God heeft dit gebruikt om me los te maken van mijn geld.'

'O, Sietze, papa staat tegenwoordig zo anders tegenover jou. Sinds we terug zijn is hij zo aardig tegen je. Hij behandelt je eindelijk zoals hij altijd al had moeten doen.'

'Hij heeft me toestemming gegeven om je ten huwelijk te vragen.'

Ze lachte. 'Dat meen je niet! Wanneer dan?'

'Bij de eerste de beste gelegenheid.'

Ze lachten samen, een lach vol geluk, en wandelden stevig gearmd terug naar de boot. 'Wat heb je mijn vader eigenlijk geantwoord?'

'Ik heb nog geen antwoord gegeven.'

'Waarom niet?'

'Ik heb nog niet kunnen besluiten of ik zijn gulle aanbod kan aannemen.'

Ze wachtte.

'Dat hangt namelijk van jou af.'

'Ik laat het aan jou over,' zei ze. 'Om met Ruth te spreken: "Waar u gaat, zal ik gaan..."'

Hij glimlachte. 'Dan zullen we voorlopig in Haven's End blijven. Maar ik heb zo'n vermoeden dat de Heer ons naar plaatsen zal leiden waar we zelfs niet van hadden kunnen dromen.'

*Mijn dank gaat uit naar de jongens van The Boat School,
Washington County Technical College in Eastport,
die ik veel vragen heb mogen stellen en die ik heb mogen
observeren terwijl ze bezig waren hun houten boten
te bouwen.*